ein Ullstein Buch

ÜBER DAS BUCH:

Was tun, wenn das Berufsleben vorbei ist, wenn man freiwillig oder unfreiwillig zum Single wurde? Von Erinnerungen zehren, sich vor dem Altwerden fürchten – oder etwas ganz Neues anfangen? Lebenserfahrungen nutzen, Lebenswünsche endlich verwirklichen, gemeinsam mit anderen Menschen, die auch das Bedürfnis haben, die Welt ein wenig zu verändern, und die bei sich und der eigenen Umwelt damit anfangen? Ein Risiko? Eine Utopie? In liebevollem Miteinander sinnvoll und bewußt das letzte Lebensdrittel zu verbringen – davon handelt *Die letzte Strophe*. Es beginnt wie ein Märchen: »Es war einmal eine schöne und reiche Witwe, die nichts mit ihrem Reichtum anzufangen wußte...« Aus diesem Märchen wird das »Projekt Pertes«, benannt nach dem Atomphysiker und späteren Atomgegner Pertes, verwirklicht und finanziert von Hannah Pertes: eine Lebensgemeinschaft von Frauen und Männern, die das letzte Stück des Lebenswegs gemeinsam gehen wollen. »Das Menschenmögliche ist noch nie versucht worden« – Christine Brückner beschreibt es in ihrem Roman.

DIE AUTORIN:

Christine Brückner, 1921 in einem waldeckschen Pfarrhaus geboren. Abitur, fünf Jahre Kriegseinsatz, Studium. Häufiger Orts- und Berufswechsel. Halle/Saale, Marburg, Nürnberg, Stuttgart, Krefeld, Düsseldorf u. a. 1954 erhielt sie für ihren ersten Roman, *Ehe die Spuren verwehen,* den ersten Preis in einem Romanwettbewerb, seither ist sie haupt- und freiberufliche Schriftstellerin. Von 1980–1984 war sie Vizepräsidentin des deutschen PEN; 1982 wurde sie mit der Goethe-Plakette des Landes Hessen, 1987 mit der Ehrenbürgerschaft der Stadt Kassel ausgezeichnet. 1985 stiftete sie zusammen mit O. H. Kühner den »Kasseler Literaturpreis für grotesken Humor«. Sie schreibt Romane, Erzählungen, Kommentare, Essays, Schauspiele, auch Jugend- und Bilderbücher.

Christine Brückner

Die letzte Strophe

Roman

ein Ullstein Buch

ein Ullstein Buch
Nr. 22635
im Verlag Ullstein GmbH,
Frankfurt/M – Berlin

Ungekürzte Ausgabe

Umschlagentwurf:
Hansbernd Lindemann
unter Verwendung eines Bildes
von Otto Heinrich Kühner

Printed in Germany 1991
Druck und Verarbeitung:
Ebner Ulm
ISBN 3 548 22635 3

Oktober 1991

Von derselben Autorin
in der Reihe
der Ullstein Bücher:

Ehe die Spuren verwehen (22436)
Ein Frühling im Tessin (22557)
Die Zeit danach (22631)
Letztes Jahr auf Ischia (22734)
Die Zeit der Leoniden (Der Kokon) (22887)
Wie Sommer und Winter (3010)
Das glückliche Buch der a. p. (3070)
Die Mädchen aus meiner Klasse (22569)
Überlebensgeschichten (22463)
Jauche und Levkojen (20077)
Nirgendwo ist Poenichen (20181)
Das eine sein, das andere lieben (20379)
Mein schwarzes Sofa (20500)
Lachen, um nicht zu weinen (20563)
Wenn du geredet hättest, Desdemona (20623)
Die Quints (20951)
Hat der Mensch Wurzeln? (20979)
Kleine Spiele für große Leute (22334)
Alexander der Kleine (22406)
Was ist schon ein Jahr (40029)

Zusammen mit O. H. Kühner:

Erfahren und erwandert (20195)
Deine Bilder – Meine Worte (22257)

Die Deutsche Bibliothek –
CIP-Einheitsaufnahme

Brückner, Christine:
Die letzte Strophe: Roman / Christine
Brückner. – Ungekürzte Ausg. –
Frankfurt/M; Berlin: Ullstein, 1991
(Ullstein-Buch; Nr. 22635)
ISBN 3-548-22635-3
NE: GT

Dem gewidmet, der mit
mir alt werden möchte:
meinem Mann.

1

›Wir sind Engel mit nur einem Flügel. Um fliegen zu können, müssen wir uns umarmen.‹

Luciano De Crescenzo

›Eine beachtliche Frau‹ schrieb er auf einen Zettel, den er auf seinen Schreibtisch legte, bevor er zu Bett ging. Am folgenden Morgen las er als erstes diesen Zettel, sagte nochmals bestätigend: »eine beachtliche Frau«, sagte es zu sich selbst; jemanden, der geantwortet oder wenigstens zugehört hätte, gab es nicht.

Das Thema jener Veranstaltung ›in kleinem Kreis‹ hatte ihn interessiert, die Darstellung weniger; es ging um die Vorzüge des Alleinlebens: ›Der Single als moderne Lebensform‹ – genau erinnerte er sich nicht an die Formulierung, Neues hatte er nicht erfahren. Er selbst lebte seit geraumer Zeit allein, was ihn mal mehr, mal weniger überzeugte, in letzter Zeit mehr und mehr weniger, so drückte er es aus, er hatte eine Vorliebe für paradoxe Formulierungen.

Unter den geladenen Gästen, von denen er einige flüchtig kannte, befand sich eine Frau, die er bisher in diesem Kreis nicht gesehen hatte, die ihm auffiel, vermutlich, weil sie schwarz gekleidet war, konsequent schwarz. Er hörte, daß jemand sagte, ›vorher‹ habe sie aber auch Schwarz getragen.

Dem Vortrag war eine von Pausen immer wieder unterbrochene Aussprache gefolgt, an der diese Frau sich ebensowenig beteiligte wie er selbst. Der Redner hatte sich, um ein Gespräch in Gang zu bringen, unmittelbar an ihn gewandt und um eine Stellungnahme zum Thema gebeten; er habe beobachtet, daß er, Dr. Britten, sich Notizen gemacht habe. Daraufhin hatte Britten einen Blick auf seinen Zettel geworfen, erklärt, daß seine Notizen unleserlich seien, und den Schreibblock in die Jackentasche geschoben.

»Es heißt, daß Sie sich aus psychologisch-soziologischer Sicht mit diesen Fragen beschäftigen.«

Die erneute Aufforderung wurde von Britten als Belästigung empfunden. »Wer schreibt, redet in der Regel wenig.« Britten benutzte diese stereotype Antwort, fügte hinzu: »Eins oder das andere«, was zwar nicht stimmte, zumeist aber akzeptiert wurde. Seine Antwort schien die beachtliche Frau zu überraschen, sie blickte ihn prüfend an, unterließ es aber, etwas zu sagen.

Der Vortrag hatte unter den ›Singles‹ kein Bedürfnis nach Geselligkeit geweckt, der vorbereitete kleine Imbiß wurde von den meisten Besuchern nicht beachtet. Man vereinzelte sich wieder, wie die Gastgeberin es nannte. Kurze Gespräche, wo und in welcher Entfernung man den Wagen geparkt habe. Dr. Britten bat, ihm ein Taxi zu bestellen, woraufhin die Gastgeberin sagte, daß gewiß jemand im Waldviertel wohne und ihn mitnehmen würde. Die beachtliche Frau wandte sich ihm zu, eine auffordernde Handbewegung genügte, die er mit einer dankenden Handbewegung beantwortete. Sie gingen nebeneinander durch den Vorgarten, dann die wenigen Schritte bis zu ihrem Wagen. Er wartete, bis sie das Schloß geöffnet hatte. Sie machte ihn darauf aufmerksam, daß er einsteigen könne, aber Britten wandte sein kleines, bewährtes Zeremoniell an, öffnete ihr den Wagenschlag, ließ sie einsteigen, schloß ihre Tür, ging um den Wagen herum und stieg ein, beide legten die Gurte an, sie blickte zu ihm hinüber, und er sagte: »Buchenweg. Wenn Sie mich an der Abzweigung des Buchenwegs absetzen würden? Die letzten Schritte gehe ich dann gern zu Fuß.«

Noch bevor sie den Zündschlüssel gedreht hatte, fragte sie: »Wenn Sie nun –?«

Und er dachte: Sie wird doch nicht? Sie wird doch nicht fragen, ob ich mit zu ihr komme, ein Single zum anderen Single; so jung war sie auch nicht mehr. Er blickte sie an, ohne zu antworten. Sie sagte: »Ich bin sechzig, ganz recht.« Er wollte sagen, das glaubt Ihnen keiner, aber sie winkte ab. »Zehn Jahre habe ich abends auf dem Kleenex-Tuch. Ich dachte, wir könnten unterwegs noch ein Glas Wein trinken, aber es muß nicht sein. Unser Haus«, sie verbesserte sich: »Mein Haus ist sehr groß.«

»Ihr Wagen ist ebenfalls sehr groß.«

Die Frau entschuldigte sich; er sagte, daß sich die meisten Autobesitzer für ein zu kleines Auto entschuldigten, und schloß die Frage an: »Wieviel Auto braucht der Mensch?«

Ihr Fahrstil sagte ihm zu, er beurteilte, seit er nicht mehr selber fuhr und häufiger in fremden Autos saß, Menschen nach ihrem Fahrstil; er hatte vor kurzem einen Aufsatz über ›Fahrtüchtigkeit und Fahrlässigkeit‹ veröffentlicht, psychologisch, soziologisch, vornehmlich aber polemisch.

Ohne den Blick von der Fahrbahn zu wenden, erkundigte sich die Frau, ob jemand sich freue, wenn er nach Hause komme.

Vorsichtshalber sagte er, was auch der Wahrheit entsprach: »Und ob!«

»Dann werde ich Sie am Buchenweg absetzen.«

Woraufhin er antwortete, was ebenfalls der Wahrheit entsprach, daß die Freude über seine Rückkehr in einer Stunde genauso groß, wenn nicht größer sein würde. Er schlug vor, zum ›Bosco‹ zu fahren – ein kleines italienisches Restaurant am Rande des sogenannten Waldviertels, wo er gelegentlich abends sitze.

»Es gefällt mir hier«, sagte sie, blickte sich um, sah von einem Zitronenbaum zum nächsten Lorbeerbaum, alles war grün und weiß, künstliche und echte Bäume und Büsche standen in weißen Kübeln. Sie sagte nochmals: »Schön! Aber ich passe nicht hierher, ich bin zu dunkel, oder –?«

Sie nahmen an einem der weißen Tische Platz, und dann kam auch schon Salvatore, brach einen blühenden Zweig von einem Pomeranzenbaum ab und überreichte ihn ihr zur Begrüßung, eine Huldigung. Sie schien an Huldigungen gewöhnt zu sein, bestellte sich Mineralwasser. Salvatore fragte: »Lo stesso, dottore?« und nahm die Speisekarte wieder mit.

»Dottore –?« fragte sie, und er sagte: »Britten, aber ich komponiere nicht. Bernd Britten.« Die Namensnennung bewirkte keine Reaktion, er war gewohnt, daß man aufhorchte, er hatte sich als Publizist einen Namen gemacht.

»Müßte ich jetzt ›aha‹ sagen?«

»Sie könnten.«

Aber auch den Komponisten schien sie nicht zu kennen. Britten zog eine Zigarettenschachtel aus der Tasche, hielt sie ihr hin, und sie sagte, daß sie sich das Rauchen abgewöhne, woraufhin er die Zigaretten wieder einsteckte; sie dankte mit einer Handbewegung. Vielversprechend war die Unterhaltung bisher nicht. Sie mußte gehört haben, daß er ›schreibe‹, also rechnete er damit, daß sie reden wollte, ›mit jemandem reden‹. Die Annahme erwies sich als falsch. Sie wollte anscheinend nur nicht in das zu große Haus zurückkehren.

Britten erkundigte sich, ob sie immer so schweigsam sei. Es gäbe eine Strauss-Oper nach einem Text von Hofmannsthal, ›Die schweigsame Frau‹, ob sie die Oper kenne?

Sie beantwortete nicht die letzte, sondern die erste Frage. »Ich habe nichts zu sagen.« Der einfachste und einleuchtendste Grund zur Schweigsamkeit, aber nur selten benutzt. Er sah sie aufmerksam an, und sie fügte hinzu: »Aber ich kann in drei Sprachen fehlerfrei schweigen.«

Salvatore brachte das Glas mit den Eisstücken und der Zitronenscheibe, füllte es mit Mineralwasser, füllte das andere Glas mit Rotwein und stellte die Flasche mit dem Chianti Classico auf den Tisch, was er offensichtlich zu tun gewohnt war. Dr. Britten hob das Glas, sie tat es nicht, roch statt dessen am blühenden Pomeranzenzweig.

»Hannah Pertes«, sagte sie, und er fragte: »Wie dieser Verleger?« Als er merkte, daß sie nicht wußte, wovon er sprach, fügte er hinzu: »Der Vater aller Buchhändler? Perthes mit th?«

»Pertes ohne h, aber Hannah mit zwei h.«

»Pertes, doch nicht etwa der Physiker?«

»Doch«, sagte sie, »der große Atomphysiker Pertes. Ich habe kürzlich meinen Familiennamen verloren, sagen Sie ruhig Hannah.«

»Hannah mit den zwei h! Vielleicht wollte man ein Anagramm herstellen beziehungsweise ein Hannahgramm.«

»Was ist ein Anagramm?« Sie ging auf seinen heiteren Ton nicht ein, blieb ernsthaft. »Bisher war ich oft unwissend, Ihnen gegenüber bin ich ungebildet. Niemand hat von mir Kenntnisse auf dem Gebiet der Kernphysik erwartet. Was ist ein Anagramm?«

»›Otto‹ ist ein Anagramm, ›Anna‹ ist ein Anagramm, die Umkehrung der Buchstaben eines Wortes, von vorn gelesen, von hinten gelesen, immer dasselbe und folglich auch ›Hannah‹, hin und her, in jedem Falle Hannah. Was tut eine solche Hannah mit zwei h an der Seite eines Physikers?«

»Ich bin mit ihm zu Kongressen gefahren und habe übersetzt, was er sagte, und übersetzt, was die anderen sagten. Ich habe geschrieben, was er sagte.«

»Hätte das nicht eine Sekretärin gekonnt?«

»Ich war seine Sekretärin, vorher, und bin es geblieben.«

»Seit seinem Tod rauchen Sie nicht mehr? Trinken keinen Alkohol?«

»Ich muß mir vieles abgewöhnen.«

Er blickte sie prüfend an, lehnte sich zurück, sie schien seine Besorgnis bereits bemerkt zu haben und sagte: »Sie haben nichts zu befürchten. Gehen Sie dorthin, wo man sich freut, wenn Sie kommen!«

Er machte ihr den Vorschlag, nun doch ein Glas Wein mit ihm zu trinken, damit er eine Zigarette rauchen könne, er habe sich aus Gründen, die nicht weiter erörtert werden müßten, das Rauchen wieder angewöhnt. Sie gab das Mineralwasser dem Zitronenbaum zu trinken, der hinter ihr stand, sagte, daß Zitronensaft und Kohlensäure dem Bäumchen nicht schaden würden. Ihre Art, rasch mit kleinen Problemen fertig zu werden, gefiel ihm. Er füllte ihr Glas und wurde ein weiteres Mal gefragt, was er sich während des Vortrags notiert habe, woraufhin er den Notizblock aus der Tasche zog und ihn über den Tisch schob. Kleine und größere Kreise, nichts weiter, kein Kreis berührte den anderen. Er sagte: »Einzeller! Oder auch: Froschlaich.«

Hannah betrachtete den Zettel, hielt ihn an ausgestrecktem Arm weit von sich. Britten sagte: »Eine Brille würde Ihnen gut stehen.« Sie erwiderte, daß sie Kontaktlinsen trage.

»Für die heutige Veranstaltung war das sicher das richtige, sonst säße ich nicht mit Ihnen zusammen.« Sie ging auf seine Anspielung nicht ein, verstand sie vermutlich gar nicht, sagte statt dessen, daß Froschlaich anders aussehe, da drängten sich die Einzeller zu einem Klumpen aneinander.

»Wie unangenehm«, sagte Britten, mit Fröschen habe er noch nie zu tun gehabt.

»Aber ich!« sagte sie, hatte das Blatt noch immer in der Hand und zitierte: »›Einsamkeit bezeichnet das subjektive Empfinden der objektiven Gegebenheiten.‹«

Britten erkannte den Satz wieder. »Das ist wörtlich«, sagte er. »Sie besitzen ein Gedächtnis.«

»Ein lange und gut geschultes Gedächtnis«, entgegnete sie und zitierte weiter: »›Isolation bezeichnet die objektiven Gegebenheiten.‹«

Ein Augenblick der Konzentration genügte, dann ergänzte er: »›Einsamkeit ist eine Folge des ungegliederten Dahinlebens.‹«

»›Euripides zog sich allein in eine Höhle am Meer zurück.‹«

»›Er gilt als der Vater aller Singles.‹«

»Ich müßte von mir aus auf andere zugehen«, sagte sie, und er sagte: »Was Sie heute abend dankenswerterweise auch getan haben.«

Durch dieses Kompliment hatte er das rasche Hin und Her der Sätze unterbrochen, folglich schwieg sie. Er wiederholte leichthin eine Frage, die ebenfalls in dem Vortrag gestellt worden war: »›Würden Sie wirklich im Alter gern mit Ihren Kindern zusammenleben?‹«

Diesmal kam kein Zitat als Antwort, sondern ein eigener, spontaner Ausruf: »Meine arme Tochter!« Und gleich darauf der Zusatz: »Meine Tochter würde ebenfalls sagen: ›Meine arme Mutter!‹«

An einer Wendung ins Private war Britten aus ebenfalls privaten Gründen nichts gelegen, darum nahm er das Spiel der Wiederholungen noch einmal auf. »›Bei den Jüngeren ist der Prozentsatz der freiwillig Alleinlebenden größer als bei den Älteren.‹«

»›Frauen fühlen sich eher einsam als Männer.‹«

»›Einsamkeit ist eine Funktion der Langeweile.‹«

Die Sätze kamen wieder schneller, flogen über den Tisch, das Hin und Her erfreute beide: »›Innere Nähe bei äußerer Distanz, das ist der Vorteil eines Singles gegenüber einem lizenzierten Partner.‹«

»Und was ist mit äußerer Nähe bei innerer Distanz?« fragte Hannah Pertes. »Der Satz ist meines Wissens nicht gefallen.«

Auf ihren Zusatz, der ein Erfahrungssatz sein mochte, ging Britten nicht ein, statt dessen sagte er: »›Anders ist die Situation der eben Verwitweten.‹«

»Ja!« sagte sie und wiederholte ein weiteres Mal: »Ja!« Sie mußte es wissen; er bedauerte, den Satz ausgesprochen zu haben, wartete einen Augenblick, eine Entschuldigung schien ihm angebracht.

Sie schwieg, bat ihn dann um eine Zigarette, die sie nicht anzündete, sondern neben das Glas legte, füllte sein Glas, die Pause wurde überbrückt durch Hantierungen, es fiel ihm ein weiterer Satz des Referates ein, den er mit einem Unterton von Ironie aussprach: »›Sexualität im reiferen Alter kann Dimensionen annehmen –‹«

Hannah Pertes legte die Hände flach auf den Tisch, eine Geste, die er erst später zu deuten lernen wird, und blickte ihn an. Er beendete den Satz nicht. Von der Sexualität im Alter wurde an diesem Abend nicht weiter geredet.

Britten trank aus, schob die Zigarettenschachtel in die Jakkentasche, griff nach dem Notizblock und fragte: »Wollen wir – ?«

Hannah nahm das Glas, aus dem sie keinen Schluck getrunken hatte, in die Hand; bevor sie den Wein dem Zitronenbaum eingießen konnte, nahm er ihr Glas und leerte es. »Sie sind konsequent, Hannah mit den beiden h!«

»Das ist meine Schwäche«, sagte sie, sagte ›Schwäche‹ und nicht Stärke. Britten legte einen Schein unter die Weinflasche, sie zog sich die Jacke über, blickte auf die Uhr, sagte: »Ein Tag weiter. Würden Sie mir das Blatt überlassen?«

Er sah sie fragend an.

»Die Einzeller! Ich möchte das Blatt mitnehmen, ich habe heute abend etwas gelernt. Etwas! Nicht viel.«

Salvatore hielt die Tür auf, erkundigte sich nach Marco Antonio. »Va bene?«

Britten bestätigte: »Va bene!«

Hannah Pertes sah ihn prüfend an, ihre unausgesprochene Vermutung wurde durch seinen vielsagenden Blick bestätigt.

»Buona notte!« Hin und her. »Signora!« - »Signore!« - »Salvatore!« Die Signora hob den duftenden Pomeranzenzweig hoch, dankte mit einer Handbewegung, Salvatore gab zu verstehen, daß der Dottore eine sehr schöne Frau als Begleiterin habe. Sein ›Buona notte‹ galt beiden.

Sie waren dann zu ihrem Auto gegangen, er hatte den Wagenschlag aufhalten wollen, aber sie hatte die Tür rasch zugezogen, das Fenster mit einem Knopfdruck geöffnet, »Gute Nacht, Euripides!« gesagt und war mit dem zu großen Auto davongefahren zu dem zu großen Haus.

›Eine beachtliche Frau‹. Britten legte den Zettel zu anderen Notizzetteln, trank, am Fensterbrett stehend, seinen Morgenkaffee, blätterte im Telefonbuch, klappte es aber zu, bevor er den Namen ›Pertes‹ gefunden hatte, und sagte, mit ihren Worten: »Das will ich mir abgewöhnen.« Oder hatte sie ›habe‹ gesagt oder ›muß‹, oder hatte sie überhaupt den Konjunktiv benutzt?

2

›Gute Zähne sind mindestens soviel wert wie das Assessorexamen.‹

Theodor Fontane

Mark Anton bestand auf seinen Rechten, also zog Britten sich den Parka über, nahm die Leine und machte sich auf den Hundeweg. Er wählte die kleine Runde durchs Waldviertel, dann würde er zwanzig Minuten später wieder am Schreibtisch sitzen können.

Die Straßen dieses Stadtviertels trugen Baumnamen, von Ahorn bis Zeder, aber Bäume gab es nur wenige, gerade so viele, wie ein Hund braucht; nach Schätzung Brittens mußten sich mehrere Hunde in einen Baum teilen, was ihren Bedürfnissen nach nonverbaler Kommunikation zu entsprechen schien. Mark Anton machte an jedem zweiten Baum halt, mal zerrte der Hund an der Leine, mal zerrte sein Herr an der Leine. Diese Gänge befriedigten weder den einen noch den anderen.

Als Herr und Hund in die stark befahrene Eichenstraße einbogen, hielt ein Wagen neben ihnen an, was Britten nicht wahrnahm. Erst als dreimal leicht gehupt wurde, wandte er den Kopf zur Straße und erkannte den zu großen Wagen von Hannah Pertes. Sie ließ das Fenster herunter und rief: »Hallo, Marco Antonio!« Und schon zerrte der Hund an der Leine und zog seinen Herrn, der auf Begegnungen und Gespräche wenig Lust verspürte, zum Wagen. Britten erkundigte sich, woraus sie geschlossen habe, daß Mark Anton ein Hundename sein könne. Sie blickte auf seine Hosenbeine, zeigte auf die herausgezogenen Fäden. »Ich hatte mir diesen Mark Anton allerdings kleiner vorgestellt.«

»Sie besitzen außer einem Erinnerungs- auch noch ein Beobachtungsvermögen.«

»Ich besitze von vielem zuviel, aber ich habe wenig davon.«

Mark Anton sprang hoch und streckte den Kopf weit ins Innere des Wagens.

Zum ersten Mal hörte Britten diese beachtliche Frau, wie er sie noch immer nannte, auflachen.

»Sie haben einen Frauenhund«, rief sie und wehrte den Hund ab.

»Es ist der Hund meiner Frau, war der Hund meiner Frau, sie ist fort, und den Hund hat sie zurückgelassen. Inzwischen, falls Sie das wissen wollen, kommt es mir so vor, als wäre es umgekehrt nicht besser gewesen. Es gibt mit dem Hund weniger Auseinandersetzungen. ›There's not a nobler dog in Rome than Antony!‹«

»Demnach sind Sie ein ungelernter Single?«

»Ein Einzeller!« sagte Britten unfreundlich.

Hannah Pertes war inzwischen ausgestiegen, um den Hund zu streicheln. »Sagten Sie eben Rom?«

»Ich sagte Rom.« Britten hielt weitere Erklärungen für unnötig.

Sie standen zu dritt nahe am Straßenrand, als ein Auto in zügigem Tempo rückwärts die Straße hinunterfuhr. Mark Anton machte einen Satz ins Gebüsch, riß dabei die Leine aus der Hand seines Herrn, der seinerseits die Frau am Arm packte und zur Seite zog.

»Ein Hundehalter sind Sie aber nicht«, sagte sie, betonte das Wort ›Halter‹, holte den Hund und die Leine zurück. Als sie wieder neben ihm stand, sagte sie, daß sie eine Abneigung gegen Männer habe, die sehr gut rückwärts fahren können.

»Dann müßten Sie eine Vorliebe für mich haben. Ich bin vor geraumer Zeit mit meinem Wagen rückwärts gegen eine Mauer gefahren, der Wagen war schrottreif.«

»Und Sie?«

»Ich? Oh, mir ist in der letzten Zeit ziemlich viel in die Brüche gegangen.« Er ahmte ihren Tonfall nach: »Ich gewöhne mir das Autofahren ab. Ein Jahr Fahrverbot. Die selbstverhängte Strafe für Unachtsamkeit im Verkehr. Mark Anton saß im Wagen, seit dem Unfall weigert er sich, in ein Auto zu steigen. Ein Hund sollte nicht klüger sein als sein Herr. Können Sie sich vorstellen, daß dieser Hund sich anschnallen läßt? Anders ginge es überhaupt nicht.«

»Ich kann mir keinerlei Gewaltanwendung gegenüber diesem Hund vorstellen.«

Dieser Hund hatte inzwischen seine Schnauze in die Beuge ihres Ellenbogens geschoben und himmelte sie aus schwarzen feuchten Augen an. »Ich kenne Mark Anton übrigens schon, er ist hinter mir hergerannt. Ich mache in der Nähe Jogging. Ich ginge lieber spazieren, aber ich habe Angst, man könnte die reiche Frau Pertes überfallen. Ein Jogger läuft bereits weg, wer sollte hinterherlaufen? Außer Ihrem Hund?«

»Warum halten Sie sich keinen Hund, der Sie beschützt?«

»Unser Leben hätte man keinem Hund zumuten können.«

Britten öffnete ihr den Wagenschlag. Eine Verabredung

wurde nicht getroffen. Um seine Behauptung zu beweisen, öffnete Britten die Tür zum Beifahrersitz und fragte: »Nun, Mark Anton?«

Und was tat der Hund? Sprang mit einem Satz in den Wagen, hatte sofort die Schnauze im Gesicht der Frau.

Britten reagierte verärgert, forderte den Hund auf, sofort, auf der Stelle auszusteigen. »Mark Anton! Fellow!« Er meinte nun doch, eine Erklärung abgeben zu müssen, und sagte, daß der Hund vom Züchter auf den Namen Caesar eingetragen worden sei, aber er habe seiner Frau erklärt, daß er keinen Caesaren im Haus dulde, woraufhin seine Frau erwidert habe, daß ihr ein Caesar im Haus genüge; im Laufe der Auseinandersetzungen habe man sich auf den Namen Mark Anton geeinigt. »Nachdem er den Daumen meines Lederhandschuhs aufgefressen hatte, hieß es in allen derartigen Fällen: ›There's not a nobler dog in Rome than Antony‹, und wenn er weglief und nicht auf Rufen und Pfeifen reagierte, hieß es: ›Take thou what course thou wilt.‹«

Da sie ihn verständnislos ansah, sagte er: »Nimm, welchen Lauf du willst.«

»Wo haben Sie Ihr Englisch gelernt?«

»Es ist nicht mein Englisch, es ist das Englisch meiner Frau, besser: Shakespeares.«

Um weitere Verständigung war er nicht bemüht, er entschuldigte sich, nahm den Hund an die kurze Leine und machte kehrt. Hannah Pertes hob die Hand, winkte, fuhr davon.

Zwei Tage später war er in besserer Stimmung und bereit, die große Runde mit dem Hund zu machen, durch den Erlengrund, wo er ein Stück übers Feld gehen konnte und der Hund freien Auslauf hatte. Es dämmerte, regnete ein wenig, er zog die Kapuze über, blieb geduldig bei jedem Baum und bei jedem Hund stehen, ging an einer Parkmauer entlang, kam an das Tor, das verschlossen war wie immer, an dem er schon oft vorbeigegangen war. Diesmal blickte er auf das Namensschild: Seine Vermutung hatte ihn nicht getäuscht, er las den Namen ›Pertes‹, nichts weiter, kein Vorname, kein Titel.

Warum nicht? Warum sollte er nicht klingeln? Er tat es. Aus der Sprechanlage drang eine hohe weibliche Stimme, die in unzulänglichem Deutsch fragte: »Wer dort, bitte?«

Er zögerte.

Die Stimme fragte: »Was wünschen Sie?«

Der flüchtige Wunsch, diese beachtliche Frau wiederzusehen, war bereits verflogen. Er antwortete nicht, statt dessen sprang Mark Anton hoch und bellte kräftig in die Sprechanlage. Britten zog ihn vom Tor weg, die beiden setzten den Spaziergang fort. Als es anfing, heftiger zu regnen, war er gerade am ›Bosco‹ angelangt; Herr und Hund kehrten ein und wurden von Salvatore begrüßt. Britten setzte sich an den gewohnten Platz, las die Speisekarte, Salvatore brachte die gewohnte Flasche Chianti Classico, gab Mark Anton einen freundlichen Klaps und versicherte ihm, daß er als erster bedient werden würde. Bald darauf kam er mit einem Napf Wasser und einem Napf roher Leber zurück. »Prego, Signore Antonio!« Noch bevor der Hund die Leber verschlungen hatte, hob er plötzlich den Kopf und war mit einem Sprung an der Tür, wo Hannah Pertes stand und sich suchend im Lokal umblickte. Sie kam an Brittens Tisch und sagte, die Hand im nassen Fell des Hundes: »There's not a nobler dog in Rome than Antony. Richtig?« Britten erhob sich, sagte: »Richtig!« und fügte hinzu, daß die Anschafferin des Hundes damals, im Leistungskurs Englisch, ›Julius Caesar‹ durchgenommen habe.

»Ein zweisprachiger Hund!«

»Er gehorcht in keiner Sprache«, korrigierte Britten, »zumindest nicht mir, und Restaurantreife besitzt er auch nicht.«

»Ich habe seine Stimme erkannt, ich stand in der Nähe der Sprechanlage, sah, daß es regnete, und vermutete, daß Herr und Hund im ›Bosco‹ landen würden.«

»Richtig«, sagte Britten zum zweiten Mal, bot ihr einen Stuhl an. »Sie sollten die Jacke ausziehen, es ist warm hier.« Er hängte die Jacke an einen Haken. Salvatore trat bereits an den Tisch und erkundigte sich, ob es ›dasselbe‹ sein sollte.

Sie sagte: »Dasselbe«, und er pflückte ihr einen kleinen blühenden Zweig vom Pomeranzenbaum.

Hannah Pertes nahm die Brille ab, legte sie auf die Tischplatte. Britten erkundigte sich, ob sie keine Kontakte mehr suche. Sie antwortete sachlich, mit Kontaktlinsen alles gesehen zu haben, bei einer Brille könne sie nun selbst entscheiden, was sie deutlich sehen wolle und was nicht. Er sagte unsachlich, daß ihr die Brille gut –, aber da hatte sie bereits abgewinkt, keine weiteren Gespräche über Brillen und Kontakte. Sie betrachtete seine Halbbrille, die ihm beim Essen den Nasenrücken hinuntergerutscht war. »Hätte ich eine Halbbrille kaufen sollen?«

»Nein«, sagte er, »auf keinen Fall! Nichts Halbes für Sie! – Wollen Sie nichts essen?«

»Doch, ich werde essen, sagen Sie mir, was ich essen soll.«

Der Hund hatte seine Mahlzeit beendet und seinen schönen Kopf endlich einmal wieder auf ein Frauenknie gelegt, wofür er getadelt wurde; flüchtig wandte er den Kopf seinem Herrn zu und blickte dann wieder aus seinen schwarzen glänzenden Augen zu Hannah Pertes auf. Sie fragte: »Ist es ein Setter oder ein Spaniel? Ich kenne mich in Hunderassen nicht aus.«

»Es ist ein Riesenschnauzer mit einem Riesenappetit, er wird Sie dazu bringen, ihm Ihre Mahlzeit auch noch zu überlassen. Trinken Sie wieder Wasser? Wollen Sie wieder diese Bäume gießen?«

Sie aßen schweigend, hatten die Auswahl der Gerichte Salvatore überlassen. »Risotto! Al dente! Mit Biß! Frische Fische!« Jedes Wort ein Ausruf und ein Kompliment an seine eigene Küche.

»Hat dieser Salvatore sein bißchen Deutsch in Stuttgart gelernt?«

»Er hat sein bißchen Italienisch in Stuttgart gelernt, er war Ober in einem der besten italienischen Restaurants. Er sieht aus wie zwei Sizilianer, klug ist er auch, also hat er ein ›Ristorante‹ aufgemacht; die beiden Ober stammen aus Italien, der Koch ebenfalls, aber keiner ist so glaubwürdig wie Salvatore.«

»Und wenn ich mit ihm italienisch reden würde?«

»Das versuchen viele deutsche Gäste, dann ruft er: ›Subito‹ und eilt in die Küche. Im vorigen Frühling war er zum ersten Mal auf Sizilien, er hat kein Lokal entdeckt, das es mit seinem ›Bosco‹ hätte aufnehmen können.«

»Weiß er, daß Sie wissen –?«

»Aber ja! Er hat es mir erzählt, und gleich wird er merken, daß Sie ebenfalls Bescheid wissen.«

Hannah Pertes lachte, diese Karriere gefiel ihr.

»Sie sollten häufiger lachen! Sie haben sehr schöne Zähne.«

»Ist das ein Grund zu lachen?«

Mark Anton hatte seinen Kopf auf einen von Hannahs Stiefeln gelegt und schlief. Salvatore räumte eigenhändig die Teller ab, ließ sich noch einige Komplimente machen und zog sich zurück. Britten, um ein Gespräch in Gang zu bringen, erkundigte sich nach dem Verbleib ihres Mannes; benutzte tatsächlich das Wort ›Verbleib‹, bedauerte die ungeschickte Formulierung und entschuldigte sich. Hannah Pertes winkte ab, sie schien das Wort für zutreffend zu halten. Ohne ihn anzusehen, fragte sie, ob es sich um eine metaphysische Frage handele.

»Nein, eine geographische. Der Ort, der Friedhof. Der Westfriedhof, nehme ich an.«

»Ich kenne den Ort nicht. Pertes wünschte, anonym begraben zu werden.«

»Eine Seebestattung?«

»Zum Wasser hatte er wenig Zutrauen. Später auch nicht mehr zur Erde, aber vermutlich ist er unter die Erde gekommen. Ich weiß nicht, wo. Kein Grabstein, kein Besuchsort. Vielleicht wünschte er keine Besucher. Der Wunsch stand auf seinem Notizblock. Die anonymen Toten liegen vorerst zwischen den namhaften, aber es ist ein anonymes Gräberfeld geplant, der Wunsch kommt jetzt häufiger vor.«

»Er war ein namhafter Toter!«

»Und das wollte er nicht sein. Er wird eine Tafel in der Universität bekommen, nehme ich an. Vielleicht auch eine Tafel in dem Atomkraftwerk, an dessen Bau er maßgeblich beteiligt war. Die Steinmetze fragen bei mir an, sie vermuten einen größeren Auftrag, nicht nur finanziell, auch künstlerisch. Die

Bestattungsinstitute wurden ebenfalls geschädigt. Ich bekam ein paar unfreundliche Anrufe. Die Unkosten der anonymen Bestattung sind vergleichsweise niedrig. Der Betrag, den man auf das von Pertes bestimmte Konto zur Weiterentwicklung natürlicher Energien gespendet hat, war beachtlich, was um so grotesker ist, weil das Geld vornehmlich von Firmen der Kernenergie stammte. Einige Blumengebinde wurden ins Trauerhaus geliefert. Er hat sich beseitigen lassen, so steht es in seinem Notizbuch. Ein Bildhauer, der ihn einige Male gesehen hat, den er zeitweise sogar unterstützt hat, fragt an, ob ich eine Büste in Auftrag geben würde.«

»Pertes in Bronze?«

»Nein.«

»Holz? Doch nicht etwa Holz?«

»Aluminium, vermutlich Aluminium, oder Stahl. Erinnern Sie sich an das Wahrzeichen der Weltausstellung in Brüssel? Ihm gefiel - damals! - dieses Symbol des Atomiums, er hatte ein Modell auf seinem Schreibtisch stehen, es gab keine weiteren Kunstwerke in seinem Arbeitszimmer. Dieses Modell war handhoch, eines Tages war es verschwunden, ich weiß nicht, wann und wohin.«

»Wie lange liegt das zurück? Sein Tod?«

»Einige Monate.«

Da Britten nur mit einer unbestimmten Handbewegung reagierte, sprach sie weiter: »Als Pertes die möglichen Folgen seiner Entdeckungen erkannt hatte, war es zu spät. Niemand hörte auf seine Warnungen. Alle sahen in ihm den Forscher, den Entdecker; den Warner wollte niemand hören. Wissen Sie, Dr. Britten -«

»Lassen Sie den ›Doktor‹ weg, ich heiße Bernd, Bernd Britten, Sie könnten Bernd sagen, wenn Sie wollten.«

Sie wollte nicht, sagte statt dessen ›Britten‹, wie sie auch von ihrem Mann immer nur als ›Pertes‹ sprach. »Pertes hat drei Jahrzehnte lang für die friedliche Anwendung der Atomkraft gearbeitet, und dann setzten seine Zweifel ein. Nach seiner, späteren, Ansicht hat man bereits bei der Spaltung des Atoms eine Schranke überschritten, die man hätte scheuen müssen.

Otto Hahn soll nach der Entdeckung ausgerufen haben: ›Gott kann das nicht gewollt haben!‹ – Wußten Sie das?«

Britten wußte es nicht, fragte statt dessen: »Hätte er sich das nicht vorher fragen müssen? Will Gott überhaupt in diese Diskussion einbezogen werden?«

»Welche Konsequenzen hätte Pertes ziehen können oder müssen?«

»Ist das eine Frage?«

»Nein. Er flüchtete in Krankheiten. Der Arzt hat Herzversagen als Todesursache angegeben. Das letzte Wort, das Pertes so deutlich ausgesprochen hat, daß ich es verstehen konnte, war das Wort ›Versagen‹, aber es war keine Eigendiagnose, es war seine Lebensbilanz. Versagen. Ein lebenslanger Irrtum. Er hätte einen Herzschrittmacher gebraucht, einen Bypass oder mehrere, aber er hat alle Eingriffe abgelehnt.«

Britten, der eine Abneigung gegen Krankengeschichten hatte, versuchte abzulenken und erkundigte sich, ob sie ›Die Physiker‹ kenne, und Hannah Pertes sagte, daß sie nur Physiker kenne, wen sonst. »Ich hatte ständig mit Physikern zu tun.«

»Ich spreche von einem Theaterstück. Dürrenmatt. Sie kennen dieses Schauspiel nicht?«

»Wir sind nicht ins Theater gegangen, hin und wieder ein Ballettabend, Choreographie interessierte ihn, wechselnde Anordnungen. Auf Texte konnte er verzichten.«

»Drei Physiker leben in einem Irrenhaus, wollen verhindern, daß jemand ihre Entdeckungen anwendet. So ähnlich. Es ist eine Komödie. Einer dieser Physiker behauptet, daß man nur im Irrenhaus frei sei, nur dort dürfe man denken, außerhalb des Irrenhauses würden Gedanken zu Sprengstoff.«

»Das soll eine Komödie sein?«

»Eine schwarze Komödie. Es ist natürlich alles grotesk.«

»Im Anfang war Pertes der Ansicht, daß es nicht die Schuld der Physiker sei, wenn aus genialen Ideen Bomben würden. In der Kernphysik erlebt man Überraschungen, die man nicht voraussehen kann, und trotzdem muß weiterexperimentiert werden. Es gibt keinen Stillstand der Entwicklung. Und später sagte er, daß es für diese Entwicklung keine treffendere Bezeichnung als ›nukleare Kettenreaktion‹ gäbe. Er konnte Forschung und Anwendung nicht mehr trennen.«

»Der Wissenschaftler ist kein Politiker!«

»Könnte ich diese Komödie einmal lesen?«

»Man kann sie in jeder Buchhandlung kaufen, soll ich Ihnen Namen und Titel aufschreiben?«

»Sie haben beides vor wenigen Minuten genannt.«

»Sie sind ein Naturwunder! Klug, aber unwissend. Demnächst hat die Kernspaltung ein Jubiläum. Ich hätte Lust, darüber ein populäres oder auch unpopuläres Buch zu schreiben, es ist für mich ein unentdecktes, aber heißes Gelände.«

»Wird nicht schon genug darüber geredet und geschrieben? Tun müßte man etwas! Wissen Sie, Pertes hat sich nicht zur Wehr gesetzt gegen die Krankheiten, auch nicht gegen den Tod. Es hat mich nie jemand nach seiner Todesursache gefragt, sonst hätte ich gesagt, daß er einen Atomtod gestorben ist.«

»Selbstzweifel sind doch keine Todesursache.«

»Das weiß ich besser.«

Mußte das sein, mußte er sich eine Krankengeschichte mit tödlichem Ausgang anhören, von einer Frau, die er zweimal gesehen hatte? Britten hob abwehrend die Hände, aber es war zu spät, sie sah ihn nicht an, drehte den Zweig zwischen den Fingern, roch daran und sprach weiter.

»Pertes verlangte nach Wein. Als ich zur Klingel griff, sagte er: ›Hol du ihn.‹ Ich habe immer getan, was er sagte. Ich ging also in den Keller, suchte lange, ich kenne mich in unserem Weinkeller nicht aus, holte dann zwei Gläser aus dem Eßzimmer, das Haus ist weitläufig, die Pflegerin hatte sich hingelegt, stand aber auf, als sie mich hörte. Ich hielt Flasche und Gläser hoch, das beruhigte sie, sie hatte in der Nacht zuvor gewacht, wir wechselten uns ab. Als ich ins Schlafzimmer zurückkam, lebte er bereits nicht mehr. Ich setzte mich auf den Platz, auf dem ich in den vergangenen Tagen immer gesessen hatte, entkorkte die Flasche, füllte ein Glas. Ich blieb bei ihm und hielt seine Hand, die im Laufe der Nacht kalt wurde. Ich war sicher, daß er noch bei mir war. Ich habe geredet; er wußte von meiner

Vergangenheit nicht viel, schätzte aber meine Gegenwart. Ein Satz, ein Schluck Wein, eine lange Pause, ein Satz, ein Schluck Wein, bis die Nacht vorbei und die Flasche leer war.«

Sie machte eine Pause, in die hinein Britten, um Teilnahme zu zeigen, sagte: »›Trank nie einen Tropfen mehr‹?«

Sie sah ihn verständnislos an.

»Goethe, der König in Thule, der nie einen Becher mehr trank, so ähnlich, eine Ballade, man lernt sie in der Schule.«

»In meiner nicht, ich habe eine Volksschule besucht.«

»Verzeihung!«

Sie blickte ihn an. »Warum entschuldigen Sie sich, was können Sie für meine Herkunft? Als es hell wurde, bin ich in die Küche gegangen und habe mir Kaffee gekocht, ohne daß es jemand gehört hätte. Ich habe mir oft nachts Kaffee gekocht, dann hatte ich die Küche für mich, ich war gewöhnt, mich leise zu bewegen. Als ich ins Schlafzimmer zurückkam, sah ich, daß er nun fort war. Es lag ein Toter da. Ich habe dann nach der Pflegerin geklingelt. Sie machte mir Vorwürfe, hat aber alles Nötige veranlaßt. Haben Sie einmal Totenstille gehört? Wenn es in einem Haus totenstill ist? Die naturwissenschaftliche Fakultät hat zusammen mit der philosophischen, deren Ehrendoktor er war, vor zwei Monaten eine Trauerfeier abgehalten. Ich saß in der ersten Reihe zwischen Präsidenten und Vorstandsvorstehern. Ein Kammerorchester spielte, Pertes hat nie Musik gehört, ein Störfaktor. In den kurzen Grußworten hat niemand erwähnt, daß Pertes zu einem Atomkraftgegner geworden war, aber man wußte es. Hätte ich etwas sagen sollen? Man war daran gewöhnt, daß ich schweigend neben ihm stand. Die attraktive Frau Pertes stand plötzlich allein da. Der Festredner war jung, sprach englisch, berichtete über die neuesten Erkenntnisse, vornehmlich über Entsorgungsanlagen, von Pertes war nicht die Rede, er war bereits überholt. Einige der Anwesenden kannte ich. Man trank noch ein Glas Sekt, niemand brauchte meine Sprachkenntnisse. Das Gespräch brauste auf, flachte ab, ich befand mich in einem Meer. Ich war eine Insel! Ich wußte, daß ich springen mußte, weg von der Insel, an ein Ufer, bevor es zu spät war, aber ich konnte nicht springen, ich war viel zu schwer zum Springen. Pertes war fort, alle anderen gingen mich nichts an, und ich ging sie nichts an. Niemand hat wahrgenommen, daß ich mich entfernt habe. Mit dem zu großen Wagen zu dem zu großen Grundstück, dem zu großen Haus, dem Personal, das mich bewacht, das ich nicht entlassen kann, weil die beiden sonst ohne Einkünfte wären, arbeitslos sind sie bereits. Ich mache keine Arbeit, tue keine Arbeit.

Ich brauche ein Glas Wasser, bei Regen werde ich immer durstig. Darf ich weitersprechen? Ich werde das nie wieder tun. Pertes gehörte zu den Gründern von Euratom, falls Sie sich an das Kürzel noch erinnern, der Europäischen Atomgemeinschaft mit Sitz in Brüssel. Sie wurde zum Zweck der friedlichen Nutzung der Kernenergie sowie der Forschung und industriellen Betätigung auf dem Gebiet der Kernenergie gegründet. Ich könnte es –«

Britten unterbrach sie: »– in drei Sprachen sagen? Ich habe es auf deutsch in etwa verstanden.«

»Wir haben uns in Brüssel kennengelernt. Ich war als Dolmetscherin eingesetzt, eine Art Hosteß, von Kernenergie verstand ich nichts. Später hatten wir ein Appartement in Brüssel, im Jahr der Weltausstellung lebten wir bereits zusammen. Ich war Sekretärin, Dolmetscherin, Geliebte, eine Mehrzweckfrau. Ich lernte rasch und ohne Bedenken Worte wie ›bombenfähiges Spaltmaterial‹ zu übersetzen, französisch, spanisch; Englisch sprach er selbst, soweit es sein Fachgebiet betraf. Ein genialer Wissenschaftler und seine geniale Mitarbeiterin. Pertes war überzeugt und war überzeugend. Ich habe mit ihm im Atomzeitalter gelebt. Ein Zeitalter ist zu Ende gegangen.«

»Wie lebt es sich mit einem solchen Mann? Worüber spricht man?«

»Es gab keinen Gesprächspartner für ihn, niemand verstand ihn, von Kongressen abgesehen; ob er darunter gelitten hat, weiß ich nicht. Was er zu sagen hatte, publizierte er. Er aß gern und gut, trank gern und gut, erst in dem letzten Jahr hat sich das geändert, den genauen Zeitpunkt weiß ich nicht. Er schlief auch gern und gut.«

»Und Sie?«

»Ebenfalls.«

»Was haben Sie am ersten Abend gesagt: ›Äußere Nähe bei innerer Ferne‹?«

Die Frage blieb ohne Antwort.

»Das Vokabular dieser Wissenschaftler ist begrenzt, die Worte gleichen sich in den verschiedenen Sprachen. Isotope. Protonen. Neutronen. Beta-Zerfallszeiten. Es klang einfach, ein Kind hätte das lernen können, wie Kinder gingen sie damit um. Kennen Sie das Blatt, auf dem Hahn die Uranspaltung errechnete? Kleinkariert, aus einem Schulheft herausgerissen, es hängt im Arbeitszimmer hinter Glas. Pertes stand manchmal davor, einmal hat er gesagt: ›Das hätte auch mir passieren können‹, er meinte: die Entdeckung. Wissen Sie, ich habe Wörter transportiert, tödliche Wörter. Ich habe aufgehört, Briefe zu schreiben, eigene Briefe mit eigenen Gedanken; eigene Freunde besitze ich nicht, ich bin in das Pertessche Eigentum übergegangen. So war es ausgemacht. Ich heirate dich, niemanden sonst, kein Kind, keine Eltern. Eine schöne, brauchbare Gefangene. Nach den Kongressen hatten sich die Wissenschaftler nichts zu sagen, zogen sich zurück in die Hotelzimmer. Man wird Pertes beneidet haben, daß er jemanden besaß, mit dem er sich zurückziehen konnte. Er kannte natürlich seinen Wert für die Forschung. Er selbst war reich geworden, durch Erfindungen, durch Beteiligungen. Er hat sich nie um Geld gekümmert, das überließ er mir, ich hatte eine gute Hand, wie er meinte. Er verdiente, ich verwaltete, daraus ist dann ein beachtliches Vermögen geworden. Ich bin eine Alleinerbin.« Sie leerte ihr Glas, stellte es auf den Tisch, fragte, ob er wisse, was das bedeute.

»Was wollen Sie mit dem beachtlichen Vermögen tun?«

»Ich weiß es nicht. Er hat mich mit dem ganzen Geld sitzenlassen.«

»Mich hat man mit einem Hund sitzenlassen«, sagte Britten, entschuldigte sich aber sofort. »Pardon! Man kann das nicht vergleichen –«

»Doch«, sagte sie, »doch, natürlich kann man das vergleichen.«

»Wer Geld hat, sollte auch die Phantasie besitzen, es richtig auszugeben.«

»Ich habe nie Phantasie gebraucht. Vor Ihnen sitzt eine Hülse, eine guterhaltene Hülse, ich weiß das.«

»Unter welchen Umständen haben Sie vorher gelebt, bevor Sie Frau Pertes wurden?«

»Als Kind? Ich bin ein Aschenputtel. Das Aschenputtel hat sich später in einen armen Prinzen verliebt und ihn geheiratet und hat kurze Zeit glücklich und in Freuden mit ihm gelebt. ›Fröhliche Armut‹ hat der Prinz es genannt. Wir hatten ein Kind, eine kleine Tochter, der Prinz saß an ihrem Bettchen und bewunderte sie und zeichnete sie. Um malen zu können, hätte er ein Atelier gebraucht. Ich arbeitete in einem Büro, er sorgte für den Haushalt und das Kind. Ich lernte nebenher Sprachen, aus beruflichen Gründen mußte ich die beiden verlassen; es wurde mir auch zu eng in der fröhlichen Armut. Äußere Trennung, innere Trennung, eines nach dem anderen. Ich sorgte weiterhin für den Unterhalt und zahlte mein schlechtes Gewissen ab. Babette, sie heißt Babette, studierte, später weigerte sie sich, das Geld eines Atomwissenschaftlers anzunehmen. Ich schrieb ihr, daß es mein Geld sei, das ich als Übersetzerin verdient hätte; sie schrieb: ›Es kommt aus demselben Topf.‹ Ich habe ihre Entscheidung respektiert. Sie war dreizehn, ich vermute dreizehn, als ich mich von dem armen Künstler habe scheiden lassen, er ist dann als Designer in die Industrie gegangen, er verdient jetzt gut, er hat mir nach Pertes' Tod sogar geschrieben. Babette hat es nicht getan, ich habe sie lange nicht gesehen. Ich respektiere ihre Haltung mir gegenüber.«

»Respektieren? Ist das Ihre Art, auf Menschen zu reagieren?«

Sie antwortete nicht, sagte nach einer Pause: »Ich habe gelernt, in unfreiwilliger Armut zu leben, das war schwer. Jetzt lebe ich in unfreiwilligem Reichtum, das ist auch schwer.«

»Geld, das man braucht und nicht hat. Geld, das man hat und nicht braucht. Ein Thema mit Variationen. Zweifeln Sie etwa am Sinn Ihres Lebens, Hannah Pertes?«

»Nein, das tue ich nicht, aber ich suche. Ich suche nach einem Sinn.«

»Erwarten Sie eine Antwort von mir?«

»Wissen Sie eine?«

Er antwortete nicht. Und sie sagte zusammenhanglos: »Er hätte mich gern mitgenommen. Er war an mich gewöhnt, ich war immer an seiner Seite – jetzt hören Sie mir nicht mehr zu.« Sie sprach lauter: »Euripides!«

»Pardon. Es geht mir vieles durch den Kopf.«

»Entschuldigung!« Jetzt war sie es, die sich entschuldigte. »Nur weil Sie zwei Ohren haben, rede ich pausenlos.«

»Hannah mit den beiden h! Wissen Sie eigentlich, daß das alles wie aus einem Märchen klingt? ›Es war einmal eine schöne und reiche Witwe, die nichts mit ihrem Reichtum anzufangen wußte –‹ Ist das nicht ein vielversprechender Anfang?«

»Sie hätten früher anfangen sollen, beim Aschenputtel. Und das Ende des Märchens heißt: ›Und wenn sie nicht gestorben ist –‹ Und was passiert zwischen Anfang und Ende?«

Statt nun von seinem eigenen Vorhaben zu reden, erwähnte Britten, daß er sich nach einem anderen Tierheim umsehen müsse. In dem vorigen habe man Mark Anton eingeschüchtert, mitnehmen könne er ihn nicht, aus beruflichen Gründen müsse er für einige Zeit verreisen. Theoretisch sei er mit den Vorarbeiten für ein neues Projekt soweit, was ihm jetzt fehle, sei Anschauung vor Ort. Er müsse sich ein eigenes Bild machen, auf die Veröffentlichungen anderer, die immer auch ihre persönliche Weltsicht einbringen, verlasse er sich nicht gern. Er drückte sich allgemein aus. Hannah hörte ihm zu, ließ ihn ausreden, respektierte, daß er nicht mehr sagen wollte, als er gesagt hatte; es war nicht ihre Art nachzufragen. Vermutlich wäre er gern gefragt worden. Seine Frau hatte selten Interesse für seine Veröffentlichungen gezeigt, er für ihre Arbeit in der Schule ebensowenig, vorzuwerfen hatten sie sich nichts, taten es auch nicht, den Beruf hatten sie ›ausgeklammert‹, die Vorzüge, ein Projekt mit dem Partner zu besprechen, nicht genutzt. Sie hatten es für Schonung des anderen gehalten, für Gespräche blieben nicht viele Themen übrig. Daß aus einem gemeinsamen Freund ein Liebhaber seiner Frau geworden war, hatte er nicht einmal gemerkt. Auch darüber wurde nicht gesprochen. Es war Hannahs Abend gewesen. Später bedauerten beide, daß sie nicht bemerkt hatten, wie nah sich das Märchen von der reichen Witwe und sein Projekt kamen. Mark Anton stand jetzt im Vordergrund, um ihn ging es, der Hund hatte das längst begriffen, blickte von einem zum anderen, und Hannah sagte dann auch, was Herr und Hund erhofften: »Überlassen Sie Mark Anton mir! Trauen Sie mir zu, daß ich für ihn sorgen könnte? Er hätte Auslauf, und ich hätte Schutz.«

»Dieser Hund ist von klein auf zur Selbständigkeit erzogen worden, fragen Sie ihn.«

Der Satz war noch nicht beendet, da hatte der Hund ihn bereits beantwortet: beide Pfoten auf Hannahs Knie, die Schnauze in ihrer Halskuhle.

Britten rief: »Take thou what course thou wilt, fellow!«

3

›Alle solche Unternehmungen sind Wagestücke.‹
Goethe

Als Britten von seiner mehrwöchigen Reise zurückkehrte, vermißte er den Hund, wartete aber trotzdem noch zwei Tage, bevor er Mark Anton abholte. Sowohl Hannah Pertes als auch der Hund schienen sich über seine Rückkehr zu freuen.

»Mach, daß du fortkommst!« sagte Hannah zu dem Hund und legte ihn an die Leine, und zu Britten sagte sie: »Er war mein ständiger Begleiter!«

Sie benutzte dieselbe Formulierung wie seine Frau; Britten machte sie darauf aufmerksam. »Nach zwei Jahren hat sich dann herausgestellt, daß sie einen Liebhaber brauchte, vermutlich aus ähnlichen Erwägungen, der sich dann seinerseits allerdings aus Hunden nichts machte, folglich mußte sie, der veränderten Lebensumstände wegen, mir den Hund zurücklassen.« Er legte eine Pause ein, aber Hannah äußerte sich nicht, ließ ihn auch diesmal ausreden. Er hätte sich nun verabschieden können, führte das Gespräch über den Hund stattdessen noch einige Sätze weiter: »Meine Frau hat mir, bevor sie ging, noch ein ›Kochbuch für eilige Singles‹ auf den Elektroherd gelegt, ich blättere gelegentlich darin, bevor ich die kleinen Mahlzeiten herstelle, die ich mir mit Mark Anton teile. Es kommt vor, daß er mein Angebot ablehnt, mir seinen Napf mit der Schnauze vor die Füße schiebt und mich vorwurfsvoll anblickt; dann bekommt er Hundekuchen, einen Knochen und natürlich Wasser.«

»›There's not a nobler dog than Antony!‹« sagt Hannah, über Hunde läßt sich unter Hundeliebhabern lange reden; die Erfahrungen decken sich nicht. Das entscheidende weiterführende Gespräch scheint wieder nicht zustande zu kommen, sie gehen mehrmals zwischen Haus und Parktor hin und her. Hannah schlägt vor, den Hund zum Abschied noch einmal frei durchs Gelände laufen zu lassen. »Marisa hat zweimal wöchentlich Pansen und Herz für den Hund besorgt, rohes Fleisch bekommt ihm besser.«

»Wer ist Marisa?«

»Die freundlichere Hälfte der Budaks. Die beiden fragen mich in Abständen von zwei Stunden, ob ich weitere Wünsche habe. Aber den Pansen mußte ich selber schneiden, den Geruch konnte man Marisa nicht zumuten. Dem Hund roch es angenehm.«

»Ist das so etwas wie ein Dienerehepaar?«

»Er sollte für den Park und die Autos sorgen, sie für Haus und Küche. Ich brauche beide nicht, aber sie brauchen die Wohnung und das Einkommen. Unser Zusammenleben funktioniert nicht. In ihren Augen bin ich eine untätige Kapitalistin. Nicht nur in ihren Augen. Ich bin es, aber ich bin es nicht gern. Die beiden werden jetzt am Fenster stehen, um zu beobachten, ob ich Sie mit ins Haus bringe oder nicht.«

»Haben Sie das vor?«

»Ich würde lieber draußen bleiben, der Hund auch, es kommt auf Sie an. Ich überlege, ob ich den Budaks ein Darlehen anbieten soll oder mich einfach mit einer größeren Summe freikaufe.«

»Woher stammen sie?«

»Aus Jugoslawien, von einer Insel. Krk oder so ähnlich, ich weiß nicht viel von ihnen.«

»Sie sollten nicht allein in dem zu großen Haus leben, Hannah! Nun, es steht mir nicht zu, Ihnen Ratschläge zu erteilen.«

»Wem steht es zu? Es ist keiner zuständig. Wissen Sie, wie das ist, wenn keiner zuständig ist?«

»Doch«, sagt er, »das erfahre ich gerade am eigenen Leib. Nicht einmal auf Mark Anton ist Verlaß, er bevorzugt Sie, aus begreiflichen Gründen und wegen des Pansens.«

»Kennen Sie das Gelände überhaupt? Ein unregelmäßiges Rechteck. Ich hätte im Herbst Anordnungen erteilen müssen, die Wege wachsen zu, die Büsche sind nicht beschnitten worden, Unkraut wächst. Aber warum sollten die Wege unkrautfrei sein? Ich habe nichts gegen Unkraut, im Gegenteil, es sollte hier alles natürlicher und freier sein, ich selbst sollte auch freier leben dürfen, aber wie macht man das? Entschuldigen Sie, ich müßte mich zusammennehmen. Sie können meine Probleme nicht lösen. Ich habe ausführlich mit Mark Anton darüber gesprochen, er hat mir aufmerksamer zugehört als Sie. Erzählen Sie mir von Ihrer Reise, wenn Sie mögen.«

»Wer nimmt den Hund an die Leine?«

»Keiner. Er gehorcht aufs Wort.«

»Auf Ihr Wort.« Britten leint den Hund ab, gibt ihm einen aufmunternden Klaps und hängt sich die Leine um den Hals. Hannah sagt, daß sie sein Auto-Buch gekauft und auch darin gelesen habe. »Hatten Sie Ärger mit der Autoindustrie? Sie nennen Firmennamen!«

»Ich verschaffe mir mit meinen Veröffentlichungen immer Ärger. Wenn ich Ärger und Prozesse vermeiden wollte, hätte ich in die Werbung gehen müssen.«

»Womit verschaffen Sie sich zur Zeit Ärger? Wo waren Sie überhaupt? Sie waren lange fort. Sie hätten eine Karte an Mark Anton schreiben sollen.«

Sie standen noch immer in der Nähe des Hauses. »Warum sind wir uns begegnet, Britten? Es gibt keine Zufälle. Sie paßten so wenig zu diesen Singles wie ich. Warum faßte ich ausgerechnet zu Ihnen Zutrauen?«

»Die Kontaktlinsen!«

Sie wischte seinen Einwurf beiseite: »Es ist mir ernst, Britten. Warum hat der Hund Zutrauen zu mir? Ich bin keine Hundefreundin. Da ist etwas beabsichtigt, aber was? Es hat nichts mit ›Mann plus Frau‹ zu tun; da habe ich hinreichende Erfahrungen. Mehr, als gut ist. Pertes wußte, daß ich nicht treu war; er hätte etwas dagegen tun können, tat es aber nicht, totalitäre Ansprüche stellte er nicht. Ich war jünger, das hat er respektiert. Der tote Pertes hat Anspruch auf meine Treue, ist das klar?« Sie stand dicht vor ihm, die Oberarme eng am Körper, Unterarme und Hände nach vorn gestreckt.

»Schätze ich den mir nicht zustehenden Raum mit einem halben Meter richtig ein?«

Hannah änderte ihre konzentrierte Haltung nicht, reagierte auch nicht auf seinen unsachlichen Einwurf. »Seit Wochen streife ich ziellos umher, durchs Haus, durch dieses Gelände, mal bei Regen, mal im Schneegestöber, ich bleibe am Bach stehen, das Wasser fließt vorbei, der Bach bleibt da. Soll ich fortgehen? Soll ich bleiben? Ich habe ein Erbe zu verwalten, niemand macht es mir streitig, keine angeheirateten Neffen. Seine erste Frau, die Amerikanerin, hat nicht einmal auf die Todesnachricht reagiert. Der Notar hat damit gerechnet, daß es Erbauseinandersetzungen geben würde. Es gab bisher keine. Als ob niemand dieses Geld haben will, als ob es verstrahlt wäre. Ich verwalte ein Vermögen, das niemandem nutzt, auch mir nicht, an diesem großen Gelände erfreut sich allenfalls Ihr Hund. Die Budaks dehnen sich aus, sie müßten in ihrer Wohnung im Souterrain bleiben, sie ist geräumig und gut ausgestattet. Wenn ich zurückkomme, spüre ich, daß sie das Kaminzimmer benutzen, daß sie die Bar benutzen. Ich habe keine Argumente, warum sie das nicht tun sollten. Es riecht nach Zigarettenrauch. Sie machen sich nicht einmal die Mühe zu lüften. Ich fange an, mich vor den beiden zu fürchten. Irgendwo ist ja auch noch Pertes anwesend. Er hielt Distanz zum Personal, ich verhielt mich wie er. Warum sollten diese Budaks mich lieben?«

»Aus demselben Grund wie Mark Anton«, schlug Britten vor, »falls das eine Frage war.«

»Es war eine Feststellung. Ich vermeide es, in das Arbeitszimmer zu gehen. Ich schlafe schlecht in dem zu großen Bett.«

»Hat Mark Anton nicht –?«

Hannah lachte auf. »Natürlich hat er. Aber er ist ein Leihhund, und das soll er bleiben. Alles erscheint mir nur als geliehen.«

»Als Lebensanschauung ist das gar nicht schlecht.«

»Gehen wir?« Hannah blickte auf seine Schuhe und sagte, daß es besser wäre, wenn er Gummistiefel trüge, auf dem Rasen sei es naß, vor allem unten am Bach, falls er wirklich ihren Rundgang mitmachen wolle. »Gummistiefel stehen in der Waschküche. Sie werden passen.«

In der Diele begegneten sie dann Marisa, die sofort fragte, ob Frau Pertes Wünsche habe, was diese verneinte. Die beiden gingen die Treppe hinunter, Marisa blieb stehen, stand auch noch da, als Hannah und Britten, jetzt in Gummistiefeln, zurückkamen.

»Wie lange wird das dauern?« sagte Britten.

»Etwa zwei Stunden.«

»Aber Sie bleiben immer stehen, wenn Sie sprechen, Hannah.«

»Dann werde ich nicht sprechen.«

»Ich passe nicht in Pertes' Stiefel«, sagte Britten nach wenigen Schritten.

»Das sollen Sie auch nicht.«

Sie schwiegen. Nicht einmal der Hund gab Anlaß zu einem Gespräch. Schließlich fragte Britten, wie groß das Gelände eigentlich sei, ein Ende sei gar nicht abzusehen. Hannah gab die Größe in Hektar an, fügte hinzu, daß Pertes den Besitz von einem Onkel geerbt habe, der ihn adoptiert und auch sein Studium finanziert hatte. »Er war Jude, das werden Sie sich gedacht haben, Pertes war es nicht, aber er trug den Namen dieses Onkels. Der Onkel starb gerade noch rechtzeitig, Pertes ist emigriert. Der Besitz wurde konfisziert, ein Gauleiter hat hier residiert. Pertes, der sich in den USA bereits einen Namen gemacht hatte, ist später, nachdem er sich von seiner Frau getrennt hatte, zurückgekehrt. Das Haus ist mehrfach umgebaut worden, zuletzt, bevor wir hier eingezogen sind.«

»Die Bausubstanz ist in Ordnung?«

»Wollen Sie den Einheitswert wissen? Ich möchte das Haus nicht verkaufen, aber ich möchte auch nicht darin leben. Ich weiß nicht, was ich will; ich weiß nicht einmal, was ich nicht will.«

Als sie den Bach erreicht hatten, fragte Britten, ob dieses Gewässer einen Namen habe, für einen Bach sei es zu groß, für einen Fluß zu klein.

»Seume«, sagte Hannah. »Die Seume. Soviel ich weiß, ist sie nicht länger als sieben Kilometer, nicht der Rede wert.«

Mark Anton war mit einem Satz im Wasser, kam ohne Zuruf zurück, prustete, schüttelte sich. »Er ist die Abkühlung gewöhnt«, sagte Hannah, und Britten sagte: »Der Hund wird das Bad in Zukunft vermissen.«

»Die Seume bildet im Westen die Grenze des Grundstücks. Zur Straße hin die Mauer, und an den beiden übrigen Seiten Buschwerk und Stacheldraht. Es gibt keine Wege nach außerhalb, auch keine Brücke, nur das Parktor, das unter Verschluß gehalten wird. Die Sprechanlage ist eine weitere Sperre, Pertes nannte es ›Schutz‹.«

Hannah wickelte sich enger in ihren Mantel, knotete den Gürtel ein zweites Mal, schlug den Kragen hoch.

»Erzählen Sie mir etwas, Britten, niemand erzählt mir etwas.«

»Also gut. Können Sie sich unter domistischen Lebensformen etwas vorstellen?« Er unterbrach sich bereits nach der ersten Frage, zeigte auf eine Anhöhe, auf der noch Schneereste lagen, wo ein betonierter Gang zu einer Stahltür führte. »Was ist das? Haben Sie ein eigenes Wasserwerk?«

»Kein Wasserwerk. Ein Atombunker. Pertes hat ihn vor Jahren anlegen lassen, er ist mit allem ausgestattet: Akkumulatoren sorgen für Luft und Licht, die Lebensmittel wurden in den ersten Jahren regelmäßig erneuert.«

»Wollten Sie einen Atomkrieg überleben?«

»Ich weiß das nicht. Wir haben auch darüber nicht gesprochen. Ich weiß nicht, ob Pertes mit der Möglichkeit eines Atomkrieges gerechnet hat. Spaltbares Material kann man friedlich und unfriedlich nutzen, tödlich ist es in jedem Fall. Wollen Sie den Bunker besichtigen? Er galt als vorbildlich, wurde mehrfach in der Fachpresse abgebildet. Der Schlüssel hängt an meinem Schlüsselbund.«

Britten lehnte ab, er habe in den letzten Wochen hinreichend besichtigt. Er war stehengeblieben, blickte sich um und sagte, daß er sich einen größeren Kontrast nicht vorstellen könne. »Dieses Gelände, wie Sie es nennen, auf dem Sie leben, ungern, aber angenehm, und dann das Gelände, von dem ich komme, auf dem achtzig, ich wiederhole: achtzig, Leute hausen, unangenehm, aber gern; sie leben von ihren und für ihre Ideale. Es handelt sich um ein ehemaliges Arbeitsdienstlager, Baracken, später wurden sie als Flüchtlingslager genutzt, dann kurze Zeit als Durchgangsstation für Asylanten, und jetzt diese Idealisten, die nach einer neuen Lebensform suchen. ›Annenhof‹ – haben Sie davon schon gehört oder gelesen? Alternativ, ökologisch, die Worte haben einen Beigeschmack, das darf einen aber nicht beirren. Es ist eine Lebensgemeinschaft, nicht nur eine Wohngemeinschaft aus Gründen der Zweckmäßigkeit. Diese Frauen sind jung, die meisten wenigstens, ein paar Kleinkinder liefen herum, einige Kinder waren schon schulpflichtig. Sie kämpfen ums Überleben, da kann Freiheit natürlich nicht gedeihen. Die Ideen sind gar nicht schlecht, aber es fehlen alle wirtschaftlichen Voraussetzungen, es fehlt an Lebens- und Berufserfahrungen. Zum Gedeihen eines Menschen gehört Raum. Ein Mindestmaß an Quadratmetern.«

Er machte eine Pause, und Hannah blickte sich nun ebenfalls um und sagte: »Wenn es am Raum liegt, muß ich gut gedeihen.«

»Die Frauen vom ›Annenhof‹ hatten mir einen Verschlag eingerichtet, in dem ich übernachten konnte. Ich habe wirklich einige Wochen dort gelebt oder, besser, überlebt. Den Frauen hat das Startkapital gefehlt, es fehlt auch an regelmäßigen Einkünften, es fehlt ihnen auch an Männern. Warum denn nur Frauen? Falsch verstandener Feminismus. Alle waren an ihren Beziehungen gescheitert. Keine wollte Eigenverantwortung übernehmen, sondern in diesem warmen Menschentümpel untertauchen, Frauen und Kinder und Hühner und Schafe. Sie spielen Theater für und mit den Kindern, machen Rollenspiele. Heute bist du König, heute tun wir alle, was du sagst! Überall lagen Wollknäuel herum, sie bestricken alles und bereden alles, nach wenigen Tagen fühlt man sich verstrickt und verwickelt. Sie sind noch in diesem Stadium der Selbstsuche und der Selbstfindung, jede meint im Grunde sich selbst; nach meinen Beobachtungen werden die meisten bei ihrer Selbstsuche gar nicht viel finden. Sie müßten sich mehr um ihr Projekt kümmern, nicht nur mit diffusen Gefühlen herangehen, sondern mit dem Verstand und der Vernunft. Jeder Einzelne schien mir schwach zu sein, ihr Irrtum ist es zu glauben, daß viele schwache Menschen ein kräftiges Ganzes ergeben könnten. Eine verließ sich auf die andere. Tagelang stand da ein Eimer mit Abfällen herum, und keine leerte ihn aus, aber mehrfach wurde gesagt, jemand müsse den Eimer leeren. Sie heizen mit Kohleöfen und alten Elektroöfen, die Sicherungen sprangen heraus, trotzdem waren sie der Ansicht, daß sie umweltfreundlich heizten, nur weil sie froren; die Baracken sind schlecht isoliert, die Luftverschmutzung ist groß. Ich habe mich erkältet, huste noch immer.« Er hustete denn auch. »Wenn die Frauen vom ›Annenhof‹ Ihr Gelände sähen, müßten sie, wie Ihre Budaks, kommunistische Gefühle bekommen. Dort rechnet man in Quadratmetern, hier in Quadratkilometern.«

Britten zog noch weitere Vergleiche, Hannah schwieg, schwieg aber anders als sonst.

Es war spürbar kälter geworden, die Schneereste knirschten unter den Schuhen, der Hund schob die Schnauze unter den Schnee, warf ihn hoch, wälzte sich, rannte davon. Britten sagte, daß er Mühe haben werde, wieder einen Etagenhund aus ihm zu machen, und Hannah schlug ihm vor, sie gelegentlich mit dem Hund zu besuchen, falls sein Projekt das zuließe.

»Ach«, sagte er, »das Projekt! Die Praxis stimmt nie mit meiner Theorie überein: Was ich bisher an domistischen Lebensformen, soweit sie nicht weltanschaulich oder christlich begründet sind, zu sehen bekommen habe, leuchtet mir nicht ein.«

Hannah sah ihn fragend an, aber er erklärte ihr das Wort ›domistisch‹ auch dieses Mal nicht.

Die Sonne näherte sich dem Horizont, illuminierte den verschneiten Hang, den sie jetzt hinuntergingen. Britten zeigte auf die Reihe der schwarzen Erlen und sagte: »Schön! Das ist alles sehr schön!« Er blieb plötzlich unter einem Baum stehen, packte Hannah beim Arm, veranlaßte sie, ebenfalls stehenzubleiben. »Wie war das in Ihrem Märchen vom Tod eines reichen Mannes? Diese Frau lernt eines Tages einen Mann kennen, der ihr ein interessantes Projekt darlegt, aber sie hört ihm nicht zu! Sonst hätte sie nämlich die gleiche Erleuchtung gehabt wie er soeben.«

»Frauen leiden weniger unter Erleuchtungen als Männer. Aber ich habe trotzdem zugehört.«

»Hannah mit den beiden h!« Er griff fester zu. »Ich zähle noch einmal auf: ein Haus, ein Gelände, ein Vermögen und jemand, der daraus eine große Sache machen könnte. Hier ließe sich ein Projekt verwirklichen! Hier könnten eine Reihe von Menschen unter den günstigsten Bedingungen miteinander eine neue Lebensform finden. Das Atomzeitalter liegt hinter Ihnen, machen Sie aus dem Erbe etwas Neues! Dies könnte ein Garten Eden werden!« Er verbesserte sich: »Dort lebten nur zwei und nur für kurze Zeit, hier könnten ein Dutzend oder auch zwanzig Menschen leben, die in etwa die gleichen Ziele haben, gesünder leben wollen, miteinander und füreinander, im Einklang mit der Natur, nicht als Ausbeuter, nicht als Verschwender, sondern als Liebhaber! Als Genießer! Aber auch als Verantwortliche!«

»Aber –«

»Wenn Sie jetzt als erstes ›aber‹ sagen, ist das Märchen zu Ende, dann nehme ich meinen Hund an die Leine, und Sie sehen uns nie mehr wieder. Vorher müßten Sie mir allerdings ein Pflaster für meine wundgelaufenen Füße geben. Und dann: aus der Traum.«

»Wenn Sie etwas langsamer reden würden und nicht immer mit Ausrufungszeichen. Es gibt doch Gedankenstriche und Fragezeichen.«

Später wurde die Linde, unter der dieses Gespräch stattgefunden hatte, ›der Baum der Erkenntnis‹ genannt. Ein Funke war übergesprungen, von wem er ausgegangen war, ließ sich im nachhinein nicht mehr feststellen; es wurde später oft danach gefragt: ›Wer ist der Urheber dieses Projektes?‹ Wichtig war den beiden die Urheberschaft nicht, ein Funke zündet nur, wenn er auf brennbares Material trifft, und das war der Fall.

Britten war nicht mit Mark Anton nach Hause gegangen. Er hatte die Schuhe gewechselt, seine Fersen mit Pflaster beklebt. Hannah hatte den Hund versorgt, dessen Pfoten gewaschen werden mußten, sein Fell trocknete sie mit dem Fön.

»Wenn Sie den Hund mit einem Frotteetuch trockenreiben, verschaffen Sie ihm ein zusätzliches Vergnügen und verwenden Ihre und nicht elektrische Energie.«

Als sie die Treppe zum oberen Stockwerk hinaufgingen, blieb Britten stehen. »Was ist das für ein Sofa?«

»Es steht dort, seit wir das Haus bezogen haben; bisher hat niemand danach gefragt, auch Pertes nicht. Es ist das Wachstuchsofa von zu Hause, aus meinem Zuhause. Ich habe darauf geschlafen, noch als Sechzehnjährige. Niemand hat sich für die Herkunft der reichen Frau Pertes interessiert, private Gespräche wurden selten geführt, einen Freundeskreis gab es nicht. ›Halt mir die Familie fern‹, gehörte zu den Bedingungen, die Pertes gestellt hatte, das galt für seine, das galt erst recht für meine Familie. Geld bringt Menschen nicht näher. Gehen Sie ins Kaminzimmer, die erste Tür rechts, ich ziehe mir eine Jacke über.«

Sie nahmen zu dritt am Kamin Platz, das Feuer war vorbereitet, Hannah brauchte nur die Holzwolle anzuzünden. Sie klingelte und bat Marisa, ein kleines Abendbrot zu richten, auf einem Tablett, Rotwein, Wasser, Brot, Schinken, Käse, Obst. »Sie haben dann frei, Ihr Mann auch, lassen Sie bitte die Rollläden herunter, die Alarmanlage schalte ich später selbst ein.«

Es wurde ein langes Gespräch, beide bekamen heiße Köpfe, was nur zum Teil an der Ausstrahlung des Feuers lag. Der Hund hatte sich zwischen sie geklemmt und schlief, wachte auf, wenn das Holz im Kamin knackte, blinzelte von einem zum anderen, schlief weiter. Was ging hier vor? War er betroffen?

Aus dem Projekt, über das Britten zu schreiben gedachte, wurde ein Projekt, das hier, auf diesem Gelände, jetzt, ab morgen, verwirklicht werden sollte. Aber es würde kein gemeinsames Projekt werden, Britten nannte sich selbst einen Theoretiker, einen Beobachter und Beschreiber. Hannah fragte, ob ihm das genüge, immer nur zu schreiben, was andere in die Tat umgesetzt hätten oder noch umsetzen wollten.

»Nur? Schätzen Sie das Schreiben nicht zu gering ein?«

»Was sind Sie nur für ein Mensch?«

»Ich bin ein Mann, das ist nicht dasselbe!« Ein Kommentar, auf den sie nicht einging.

Sie aß ein weiteres Butterbrot, füllte sein Glas, kraulte den Hund, fragte dann: »Haben wirklich alle Menschen Phantasie?«

»Die meisten Menschen können sich nur das vorstellen, was sowieso schon da ist.«

»Es muß doch viele Menschen geben, die das Bedürfnis haben, noch einmal anzufangen, die mit sechzig oder siebzig Jahren noch nicht verbraucht sind, in denen Reserven stecken, die sie nie genutzt haben. Mut müßten sie natürlich haben.«

»Übermut! Ohne Übermut passiert gar nichts. Wenn ich richtig verstehe, was Sie meinen, dann gehört auch eine Portion Wahnsinn dazu. Nur die Wahnsinnigen können etwas in Bewegung setzen. Ich bin nicht wahnsinnig genug. Vielleicht sind Sie es.«

Hannah fuhr sich mit beiden Händen durchs Haar, schüttelte sich, wie Hunde sich schütteln, wenn sie aus dem Wasser kommen, und fragte ihrerseits: »Wie viele Einzeller sind nötig, zehn oder zwanzig?«

»Froschlaich!«

»Lassen Sie doch Ihre Ironie weg. Mein Opa! Ich hatte einen Opa im Bergischen Land, der ist mal mit mir an einen Teich gegangen, der lag mitten im Wald; er hat mir erklärt, daß ein Teich eine ganze Welt im kleinen sei, ein Kosmos, das Wort Kosmos hat er sicher nicht gebraucht.«

»Symbolisch?«

»Von Symbolen wußte er nichts, er war ein einfacher Mann, aber er war klüger als die meisten Männer, die ich später kennengelernt habe. Im Teich gab es Wasserlinsen und Algen, und am Rande wuchsen Binsen, Schilf und Lilien, und es gab Frösche und Fische und Libellen, Wildenten, alles lebte zusammen.«

»Wie stand es mit den Hechten? In Teichen gab es oder gibt es doch immer Hechte –«

»Der Opa sprach manchmal Platt, er sagte ›Ütschen‹. Kennen Sie Ütschen? Einmal ist er nachts mit mir durch den Wald gegangen, und in der Ferne läuteten Glocken, der Opa blieb immer mal wieder stehen und sagte: ›Horch, bald sind wir, wo die Glocken läuten.‹ Ich fürchtete mich, und er nahm mich bei der Hand. Und dann kamen wir an den Teich, und unter dem schwarzen Wasser läuteten die Ütschen wie Kirchenglocken. Aber vielleicht sagte er zu den Kröten Ütschen und nicht zu den Unken? Nur die männlichen Frösche quaken, die weiblichen verhalten sich still, wußten Sie das? In den Laichgewässern gibt es Wassermäuse, richtige kleine Säugetiere, er hat mir das alles erklärt, auch das mit der Fortpflanzung.«

»Fortgepflanzt soll doch nicht werden?«

Sie legte ihm die Hand auf den Mund und sprach von Wasserflöhen. »Wenn ein Laubfrosch springt, ist das eine größere Leistung, als wenn ein Floh springt –«

»Sagte das der Opa?«

»– er hat mich Hanneken genannt. Dieses Stück Erde, für

das ich jetzt zuständig bin – alles ist da: Wasser, Erde, Himmel, Sonne, Wind und Bäume und Vögel. Haben Sie vorhin die Krähen gesehen? Sie waren unruhig, flogen umher, kreisten um die Schwarzerlen. Bevor es völlig dunkel wird, beziehen sie ihren Schlafbaum, das ist an jedem Abend ein anderer, scheint mir. Was fehlt, das sind Menschen. Das Mindestalter müßte sechzig sein, dann hat man noch zwanzig oder dreißig Lebensjahre vor sich, daraus muß sich doch etwas machen lassen. Es müssen nicht nur Frauen sein, warum sollte man denn aussortieren?«

»Es wird Spannungen geben!«

»Warum nicht? Zwischen Ihnen und mir gibt es doch auch so etwas wie Spannung, aber doch keine Hochspannung. Das Lebensalter wird die Voltzahlen in Grenzen halten – oder?«

»Sie meinen, weniger physikalisch ausgedrückt, man sei sexuell aus dem Gröbsten heraus? Erotik statt Sexualität?«

»Die ideale, vorerst noch geschlechtslose Person für dieses Projekt lebt allein, unfreiwillig, die Kinder sind erwachsen, der Partner verschieden beziehungsweise geschieden, die berufliche Laufbahn ist beendet, finanziell ist sie, diese Person, durch eine Rente gesichert, und jetzt müßte sie den Rest des Lebens mit Reisen, Freizeitgestaltung und Konsum verbringen, aber: Sie möchte ihre Lebenserfahrungen, die verbliebenen Kräfte nutzen. Das Bedürfnis, die Welt noch ein wenig zu ändern, wächst; dieses letzte Drittel oder Viertel oder Achtel an Lebenszeit vor Augen. Sie will nicht aus der Vergangenheit leben, sondern in die Zukunft hinein. Leben, als ob man nicht Hitler hinter sich und Overkill vor sich hat! Was nach der Selbstverwirklichung kommt: das größtmögliche Glück für alle.«

»Aber –« warf Britten ein, weiter kam er nicht, wieder legte sie die Hand auf seinen Mund und sagte: »Gießen Sie jetzt kein Wasser in meinen Wein.«

Da er, die Hand auf dem Mund, nicht sprechen konnte, gab es einen flüchtigen Kuß als Antwort, sie zog die Hand zurück. Er sagte: »Ich bin der Weintrinker, Sie trinken das Wasser!«

»Ist das schon wieder Ironie?«

»Ich komme mir vor wie Mr. Ohm persönlich, der für den

Widerstand sorgt. Falls Ihre Kenntnisse in der Physik auch die einfachen Grundbegriffe einzubeziehen in der Lage sind: Der Widerstand sorgt dafür, daß Reibung und Wärme entsteht.«

Britten erhob sich, legte zwei Holzscheite nach, Hannah nahm die Scheite, die er flach in die Glut gelegt hatte, wieder aus dem Feuer heraus, stellte sie gegeneinander. »Sie verstehen weder etwas von Wasser noch von Feuer. Dieses Ziel, von dem Sie mich ständig ablenken wollen, darf kein Punkt sein, den man ansteuert, sondern ein Kreis, in dem viele Wünsche und Absichten Platz haben, dorthin müssen diese Wege aus der Vereinzelung führen, ohne zu große Einengung. Alle haben wir doch Angst vor Einsamkeit, Krankheit, Alter, und natürlich vor dem Sterben. Miteinander muß man damit leichter fertig werden. Eine Oase, eine Gegenwelt, in der nicht verschwendet und zerstört wird. Es sollte schön und festlich sein. Können Sie sich das vorstellen?«

»Ich versuche es gerade.« Britten hatte die Brille abgenommen, legte sich die Hand über die Augen.

»Wichtig ist, daß keiner mit dem anderen verwandt ist. Es darf keine Altlasten gegenüber Eltern, Kindern, Geschwistern geben. Alle diese Hypotheken bleiben draußen, müssen vorher abgelöst werden, auch finanziell. Man wird nicht selbst zur Last seiner Kinder!« Sie schien nachzudenken, schwieg einen Augenblick, und Britten sagte: »Apropos Hypotheken.«

»Gehen Sie, Britten! Ihre Abers und Apropos kann ich jetzt nicht ertragen. Merken Sie nicht, daß ich mich auf einer dünnen Eisdecke bewege?«

Britten stand auf, forderte den Hund auf, dasselbe zu tun, was er aber nicht tat, statt dessen blickte er Hannah aus seinen schwarzen blanken Augen hingebungsvoll an.

»Muß ich Sie zur Gartentür begleiten?«

»Kennen Sie den Anfang von Rousseaus ›Bekenntnissen‹?«

»Gleich werde ich ihn kennen. Wie heißt er?«

»›Ich beginne ein Unternehmen ohne Beispiel.‹«

4

›Lache, Johannes, lache, du bist alt, du hast keine Zeit mehr zu verlieren.‹

Wilhelm Raabe

In den nun folgenden Wochen dachte Britten wiederholt an das ›Unternehmen Pertes‹, meinte sogar, einige gute Vorschläge für die Verwirklichung gefunden zu haben, zögerte aber anzurufen, hoffte, daß Hannah sich melden würde. Sie unterließ es, respektierte, daß er an seinem ›domistischen Buch‹ saß, also mußte wieder der Zufall zu Hilfe kommen.

Britten war mit dem Hund unterwegs, etwas früher als gewöhnlich, er wollte auf dem Rückweg einige Einkäufe erledigen, ging also eine andere Strecke; Hannah, die schon seit Wochen ausprobierte, wie oft sie den zu großen Wagen wirklich brauchte, ging zu Fuß zum Postamt, was sie seit einiger Zeit täglich tat. Mark Anton nahm ihre Fährte auf, zerrte an der Leine, blickte zurück, bis Britten endlich wahrnahm, daß Hannah mit großen, weitschwingenden Schritten vor ihnen herging. Er löste die Leine; die Freude der beiden war augenfällig. Hannah ging auf Britten zu und sagte: »Ich freue mich ebenfalls, Sie zu sehen, aber so wie Mark Anton kann ich's nicht zeigen. Ich muß zur Post, und Sie?«

»Ich bin auf Nahrungssuche«, sagte er, »ich gehe in die Lebensmittelabteilung im Kaufhaus.«

»Ich komme mit«, sagte Hannah, »ich kaufe gern ein und habe selten Gelegenheit, am liebsten gehe ich über Märkte, körbeweise möchte ich Obst, Gemüse und Blumen einkaufen.«

»Warum tun Sie es nicht?«

»Für wen? Die Einkäufe besorgen die Budaks. Es gibt Veränderungen, wie Sie sehen: Hannah Pertes wurde eine Fußgängerin, mit dem Bus bin ich auch schon gefahren, zum Finanzamt, zur Bank, und alles ohne Parkprobleme; außerdem habe ich in einem Café gesessen und mir das Publikum angesehen, ob es überhaupt Menschen gibt, die auf den ersten Blick in Frage kämen. Ich habe sie nur angesehen, nicht angesprochen! Bisher verkehre ich nur schriftlich oder telefonisch mit den möglichen Anwärtern.« Sie hält die Briefe hoch, liest vor, was auf der Rückseite der Umschläge steht. »›Recycling-Papier, hergestellt mit geringster Umweltbelastung, ohne Bleichung, ohne Färbung.‹«

»Sie wissen, daß viel mehr Altpapier anfällt, als weiterzuverwenden ist?«

»Das weiß ich, das werden die Empfänger ebenfalls wissen, es dient zur allerersten Verständigung. Warum ist alles, was umweltfreundlich ist, so häßlich?« fragt sie, eine Antwort wartet sie nicht ab. »Was tue ich mit meinem Briefpapier, den grüngefütterten Umschlägen, mit meinen Initialen versehen und aus bestem Leinenpapier, mit Wasserzeichen? Soll ich das alles zum Altpapier geben und gegen Recycling-Papier eintauschen? Ich habe viele Probleme, Britten, kleine und größere.«

Noch immer hat sie ihre Briefe nicht eingeworfen, liest ihm statt dessen einige der Chiffren vor.

Britten macht den Vorschlag, einen allgemein gehaltenen, informierenden Formbrief aufzusetzen, er würde ihr gern dabei behilflich sein. Sie fragt, ob er einen Formbrief überhaupt lesen würde. »Sehen Sie? Ohne Spontanität geht es nicht, ich muß spontan auf diese Menschen zugehen, es muß funken, wenn es das nicht tut, vergeude ich meine Kraft und meine Zeit.« Sie hält einen der Briefe hoch. »Hier! Es handelt sich um einen stillgelegten Landwirt, können Sie sich darunter etwas vorstellen? Ich habe ihn in der F. A. Z. kennengelernt. Er führte in einem Leserbrief aus, daß er sich mit vierundsechzig Jahren durchaus noch als nützliches Glied der menschlichen Gesellschaft fühle. Er machte einen Vorschlag: Wenn man Felder brachliegen läßt, könne man darauf die Hühner, die jetzt in Batterien gehalten werden, unter ›menschlicheren‹ Bedingungen dem Geschäft des Eierlegens nachgehen lassen. Sie würden mehrere Jahre lang Eier legen, wenn auch weniger, und wären anschließend noch gut für den Kochtopf. Mir leuchtete das alles ein. Ich schrieb einen Brief und gab meine Telefonnummer an. Seither telefonieren wir an jedem zweiten Abend.

Den Hof führt jetzt der Sohn, es kommt zu Auseinandersetzungen, der Vater denkt fortschrittlicher als der Sohn, verantwortlicher.«

»Fürchten Sie eigentlich nicht, daß diese männlichen Singles Ihr Unternehmen für eine Versorgungsanlage halten könnten? Ein paar Frauen, die für die Mahlzeiten und für die Wäsche sorgen, finden sich in diesen Jahrgängen doch noch.«

»Er koche gern, sagt er, er würde auch gern ein wenig Gemüseanbau auf biologischer Grundlage betreiben, er will wissen, wie groß das Gelände ist und womit bisher gedüngt wurde. Soviel ich weiß, wurde überhaupt nicht gedüngt. Sobald es eine genügende Anzahl von Interessenten gibt, wollen wir Wochenend-Seminare abhalten. Seine Stimme gefällt mir. Ich stelle mir vor, daß er geht, wie er spricht, und genauso ißt: rasch, aber mit Pausen. Was ist, Britten?«

»Das Ladenschlußgesetz! Wegen dieses stillgelegten Landwirts werde ich verhungern müssen!«

»Dieser Mann lacht, lacht laut heraus. Bestimmt hat er ein prachtvolles Gebiß. Ältere Männer lachen nur, wenn sich ihre Zähne noch sehen lassen können. Er ist ›al dente‹, er hat Biß.« Sie ahmt Salvatores Sprechweise nach. »Sie werden ihn eines Tages lachen hören. Wer nicht lachen kann, paßt nicht.«

Britten entblößt seine Zähne.

Hannah wirft nun endlich die Briefe ein. »Was machen Sie mit dem Hund, wenn Sie in eine Lebensmittelabteilung gehen?«

»Ich sehe mich um, ob ich einen Rentner oder einen Schüler entdecke, dem gebe ich dann fünf Mark, damit er auf den Hund aufpaßt, und versichere, daß er gutwillig sei und niemals einen Menschen angreife. Dann heult der Hund eine Viertelstunde lang, und wenn ich zurückkomme, heißt es: Nie wieder! Nie wieder auf einen solchen Hund aufpassen.«

»Darf ich für Sie einkaufen, und Sie passen selbst auf Ihren Hund auf? Ich gebe Ihnen fünf Mark!«

Als sie mit zwei hochgefüllten Papiertüten in den Armen zurückkommt, hört sie das Jaulen des Hundes schon von weitem, und Britten sagt, daß er nie wieder auf diesen Hund aufpassen würde. »Die Passanten haben mich wie einen Tierschinder behandelt. - Gibt es neuerdings wieder Papiertüten?«

»Nein«, sagt Hannah, »neuerdings habe ich immer ein paar in der Handtasche, damit ich nicht mit Plastiktüten durch die Straßen gehen muß. An der Kasse wurde ich bereits gefragt, wo man diese Tüten kaufen könne. Das sind doch Fortschritte. Ich entwickele Umweltbewußtsein.«

»Man kann diese Tüten nur auf dem Arm tragen, das ist lästig.«

»Lästig, aber befriedigend, sehen Sie mich an!«

»Das tue ich mit anhaltendem Vergnügen. Das ›Bosco‹ öffnet um achtzehn Uhr, gehen wir?«

Salvatore, mit der beneidenswerten Fähigkeit begabt, Überraschung zu zeigen, ruft: »Signora! Dottore! Marco Antonio!« Er begleitet seine ersten Gäste an ihren Tisch, sucht in den Zweigen des Pomeranzenbaumes nach Blüten, legt die Speisekarten vor, bringt einen Napf Wasser, erkundigt sich, ob man für Marco Antonio ein Stück vom Herz anbraten solle.

»Ein Stück? Das ganze Herz«, sagt Britten, aber Hannah widerspricht: »In den Innereien setzen sich die Hormone verstärkt ab.«

»Sagt das Ihr stillgelegter Landwirt? Braten Sie, Salvatore. Wir werden inzwischen diese Herzensangelegenheit besprechen.«

»In zwei Stunden muß ich ein zweites Mal zu Abend essen, das erwarten die Budaks. Ich esse doppelte Portionen, sieht man es schon?« Britten erkundigt sich, wo man es sehen könnte. Er betrachtet sie über seine Halbbrille hinweg. »Was haben Sie mit Ihren Haaren gemacht?«

»Nichts. Ich lasse nichts mehr damit machen, ich lasse sie wachsen und wasche sie selbst. Keine Tönung mehr! Man soll sehen, daß ich eine Frau bin, die älter wird, grauhaarig. Ich war für die Rolle der attraktiven Frau Pertes doch längst zu alt, ich war jünger als Pertes, im Vergleich, aber doch nicht jung. Ich war ein Typ, der in Hotelhallen und an der Bar eine gute Figur macht. Können Sie sich vorstellen, wieviel Zeit meines Lebens ich bei Friseuren verbracht habe? Jede Woche eine Stunde, mehr als fünfzig Stunden im Jahr, das Färben dauert wesentlich länger, und das alles zwanzig Jahre lang. Ein Amerikaner hat ausgerechnet, daß der Durchschnittsamerikaner eineinhalb Jahre seines Lebens vor roten Verkehrsampeln verbringt, bei uns ist der Verkehr dichter, es gibt mehr Ampeln, vielleicht stehen wir zwei ganze Jahre vor roten Ampeln? Jetzt gehe ich zu Fuß!«

»Sehen Sie blaß aus, oder liegt das am Neonlicht?«

»Nicht blaß, abgeblaßt. Ich liege nicht mehr auf der Sonnenbank. Warum sollte ich im Winter gebräunt aussehen? Ich weiß jetzt, wie hoch der Energieverbrauch ist. Ich bin gespannt, was bei meiner Rückentwicklung zu einem Naturprodukt herauskommt.«

»Ich auch«, sagt Britten.

»Vielleicht trage ich dann Klönken wie mein Opa statt unbequeme Pumps. Können Sie sich das vorstellen?«

»Ungern«, sagt Britten. Er löffelt seine Tomatensuppe. Hannah ißt einen Salat aus Fenchel und Oliven, pickt sich die Oliven mit den Fingern heraus. »Wenn man seinen Typ stilisiert, ist das nicht nur kostspielig, sondern zeitraubend. Das brauche ich nun alles nicht mehr. Ich brauche nicht mehr zu hungern und nach der Kalorientabelle zu leben.« Sie dehnt sich in den Schultern, streckt die Arme nach beiden Seiten aus. »Ich fange an, mich zu befreien.« Sie sieht Britten erwartungsvoll an, und er fragt, was sie nun hören wolle.

»Ihre Meinung, nicht das, was Sie meinen, daß ich meine –«

»Ich werde Ihre Befreiungsversuche mit Sympathie beobachten, genügt Ihnen das? Wenn wir einmal von Ihrer Person absehen, wie gedenken Sie das ›Projekt Pertes‹ zu finanzieren?«

Hannah sieht ihn überrascht an. »Sie benutzen den gleichen Ausdruck wie meine Sachbearbeiterin beim Finanzamt, die auch vom ›Projekt Pertes‹ spricht und bereits eine Mappe mit dieser Aufschrift angelegt hat. Gestern haben wir wieder lange miteinander gesprochen, in der nächsten Woche treffen wir uns nach Dienstschluß. Eine verständige Person! Alleinstehend, mit einer eher nüchternen Phantasie, aber sie hat beides: Phantasie und Verstand. Als ich sie dafür loben wollte, warnte sie mich vor jenen, die nur Phantasie hätten, das seien Phantasten, vor denen man sich hüten müsse, weil so leicht Fanatiker daraus werden. So ein Projekt spricht sich überraschend schnell herum. Irgendeine Datenbank hat meinen Namen bereits gespeichert. Ich bekomme Broschüren, werde von Firmen persönlich angeschrieben. Obwohl ich nur einen Prospekt über Windmaschinen angefordert habe, unterrichtet man mich über Solaranlagen, über die Gewinnung von Energie aus Futtermitteln; darüber läßt der stillgelegte Landwirt nicht mit sich reden. Ich bekomme bereits mehr Post als Pertes, demnächst wird mein Arbeitszimmer zu klein werden. Essen Sie die Artischockenherzen nicht? Darf ich –? Woher kommen um diese Jahreszeit die Artischocken? Früher habe ich nicht danach gefragt, jetzt fällt mir das alles auf. Tiefgekühlt? Aus dem Glas? Konservierungsmittel?«

»Wir könnten Salvatore fragen.«

»Jetzt habe ich das Herz auf der Gabel, nun esse ich es auch. Wenn ich noch etwas bestelle, frage ich vorher Salvatore.«

»Da wird er sich aber freuen!« sagt Britten. »Er hat keinen Garten, und schon gar keinen alternativen Garten. Die Fische, die man hier ißt, werden eingeflogen, sie sind mit Sicherheit frisch. Wenn Ihnen das nicht genügt, werden Sie in Zukunft Stockfisch essen müssen. Ich werde jetzt eine Zackenbrasse zu mir nehmen, keine Ahnung, was für ein Fisch das ist, ich muß erst seine Bekanntschaft machen, aber für ihn wird es das Ende bedeuten. Was kann ihm Besseres passieren? Die letzten Abenteuer finden bei Tische statt.«

Sie blickt ihn an, Britten hat die Brille heruntergeschoben, Hannah hat die Brille hochgeschoben, nimmt sie jetzt ab, setzt sie dem Hund über die Ohren, der sich auch das gefallen läßt, »wie ein Lamm«, sagt Britten mißbilligend.

»Ich werde herausfinden, was möglich ist und was unmöglich ist. Und wenn mir das Essen, das Salvatore mir vorsetzt, nicht paßt, werde ich nicht mehr hier essen, Mr. Ohm!«

»Damit würden Sie sich bestrafen, mich bestrafen und den Hund bestrafen, der die Küche im ›Bosco‹ zu schätzen weiß.«

»Wir sitzen hier unter Kunststoffbäumen, er macht uns mit den paar Blütenzweigen etwas vor.«

»Ob sich Ihr Entschluß auf die weitere Umwelt ausdehnen läßt, ist zumindest doch –«

»– zweifelhaft? Nun gut, aber zweifelhaft ist doch schon ein kleiner Schritt. Wirke ich eigentlich glaubwürdig? Antworten Sie ohne Zynismus.«

»Was wollen Sie hören?«

»Ich warne Sie! In meinem eigenen Haus wirke ich nämlich nicht überzeugend, das wollte ich sagen.«

»Diese Budaks?«

»Diese Budaks. Sie sollen Altpapier und Flaschen zu den Containern bringen, es sind allenfalls zweihundert Meter, aber sie packen alles ins Auto. Die beiden Autos fahren bleifrei, dafür hat Pertes noch gesorgt. Aber warum gehen sie nicht zu Fuß? Sie benutzen den Mikrowellenherd, obwohl ich davon abrate. Strom ist doch da, sagen sie, wenn er knapp wäre, würde er rationiert. Sie behandeln mich nachsichtig, sie nehmen an, daß ich nach Pertes' Tod etwas verwirrt bin. Ich habe angeordnet, daß nicht das ganze Haus geheizt wird, aber ich habe zugestanden, daß sie ihre eigenen Räume nach ihren eigenen Bedürfnissen heizen. Ich selbst wünsche in meinem kleinen Arbeitszimmer zu sitzen. Es grenzt an Pertes' Zimmer, ich esse an einem kleinen Tisch, der am Fenster steht. Von dort aus habe ich das Gelände, das demnächst ein Baugelände sein wird, im Blick. Warum sollte man den großen Eßraum heizen, er hat zu wenig Fenster, ich müßte immer bei künstlichem Licht meine Mahlzeiten einnehmen.« Hannah blickt auf die Uhr. »Ich muß zum Essen.«

»Alle Welt fragt, was man an den Festtagen tue, ob man verreise, aber Sie fragen nicht.«

»Was tun Sie an den Festtagen?«

»Ich schreibe weiter, ich sehe keine Veranlassung, etwas anderes zu tun. Salvatore wird am ersten Weihnachtstag einen echt sizilianischen Christbaum aufstellen und ein Festtagsmenü anbieten. Dieses strapazierte Weihnachtsfest! So kann es vom Erfinder doch nicht gemeint sein. Und Sie?«

»Ich habe die Budaks beurlaubt, ihre Tochter hat ein Kind bekommen, das soll getauft werden.«

»Die Budaks interessieren mich weniger. Was tun Sie?«

»Ich habe meine Tochter angerufen und gefragt, ob sie unter den veränderten Umständen für einige Tage zu mir kommen möchte, und sie hat gesagt, daß bei mir noch alles verstrahlt wäre. Sie hat vorgeschlagen, daß wir uns treffen sollten, ein paar Tage könnten wir es vielleicht miteinander aushalten, falls ich nicht in einem hochgestochenen Hotel wohnen wollte und falls ich nicht mit dem großen Schlitten ankäme und falls sie den Aufenthalt selbst finanzieren könnte. Falls du nicht, falls du nicht. Lauter Bedingungen, auf die ich eingegangen bin, ich will versuchen, ihre Fallsdunichts zu erfüllen. Sie weiß noch nichts von dem Projekt Pertes; sie wird schwer zu überzeugen sein. Ich habe es mir aber vorgenommen. Ich hatte kein gutes Verhältnis zu meiner Mutter, und jetzt habe ich kein gutes Verhältnis zu meiner Tochter, das vererbt sich, das eine ist die Strafe für das andere. Wenn wir uns früher stritten, endete der Streit immer damit, daß sie sagte: ›In die Situation, mich mit einer Tochter streiten zu müssen, werde ich nicht kommen.‹ Vor Jahren habe ich sie einmal gefragt, was ich eigentlich falsch gemacht hätte, und da hat sie ›alles‹ gesagt, und ich erinnerte mich, daß meine Mutter mir dieselbe Frage gestellt hat und ich dieselbe Antwort gegeben habe. Ich hätte den Vorschlag nicht machen sollen. Ich fürchte mich.«

»Im Weihnachtsevangelium steht: ›Fürchtet euch nicht!‹ Lukas zwei, falls Sie nachschlagen wollen. Wenn sich diese Tochter nun ebenfalls fürchtet?«

»Vor mir? Meinen Sie das im Ernst?«

»Es gibt Augenblicke, in denen ich mich vor Ihrer Entschlußkraft und Ihrer Schnelligkeit fürchte. Wenn Sie sich die Brille ins Haar schieben, so wie jetzt. Sie sollten zu Weihnachten Ihre Kontaktlinsen anlegen, geschätzte Hannah mit den beiden h.«

Was bezweckte er mit solchen Äußerungen? Wollte er den

Funken ausblasen, der doch von ihm gelegt worden war? Hannah fragt ihn das, und er sagt: »Ein kleines Feuer erlischt, wenn man hineinbläst, ein großes wird angefacht.«

»Sie blasen gegen den Wind, Britten. Sie werden Rauch ins Gesicht bekommen, das weiß ich von meinem Opa. Hier ist die Leine.«

Am 23. Dezember sagte ihre Tochter das Treffen ohne Begründung ab. Der Inhalt des Telegramms wurde Hannah telefonisch durchgegeben. »Frohes Fest, Babette«. Sie ließ den Koffer unausgepackt stehen. Die Budaks waren bereits abgereist. Als sie am Abend des ersten Weihnachtstages ins ›Bosco‹ kam, traf sie Britten nicht an. Alle anderen Weissagungen erfüllten sich: der bunte sizilianische Christbaum, die Lichterketten zwischen den künstlichen Bäumen, das Festmenü.

Nach ihrer Rückkehr rief sie bei Britten an, vielleicht war er erkrankt; sie tat es zum ersten Mal. Eine weibliche Stimme meldete sich mit »Britten, Felizitas Britten«. Als Hannah nicht reagierte, sagte die Stimme: »Dann nicht!«

Zu Weihnachten kehrt vorübergehend eine gewisse Ordnung ins Durcheinander der Familienverhältnisse ein, allerdings eine Ordnung, die keinen so recht freut. Felizitas Britten hatte ihren gesetzlichen Ehemann mit einem mehrtägigen Besuch überrascht, da ihr Liebhaber ebenfalls zu seiner rechtmäßigen Familie gefahren war. Das Fest der Liebe oder, wie Britten zu sagen pflegte: ›Das Weihnachtsfest muß viel aushalten, seine geschäftsbelebende Auswirkung ist um so erstaunlicher, wenn man bedenkt, daß der freudige Anlaß zweitausend Jahre zurückliegt. Zum Jahreswechsel kommt dann alles wieder in seine schöne gewohnte Unordnung.‹

Hannah Pertes behielt den Hörer noch einen Augenblick in der Hand. Niemand fiel ihr ein, den sie jetzt hätte anrufen können. Sie schaltete die Alarmanlage ein, zog die Jalousien hoch, stand lange am Fenster ihres Zimmers und blickte ins Gelände. Je länger sie wartete, desto deutlicher zeichneten sich die Umrisse der Bäume vom Himmel ab. Sie legte die Hände flach gegen die Fensterscheiben: So würde nie wieder ein Weihnachtsfest verlaufen.

Zwei Wochen lang lebte sie allein in dem zu großen Haus, aber: mit ihrem großen Projekt.

Am Silvestermorgen händigte der Postbote ihr ein Päckchen aus, ein Absender war nicht angegeben, die Handschrift war ihr unbekannt. Sie öffnete es und packte den ›Neukirchner Kalender‹ aus. Dachte zuerst an den Opa, hielt den Kalenderblock an die Nase, meinte den Geruch wiederzuerkennen, den Küchendunst tat ihr Gedächtnis dazu, dann erst fiel ihr Britten ein, niemandem sonst hatte sie von dem Kalender erzählt. Sie blätterte, las ein wenig, blätterte bis zu ihrem Geburtstag und las dann: ›Fürchte dich nicht! Von nun an wirst du Menschen fangen.‹ In diesem Augenblick fing sie an, sich vor ihrem zu großen Vorhaben zu fürchten. Statt weiterzulesen, fürchtete sie sich, legte den Kalender weg, griff erst am Abend wieder danach und las, was Luther zu diesem Bibelwort gesagt hat: ›Niemand lasse den Glauben dran fahren, daß Gott durch ihn eine große Tat tun will.‹

Sie riß alle Kalenderblätter bis zu diesem Tag vorzeitig ab, suchte einen Hammer, einen Nagel und hängte den Kalender im Treppenhaus auf, nahe bei dem Wachstuchsofa; er hatte seine Aufgabe erfüllt. Niemand blieb stehen, niemand las den Text, niemand wunderte sich.

5

> ›Wir haben eine graue Zivilisation, eine Zivilisation, die vom Tode gekennzeichnet ist, eine sterbende Zivilisation. Ich möchte nicht mitsterben, deshalb bin ich Maler geworden.‹
>
> Friedensreich Hundertwasser

Was ihr nicht bei Tag einfällt, fällt ihr im Traum ein. Hannah wird wach, sitzt aufrecht im Bett und sagt: Lea! Mehrmals: Lea.

Sie ist eine Freundin ihrer Tochter, ist Architektin, ist begabt, besitzt Phantasie, hat sich bereits mit ökologischer Bauweise beschäftigt und ist für den Entwurf einer Altentagesstätte mit einem Preis ausgezeichnet worden. Neuerdings hat sie ein Kind. Warum kennt sie Leas Nachnamen nicht? Wen hat sie geheiratet, warum erinnert sie sich nur an ›Lea‹?

Um fünf Uhr früh fängt sie an, in Mappen und Akten zu suchen, um sieben Uhr findet sie die Geburtsanzeige und auch eine Telefonnummer.

Was für ein Telefongespräch! Nichts als Ausrufe. Wenig Zwischenfragen. »Du mußt nichts erklären, Hannah, ich habe alles verstanden. Alles! Morgen früh werfe ich den Zeichenkram und ein paar Klamotten ins Auto, nachmittags bin ich da, bei Helligkeit! Damit ich noch was sehe. Können wir bei dir wohnen? Das Füchschen ist lieb und schlau und brav. Man hört keinen Mucks von ihm –« Die restlichen Aufzählungen über die Tugenden des Kindes gehen in dessen Gebrüll unter. »Moment, Hannah! Bloß keine Umstände. Wir fangen einfach an. Pertes ist weg? Pertes konnte ich nie, dich kann ich!«

Die Budaks hatten vor einigen Tagen angerufen, dringender Familienangelegenheiten wegen kämen sie erst später aus dem Urlaub zurück. Ob sie gebraucht würden? Hannah hatte wahrheitsgemäß ›nein‹ gesagt, die Budaks werden den Unterton der Erleichterung gehört haben.

Die Sprechanlage war ausgeschaltet, das Parktor geöffnet, Lea fuhr vor, hupte mehrmals, warf ihren Kram aus dem Auto, hielt das Kind hoch und sagte: »Wie habe ich das gemacht, Hannah?«

Hannah sah zunächst das Kind an, dann die Mutter. »Hast du die roten Haare von ihr?«

»Ein rothaariges Kind braucht eine rothaarige Mutter! Jetzt haben wir beide rote Löckchen, die eine legitimiert die andere. Damit ist die erste Frage nach dem Vater bereits abgeblockt. Sieht sie etwa aus wie ein Kind, das Rebekka heißt? Ich hatte mir einen braunhäutigen Araberjungen gewünscht, und bekommen habe ich ein hellhäutiges deutsches Füchschen. Ist ja gut, Hannah, später nennen wir sie Rebekka. Altes Testament! Wegen des Vaters, eine sentimentale Regung, in den letzten Wochen vor der Geburt hatte ich mehrmals sentimentale Anwandlungen. Ich habe mich lange umgesehen, es wurde höchste Zeit, irgend etwas fehlte mir zu meiner Entwicklung noch, plötzlich wußte ich: ein Kind. Der Vater sieht gut aus, ist intelligent, stammt aus einer angesehenen Familie und ist weit weg. Er weiß nichts von seinem Glück, er würde es nicht einmal für ein Glück halten, aber es ist eins! Nicht immer, aber meistens. Das Kind ist meine Sache, vielleicht finde ich später mal jemanden, der sich als Vater eignet, bisher habe ich noch keinen Mann gefunden, mit dem ich Tag und Nacht zusammenleben möchte, jetzt könnte ich so jemanden gar nicht gebrauchen, jetzt will ich Häuser bauen, und daran bist du interessiert, stimmt's? Also!« Sie drückte Hannah das Kind in den Arm, zog ein Baumwolltuch aus einem ihrer Körbe, knotete die Enden zusammen, stopfte das Kind in den Beutel und hängte es sich um den Hals; mit sicherem Instinkt klammerte es sich mit den Beinchen am mageren Körper der Mutter fest.

»Dein Füchschen bekommt kalte Füße«, sagte Hannah.

»Die werden auch wieder warm, das Füchschen muß abgehärtet werden, wenn es im Leben durchkommen will. Ein Hätschelkind kann ich nicht gebrauchen. Es bekommt Schlaf, es bekommt zu essen, und gestreichelt wird es auch.« Ein paar rasche Küsse als Bestätigung. »Eine Bedingung: keine Süßigkeiten! Keine Gummibärchen, keine süßen Säfte! Das Füchschen bekommt Käsestücke zum Naschen, daran ist es gewöhnt, Süßigkeiten kennt es überhaupt nicht. Sieh dir meine Zähne an! Mir hat man Bonbons in den Mund gesteckt, bei jeder Gelegenheit, meine Mutter schickt mir heute noch Pralinen. Laß das Zeug liegen, wo es liegt, Hannah. Wie groß ist das Gelände? Das ist phantastisch, das ist ganz phantastisch! Da unten, wo die Pappeln stehen, da gibt es einen Bach? – Erlen? Auch gut, daher der Name Erlengrund, verstehe! Ist es sumpfig? Aber der Hang, richtige Hanglage, Süden? Und die alten Bäume, das muß man komponieren, das muß ineinander übergehen, Natur und Architektur, so ein Baugelände habe ich noch nie zu sehen bekommen. Geld hast du auch? Die meisten Leute, die das Geld haben, haben keine Vorstellung davon, wie man heute bauen kann und bauen muß! Kein Beton, darüber bist du dir im klaren? Stein und Holz und Glas. Man muß wieder lernen, daß das Licht nicht aus der Steckdose kommt und das Wasser nicht aus dem Wasserhahn. Wir legen keine Leitung unter Putz! Man muß sehen: Da fließt Wasser, da fließt elektrischer Strom. Wärme! Licht! Alle diese Rohre verbinden uns mit anderen Menschen, wie Adern! Man muß dieses Netz, dieses Versorgungs- und Entsorgungsnetz, sichtbar machen. Ganz augenfällig, farbig: Blau für Wasser, Rot für Wärme. Ich brauche einen Raum zum Arbeiten, für die Entwürfe, ich mache alle Entwürfe eins zu zehn, das entspricht der Vorstellungskraft des menschlichen Auges. Ich schlafe auf dem Boden, wenn mir was einfällt, stehe ich auf, auch nachts. Das Füchschen bleibt bei mir, eine Matratze hast du sicher für uns. Es kriecht überall herum und verkriecht sich, es braucht so gut wie keine Pflege.«

»Wenn meine Nase mich nicht täuscht, braucht es jetzt frische Pampers.«

»Holst du den Karton aus dem Auto, Hannah? Ist es nicht ein süßes Stinktier, sag, daß es ein süßes Stinktier ist!«

Lea entschied sich für jenen Raum, der früher Pertes' Arbeitszimmer gewesen war. »Bist du sentimental, Hannah? Das soll hier doch kein Museum werden? Also! Mit dem leibhaftigen Pertes könntest du so etwas überhaupt nicht aufziehen, der tote finanziert es. Ich sehe das ganz nüchtern. Wir holen uns ein paar Studenten und räumen alles raus. Alles! Ich zeichne auf dem Fußboden. In die wärmste Ecke kommt die Matratze, dann fällt das Füchschen nicht tief. Nachts schläft es, wo es vor der Geburt gelegen hat, nur außerhalb, in meiner Bauchkuhle. Hast du was von deiner Babette gehört?«

Hannah verneinte.

»Möchtest du überhaupt? Sie wird heiraten, einen reichen Mann, das hat sie von dir: rechtzeitig einen reichen Mann heiraten. Sonst sehe ich keinerlei Ähnlichkeiten zwischen euch.

Sie kann nicht mit dir, und ich kann nicht mit meiner Mutter. Ich kann einfach nicht. Es beruht auf Gegenseitigkeit, sie nimmt es mir nicht übel, ich nehme ihr auch nichts übel, sie hat eine Ersatztochter, du nimmst mich doch als Tochterersatz, oder wie siehst du das? Komm, Hannah!«

Die halbe Nacht verbrachte Lea am Fußende von Hannahs zu großem Bett, redete und redete, machte nur hin und wieder eine Pause, um eine Frage zu stellen. Die letzte Frage hieß: »Ist das Gelände überhaupt baureif?«

Diese wichtigste aller Fragen konnte von Hannah nicht beantwortet werden. Lea erhob sich, streckte sich, sagte, daß sie jetzt schlafen ginge. Solange diese Frage nicht geklärt sei, habe alles keinen Zweck. »Morgen früh ziehe ich mir die Behördenbluse an, mit der habe ich schon viel erreicht, morgen ist Dienstag, Dienstag ist ein guter Tag für Behördengänge.«

In hohen Stiefeln aus hellem, weichem Leder, die Jeans knapp, die roten Locken gebürstet, erschien Lea zum Frühstück. Hannah warf einen Blick auf die Behördenbluse und sagte, daß sie auf alle Fälle den Einheitswertbescheid und die Grundstückspläne herausgesucht habe, außerdem die letzte Aufstellung über ihren Vermögensstand. Lea warf einen Blick auf die Endsumme, sagte: »Phantastisch« und steckte alle Papiere in ihre Mappe, tat ihr eigenes Diplom, das sich sehen lassen konnte, dazu und eine Handvoll Fotos jener Häuser, an deren Entwurf und Bauleitung sie beteiligt gewesen war. Sie trank den letzten Schluck Kaffee, aß nichts; das Füchschen schlief noch. »Mitnehmen kann ich es nicht«, sagte sie, »sonst schickt man mich zum Sozialamt. Gib ihm irgendwas zu essen oder zu trinken. Entweder es will es, oder es will es nicht.«

Das Füchschen schrie, laut und ausdauernd, es wünschte weder zu essen noch zu trinken, sondern zu schreien. Als Hannah ihr einen Pelzmantel auf die Matratze legte, verkroch es sich darin und schlief weiter.

Gegen Mittag kam Lea zurück, ließ sich auf einen Stuhl fallen. »Also«, sagte sie, »die Bluse war falsch, es muß an der Stadt liegen. Ich habe die Jacke vorsichtshalber nicht ausgezogen.

Der Name Pertes bewirkt hier ja Wunder. Da wird telefoniert, da fällt der Name ›Pertes‹, und man geht eine Tür weiter. Pertes? Pertes! Also: das Grundstück liegt innerhalb der im Zusammenhang bebauten Ortsteile des sogenannten Waldviertels, es kann an das bestehende Versorgungs- und Entsorgungsnetz angeschlossen werden und erfüllt somit die Bestimmungen des Paragraphen 34 der Baugenehmigungsordnung. Wörtlich! Auf Antrag wird dir das schriftlich zugestellt. Du hast ein Glück, du hast ein sagenhaftes Glück, und jetzt hast du zu allem Glück auch noch mich. Ich und das Füchschen wohnen hier. Ich bekomme Sozialhilfe, mehr brauche ich nicht. Die Entwürfe mache ich unentgeltlich, über die spätere Bauleitung müssen wir reden. Dies hier wird mein Meisterstück! Ich werde Versuchshäuser bauen, in denen die neuesten Techniken für Umweltschutz angewendet werden. Untersuchungen haben ergeben, daß man pro Quadratmeter Wohnfläche nur zwölf bis achtzehn Liter Öl im Jahr braucht, während der durchschnittliche Verbrauch noch bei zweiundzwanzig und sogar achtundzwanzig Litern liegt! Besserer Wärmeschutz, bessere Belüftung, optimale Nutzung der Sonnenenergie. Wir fotografieren alles durch, jeden Planungs- und Bauabschnitt. Fotografierst du? Besitzt du eine gute Kamera? Dachte ich mir doch. Was besitzt du eigentlich nicht? Wir stellen eine Chronik her, ein Bau-Buch, und das publizieren wir. Irgendjemand, der schreiben kann, wird sich finden lassen. Einen Verlag, so einen grünen Umweltverlag, kenne ich, alles, was neu und alternativ ist, hat eine Chance, ein bißchen grün soll es doch werden? Da weiß ich Bescheid. Anschließend werde ich mich vor Aufträgen nicht retten können, und irgendwann mache ich mich selbständig.«

Im Augenblick ihrer eben erreichten verbalen Selbständigkeit fing das Kind an zu weinen: »Das Füchschen! Ich habe ja gar nicht an mein Füchschen gedacht!«

Als sie mit dem Kind auf dem Arm zurückkam, sprach sie bereits von ihrer Werkstatt, verbesserte sich aber und nannte sie ›mein Zeichen- und Rechenzentrum‹. »Hast du etwas für uns zu essen?«

Hannah blieb sitzen.

»Stimmt«, sagte Lea, »du bist nicht meine Mutter, du bist nicht meine Köchin. Also! Zeig mir die Küche.« In der Küche redete sie weiter. »Ich konnte dieses Team, mit dem ich fast sieben Jahre zusammengearbeitet habe, nicht mehr ertragen. Lauter Männer! Die haben keine Phantasie, lauter Macher! Immer nur Statik und Finanzierung, sonst interessiert sie gar nichts. Die einfachsten Dinge begreifen sie nicht. Häuser müssen um die Menschen herum gebaut werden. Sie gehören zur Kleidung, schützen vor Hitze und Kälte und Regen und Wind. Man muß sich ein Haus wie einen Mantel anziehen, ein Haus muß passen. Man muß wissen, wozu ein Haus gebraucht wird, es muß handlich sein, und es muß schön sein, es muß sich ins Landschaftsbild einfügen. Was sonst - sonst noch was? Mit Handwerkern kann ich umgehen, mit den meisten, das habe ich meinem Vater abgeguckt. Es gibt heute welche, die mit natürlichen Baustoffen umgehen können, die wissen, was man mit Holz und mit Steinen machen kann, du wirst sehen, Hannah, du wirst staunen! Im Frühjahr können wir anfangen, bis dahin haben wir die Baugenehmigung, und mit Pertes' Hilfe steht dann die Kalkulation, Gott hab ihn selig, war er eigentlich ein Jude - das ist ja nicht wichtig. Am Ende des Sommers können die Häuser bezogen werden, sagen wir lieber: im Herbst. Drei Monate brauche ich für die Entwürfe und die Berechnungen. Die Baufirmen werden sich um uns reißen. Sie haben wenig Aufträge. Es gibt Firmen, die wieder mit natürlichen Baustoffen bauen wollen, die was von Energieeinsparung verstehen, sie nutzen die Öko-Welle. Warum auch nicht? Kennst du Grasdächer?«

»Ja«, sagte Hannah, »ich kenne Grasdächer.«

»Und was hältst du davon? Nichts isoliert besser, außerdem sind sie landschaftsfreundlich, was man unten der Erde wegnimmt, gibt man ihr oben wieder.«

»In den wesentlichen Punkten müssen wir uns einig sein, Lea. Umweltschonend, energiesparend, zweckentsprechend für ältere Bewohner.«

»Diktier mir das!« Lea ging in Pertes' Arbeitszimmer,

nahm einen Zimmermannsstift und schrieb die Parolen an die Wand, betrachtete die Inschrift aus einiger Entfernung, schrieb mit großen Buchstaben ›und schön‹ dazu, sagte befriedigt, daß man sich viel mehr an die Wand schreiben müsse. »Warte nur, bis unser Füchschen anfängt, unsere Wände zu bemalen.« Zweimal ›unser‹ in einem Satz; sie hat Besitz ergriffen. Hannah lehnte im Türrahmen, sah sich in dem großen, weitgehend kahlen Raum um und sagte: »Du hast nicht mehr als vierundzwanzig Stunden gebraucht, um Pertes zu vertreiben.«

»War er denn noch da?« fragte Lea.

»Ja, in diesem Raum war er anwesend.«

»Was wir vorhaben, ist ganz in seinem Sinne! Du hast doch keine Zeit zu verlieren. Wie seid ihr überhaupt an diesen Besitz gekommen? So etwas erbt man doch im günstigsten oder schlimmsten Falle, irgend jemand hat doch irgendwann bankrott gemacht.«

»Pertes hat als Kind hier gelebt, später hat er es geerbt, ein Bauhaus-Architekt hat das Gebäude von allem Bombast befreit; vor einigen Jahren wollte Pertes wieder hier leben, er lag in der Klinik, für ihn sorgte ein Stab von Ärzten und Pflegern, und ich kümmerte mich um die Renovierung des Hauses. Pertes interessierte sich nur dafür, wo sein Arbeitstisch stand, wo der Eßtisch und das Bett. Das unregelmäßige Dreieck seines Lebens.«

»Hat er das so genannt?«

»Ich habe das so genannt.«

Lea riß Zeichenpapier von einer Rolle, heftete die Bogen an die Wand, redete weiter. »Wir werden wunderbare Monate haben, Hannah! Drei Frauen aus drei Generationen. Gut, daß ich kein männliches Füchschen auf die Welt gebracht habe. Häuser! Das ist doch Frauensache, warum begreift das keiner? Männer - gibt es so was in deinem Leben? Du siehst - für dein Alter, meine ich - phantastisch aus. Aber das weißt du ja selbst, das werden dir andere schon gesagt haben.«

»Es gibt jemanden, du wirst ihn kennenlernen, ob er dir gefällt, weiß ich nicht.«

»Schläfst du mit ihm?«

Hannah lachte auf. »Davon ist nicht die Rede.«

»Ich meine ja auch nicht ›die Rede‹, sagen wir: anschließend?«

»Er ist an meinem Vorhaben interessiert, theoretisch. Der erste Funke ist von ihm ausgegangen.«

»Und jetzt bist du entflammt, stimmt's? Genauso wirkst du, du bist illuminiert! Ich freue mich, Hannah, ich freue mich! Wir werden planen und bauen, du ahnst nicht, was in mir an Kräften steckt! Es muß sich um eine Initialzündung handeln, jetzt ist der Funke bei mir!« Sie fiel Hannah um den Hals, küßte sie. »Ich glaube, ich bin eine Frauen-Frau, meinst du das auch?«

»Eine Kinder-Frau bist du jedenfalls nicht –«

»Darin gleichen wir uns, ich muß an die Arbeit, wo ist das Füchschen überhaupt?« Ein Blick, ein Griff: der Pelz. Sie hielt ihn hoch und erkundigte sich, ob Hannah das Stück freigebe. »Du mit deiner Weltanschauung! Du traust dich doch nicht etwa mit diesem Pelzmantel auf die Straße? Hannah Pertes! Hast du gelesen, wie man Nerz-Babys in Farmen aufzieht? Wie in Hühnerbatterien. Das Füchschen hat noch keine Skrupel, es fühlt sich darin wohl, es braucht etwas zum Verkriechen, es ist ein Höhlentier. Leben Füchse in Höhlen? Im Fuchsbau? Das Kind wird doch nicht jetzt schon eine Vorliebe für Pelzwerk haben? Das muß es später selber entscheiden, ich werde mich da nicht einmischen.«

»Es hat noch Zeit, Lea.«

»Alles Wesentliche entwickelt sich in diesen ersten Lebensjahren, jetzt werden die Lebenswünsche geweckt. Jede Frau sollte wenigstens einmal im Leben einen Pelz haben dürfen, findest du das nicht auch?«

»Hattest du einen?«

»Ich habe ihn noch, er hängt bei meiner Mutter im Schrank, ein Geschenk meines zweiten Vaters. Ich gehe in einem Pelzmantel verloren, ich sehe noch dürftiger aus als sonst. Sind wir uns da einig?«

Als das Füchschen wenige Tage nach dieser Verhandlung die Treppe hinunterfiel, nahm es den Pelz mit. Lea stand oben und rührte sich nicht, das Kind lag unten und rührte sich ebenfalls nicht. Als das Füchschen zu schreien anfing, kehrte auch Leas Sprache zurück, sie schrie gegen das Brüllen des Kindes an. »Die Vorzüge eines Pelzmantels! Das Kind muß die Erfahrung ›Treppe‹ machen, aber dazu hätten auch drei Treppenstufen genügt, es mußte doch nicht sämtliche Stufen hinunterfallen! Am besten lassen wir sie schreien, sie hört von allein auf, aber es wird dauern. Du gewöhnst dich dran, Hannah!«

»Schwer.«

Die Budaks waren zurückgekehrt, wurden die Veränderungen im Haus gewahr, übersahen und überhörten sie jedoch. Ausgeräumte Zimmer, weitere Hausgenossen, häufige Besuche, ein Hund, ständiges Telefonieren. Keine regelmäßigen Mahlzeiten mehr, statt dessen Improvisation. Hannah hatte einen einzigen Versuch unternommen, den Budaks alle diese Veränderungen zu erklären; die abweisenden, verständnislosen Gesichter der beiden ließen sie die vorgesehene Aussprache abbrechen.

Gelegentlich rief Britten an, um sich nach dem ›Unternehmen ohne Beispiel‹ zu erkundigen; sein sarkastischer Unterton fing an, Hannah zu stören. Als er eines Tages hereinschaute, ließ sie ihn mit Lea allein, ging in die Küche, füllte eine Schüssel mit Fleischresten und stellte sie dem Hund in der Diele auf den Fußboden, merkte nicht, daß das Füchschen hinter ihr hergekrabbelt war. Als sie zurückkam, saßen sich Hund und Kind gegenüber, den Futternapf zwischen sich; sobald das Füchschen sich bewegte, knurrte der Hund, sobald der Hund sich bewegte, knurrte das Kind. Hannah lachte auf, beide drehten die Köpfe, ließen zu, daß sie den Napf aufhob, zurück in die Küche brachte und gleich darauf mit zwei Näpfen wiederkam, der zweite mit Käsebröckchen gefüllt.

Britten stand mit dem Rücken vor einem der hohen Fenster, rauchte, sah Lea zu, die sich durch seine Anwesenheit nicht stören ließ.

»Kann ich Ihnen auch etwas anbieten, Britten?« erkundigte sich Hannah.

»Einen Platz, bieten Sie mir einen Platz an? Lea hat das bisher nicht getan. Ich fühle mich für dieses Unternehmen irgendwie verantwortlich. Wie konnte ich denn vermuten, daß jemand meine Theorien verwirklichen würde? Wissen Sie, Hannah, ich fürchte, daß Ihre Protagonisten mit äußerster Vorsicht mitmachen werden, insgeheim ihre Möbel beim Spediteur unterstellen, halbherzige Versuche. Es sei denn, sie hätten keinen eigenen Besitz, von dem sie sich trennen müßten.«

»Meinen Sie mich?« fragte Lea und zeichnete weiter.

»Alles wird auf das erste Jahr ankommen - oder?« sagte Hannah. »Wir müssen uns gegenseitig überzeugen. Warum sollten Menschen alles auf diese eine Karte setzen? Es ist ein Versuch, nach einiger Zeit wird man wissen, ob man Rückversicherungen nötig hat. Ich betrachte die Schriftzüge, ich höre die Stimme am Telefon, daran erkennt man viel. Sollte ich ein ›Foto jüngeren Datums‹ erbitten? Dann würde ich zu großen Wert auf das Äußere legen, ich habe gern schöne Menschen um mich.«

Britten sah sie fragend an. »Genüge ich Ihren Ansprüchen?«

»Man gewöhnt sich an Ihr Aussehen.«

Britten bückte sich, hob einen Prospekt auf, las vor: »›Komposttoiletten‹! Ist das euer Ernst? Dann kann man auch an den nächsten Baum gehen. Wenn ihr nur Grünzeug eßt und Körner pickt, wird das Endprodukt gut für den Gemüseanbau sein.«

»Schick ihn weg!« verlangt Lea.

»Es wird keine Komposttoiletten geben, statt dessen Spülkästen mit einer Einstellung für die unterschiedlichen Bedürfnisse.«

»Drückt man das so aus?« fragt Britten.

»Ich warte nur auf den Augenblick, daß ihr beide euch einmal streitet«, sagt Lea. Sie hält ihre Berechnung hoch und erkundigt sich triumphierend, ob sie überhaupt wüßten, daß man allein durch Wärmedämmung und Sonneneinwirkung bis zu fünfundsiebzig Prozent der Heizenergie einsparen könne.

»Handgestrickte Socken, einen dicken Pullover und die

richtige Weltanschauung, dann wird man nicht nur Energie einsparen, sondern sogar herstellen können. Zehn Prozent Enthusiasmus, das ist doch nicht zu hoch angesetzt?« fragt Britten.

Lea wirft mit dem nächstliegenden Gegenstand nach ihm, hätte ihn vermutlich auch getroffen, wenn der Hund den Radiergummi nicht schon im Flug gefangen hätte.

»Kennt Lea überhaupt die Sonnenscheindauer hierzulande?«

»Sie können mich auch direkt fragen! Ich habe mir im Rathaus alle statistischen Angaben über das Klima beschafft.«

»Und -?«

»Eine mittlere Sonnenscheindauer. Die Hanglage muß es bringen. Wenn wir diesen Bogen zur Sonne hin nutzen, kommen wir aus der Rechtwinkligkeit heraus, aber das kostet uns was. Diese Häuser legen sich um den Hügel herum, man könnte von schmiegen reden, aber das lassen wir lieber.«

»Es ist eine windige Ecke hier.«

»Britten! Nehmen Sie uns nicht den Wind aus den Segeln.«

»Braucht ihr ihn etwa zur Energiegewinnung?«

Der Pelzmantel, in den sich das Füchschen verkrochen hat, bewegt sich, mit einem Satz steht Mark Anton davor und bellt. Hannah pfeift ihn zurück, Lea schreit Britten an, daß er das Biest wegschaffen soll, sonst würde es noch ihr Kind auffressen: »Laßt mich arbeiten! Geht raus, alle! Nehmt das Füchschen mit, jetzt schreit es wieder. Wie soll ich denn weiterkommen, wenn ihr herumsteht und redet und brüllt und bellt. Kannst du denn nicht das Kind beruhigen?«

»Ihr werdet noch eine Menge Hürden beseitigen müssen, seid ihr euch darüber im klaren?« fragt Britten.

»Reiten können Sie wohl nicht?« sagt Lea. »Haben Sie noch kein Buch über die Vor- und Nachteile des Reitsports geschrieben, rein theoretisch? Nein? Hürden werden nämlich nicht beseitigt, die nimmt man, im Sprung! Laßt uns lieber über die Grundsteinlegung reden, das Projekt verlangt nach einer Grundsteinlegung. Da muß doch etwas eingemauert werden, das mit Pertes zusammenhängt. Ohne sein Geld wäre das alles gar nicht denkbar, oder nur denkbar und nicht realisierbar, was Ihnen ja genügen würde, aber Hannah nicht und mir auch nicht. Die Uranspaltung, zum Beispiel. Man wird doch herausfinden, wie die Formel heißt, und dann schreibe ich sie in meiner schönsten Schrift auf das schönste Pergamentpapier oder meinetwegen auch auf Recycling.«

»Ich kann die Formel auswendig.«

»Phantastisch, du bist phantastisch, Hannah!«

»Aus U 238 wird durch Neutronenanlagerung in Bruttoreaktoren –«

»Ich muß es doch nicht wissen, Hauptsache, einer weiß es.«

Brittens kurze Besuche bewirken, daß die Frauen ihre Höhenflüge für einige Zeit unterbrechen, neu bedenken und, sobald er fort ist, wieder an Höhe gewinnen; Schwankungen, die das Projekt in Balance halten.

Hannah studiert Ratschläge für ökologischen Hausbau, streicht an, macht Notizen. Versetzte Pultdächer? Leichtziegel für das Außenmauerwerk? Kalkverputz? Holzbalkendecken? Keine Unterkellerung, statt dessen eine gute Bodenisolierung. Vorratskeller braucht man nicht, wenn man in enger Gemeinschaft leben will. »Das willst du doch?« fragt Lea, und Hannah versichert: »Das wollen doch alle.« Versichert es auch sich selbst. »Eine Frau aus dem Osten hat schon angefragt, ob sie wenigstens einen Teppich mitbringen könne; sie ist getreckt, auf der Flucht soll der Teppich den gesamten Besitz vor Schnee und Regen geschützt haben. Daran hängt sie natürlich.«

»Alle hängen doch an ihrem Kram.«

»Innerhalb der eigenen vier Wände kann jeder –«

»Vier? Es werden viel mehr Wände. Jeder bekommt seine eigene Haustür und sein WC für die eigenen Bedürfnisse.«

Lea hat ein Poster an die Wand geklebt: Hundertwassers berühmtes Haus aus der Löwengasse in Wien. Sie steht in einiger Entfernung und betrachtet das Bild, die Augen zu Schlitzen verengt, die Hände in die Hüften gestemmt, breitbeinig, sie wiegt sich nach rechts, nach links; so steht sie auch, wenn sie auf dem künftigen Baugelände den Sonnenstand prüft. »Bilder sind Häuser für die Seele, sagt Hundertwasser«, sagt Lea. »Das leuchtet mir ein. Ein richtiger Architekt baut seine Philosophie mit Steinen auf, Stein für Stein. Die Konstruktion der Häuser muß leicht und einsichtig sein, hell, heiter! Weißt du, wie lange es von Hundertwassers erster Idee bis zur Fertigstellung dieses Hauses gedauert hat? Zehn Jahre, beinah zehn Jahre! Komm! Ihr habt nicht soviel Zeit, ihr seid alt. Soviel Geld hat selbst eine Witwe Pertes nicht. Ein Architekt macht zunächst einmal Striche, und dann macht er Abstriche. Häuser sind Störfaktoren in der Natur, siehst du das anders? Wenn sämtliche Dächer begrünt wären und die Erde nur noch von den Asphaltbändern der Straßen durchzogen wäre, das wäre doch phantastisch. Du fliegst drüber weg und siehst nur noch Straßen. Schade, ich habe dich nicht mal von Grasdächern überzeugen können.«

Während sie redet, zeichnet sie, heftet die Entwürfe an die Wand, tuscht sie in hellen Wasserfarben. Die Frauen reden aufeinander ein und aneinander vorbei. Hannah redet von ausländischen Hölzern, vom Raubbau an tropischen Regenwäldern, den man nicht unterstützen dürfe, wenn man ihn schon nicht verhindern könne. »Kiefernholz«, sagt sie, »oder Fichte, was hältst du von Fichte?«

Lea sagt: »Alles klar!« Wenn sie arbeitet, schrumpft ihr Wortschatz zusammen. Sie liebt Wendeltreppen, zeichnet Wendeltreppen, erklärt, daß Wendeltreppen die einzige vegetative Verbindung von unten nach oben seien, sie haßt diese sterilen Treppenhäuser. »Deine alten Leute! Ich habe verstanden, alles klar, flache Stufen, handliche Geländer.«

»Einige werden ebenerdig wohnen wollen, andere nicht, sind das nicht gewohnt, ängstigen sich vielleicht. Hier sollen Wünsche erfüllt werden, Lea.«

»Kann man nicht auch einmal den Wunsch einer Architektin erfüllen, Chef?«

Kataloge und Prospekte. Täglich treffen neue ein. Hannah streicht an, liest vor, Lea hört zu oder hört nicht zu. »Ziegel mit

Sägemehl porosiert, hast du davon schon gehört? Sie schaffen gute raumklimatische Verhältnisse, die Luftfeuchtigkeit wird reguliert, Wärme wird gespeichert, aber die übermäßige Wärme wird dann auch wieder abgehalten. Was ist ›porosiert‹? Das muß mit porös zu tun haben, löchrig?« Lea antwortet nicht, Hannah greift zum nächsten Prospekt: »Wenn du soviel Holz verwendest, hast du berücksichtigt, daß alle diese chemischen Holzschutzmittel hochgiftig sind?«

»Dann nehmen wir eben keine Holzschutzmittel.«

»Die Bauvorschriften verlangen das aber. Der Holzschutz ist gut für das Holz und schädlich für den Menschen.«

»Auf welcher Seite steht eigentlich das Bauaufsichtsamt? Die sind skrupellos. Soll ich mir meine Behördenbluse anziehen?«

Hannah erklärt sich bereit, selbst die Wirkung des Namens Pertes ein weiteres Mal bei den Behörden auszuprobieren, unter der Bedingung, daß das Füchschen ihr den Pelz ausleiht. Im nächsten Prospekt werden ungiftige Holzschutzmittel angezeigt.

»Farbe, wir brauchen Farbe«, verkündet Lea. »Sieh dir diesen Hundertwasser an. Hundertwasserfarben! Das Wort ist meine Erfindung. Man muß etwas riskieren, ihr wollt doch anders leben. Jede Wohneinheit bekommt eine andere Farbe, ein pompejanisches Rot und Siena. Der Außenanstrich wiederholt sich dann innen, an einigen Stellen, nur heller. Das wird nicht bunt, Hannah, das wird farbig! Nicht wie bei Hundertwasser. Alles wird blasser, verwaschener, älter. Sagen wir: verblühter Flieder, verregnetes Rosa. Und immer alles vorm grünen Hintergrund der Bäume und des Rasens. Siehst du, wie ich die Fenster in die Wand komponiert habe? Wenn deine Leute mir Scheibengardinen an die Fenster hängen, bringe ich sie um, einen nach dem anderen, eigenhändig. Warum lassen sich denn die Architekten später nicht mehr bei den Bauherren sehen? Wegen der Gardinen!«

»Wenn die Fenster zur Sonnenseite gehen und du wirklich diese gläsernen Käfige an der Südfront anbringen willst, dann braucht man Sonnenschutz. Was hältst du von ungebleichtem

Nessel, der filtert das Licht, und der Raum behält seine Helligkeit, gegen Nessel ist doch nichts einzuwenden.«

Alle paar Tage fährt Lea in die Stadt und sucht Baufirmen auf, redet ihre Begeisterung aus sich heraus und kommt ernüchtert zurück. »Siehst du, daß ich zehn Zentimeter kleiner geworden bin? Aber es hat gefunkt, in zwei Wochen bekommen wir den Kostenvoranschlag!«

Sie läßt sich auf ihre Matratze fallen, rollt sich zusammen, schläft sofort ein. Hannah stellt ihr ein Glas Milch und einen Teller mit Butterbroten neben das Lager, trägt das Füchschen auf ihr eigenes Bett und vergißt die Tür zu Leas Arbeitsraum zu schließen. Mark Anton, der gerade zu Gast ist, stößt die Tür auf, frißt die Brote, wirft vorsichtig das Glas um, schleckt die Milch auf und kehrt ohne Anzeichen eines schlechten Gewissens an seinen Platz in Hannahs Nähe zurück.

Leas Prophezeiung hat sich erfüllt: Die drei Frauen verbringen glückliche Wochen des Planens miteinander. Lea zeichnet und tuscht und rechnet, das Füchschen krabbelt herum und brabbelt vor sich hin, seit einigen Tagen ruft es ›pomm-pomm‹, das ähnlich klingt wie das ›komm, komm‹ der Mutter und bereits die gleiche Ungeduld ausdrückt.

Hannah hat die Prospekte beiseite geräumt, sie blättert und liest in den Wochenendausgaben der überregionalen Zeitungen, überfliegt die Rubrik ›Bekanntschaften‹, auch die Rubrik ›Vermischtes‹, ›Stellengesuche‹. Ihr Blick schärft sich, bleibt an Worten wie ›umweltbewußt‹, ›gemeinsame Sache‹ hängen, liest vor: »›Gesucht wird ein Lebensgefährte für den dritten Weg.‹ – ›Ist die Welt noch zu retten? Im Alleingang ist es nicht zu schaffen. Zu zweit wäre man stärker.‹« Oft ist es ein einziger Satz, der sie aufmerken läßt, eine Leserzuschrift zum Thema Umweltverschmutzung; da schreibt jemand, daß man nun endlich selber ernst machen müsse, aber wo solle man anfangen? ›Suchen auch Sie nach neuen Wegen? Weigern Sie sich, als Konsument angesprochen zu werden?‹ – ›Wo ist der Mann, den die Zustände dieser Welt nicht gleichgültig lassen, der sich ein ernsthaftes Interesse am Mitmenschen bewahrt hat?‹

Und dann schreibt sie in ihrer klaren und schönen Handschrift, die Sympathie weckt, von ihrem Vorhaben. Britten hat vorgeschlagen, einen Graphologen zu Rate zu ziehen, sie lehnt ab. Sie will sich auf ihren eigenen Instinkt verlassen. Lea hat dazwischengerufen, daß man ja auch noch das Horoskop befragen könnte, es gäbe viele Hilfsmittel, wenn man keine eigene Menschenkenntnis entwickelt habe.

Wenn eine Frau, die Mitte Sechzig ist, das Bedürfnis hat, das Leben noch einmal grundlegend zu verändern, und zu diesem Zweck einen Partner sucht, der die gleichen Ziele verfolgt, dann fragt Hannah brieflich an, ob es unbedingt ein Mann sein müsse. Wenn sie bei der Lektüre einer Anzeige auflacht, verlangt Lea, daß sie den Text vorliest.

»Und was willst du antworten?«

»›Meinen Sie wirklich, daß alle Ihre Erwartungen und Anforderungen von einem einzigen Menschen erfüllt werden können? Sind dazu nicht mehrere Menschen notwendig?‹ Und dann werde ich ihr unser Projekt entwickeln.«

Je öfter sie ihr Vorhaben schriftlich erläutert, desto klarer wird es ihr selbst: die Vorteile, aber auch die Schwierigkeiten. Sie versetzt sich in die Lage dessen, der ihren Brief, zusammen mit anderen Briefen, bekommen wird; ihrer muß sich auf den ersten und letzten Blick unterscheiden. Sie bedenkt, wie sie selbst reagieren würde, ob sie sich überzeugen ließe. Sie richtet ihre Briefe an sich selbst, das ist nichts Ungewöhnliches, die meisten Briefe sind Selbstgespräche. Sie schreibt: ›Ist es nicht das Unbehagen an der Wegwerfgesellschaft? Am Überfluß? An der Ausbeutung der Welt? Suchen wir nicht alle nach einer neuen Bescheidenheit –?‹ Viele ihrer Sätze enden mit einem Fragezeichen, viele bleiben am Ende offen, nur noch ein langer Gedankenstrich. Sie läßt dem Leser Lücken, die er mit seinen eigenen Überlegungen füllen mag, noch ist nichts zu Anordnungen erstarrt.

Sie hat die Briefe zugeklebt und frankiert, sie wird sie zur Post bringen, hat sich bereits einen Mantel übergezogen, da ruft Lea: »Onkel Benedikt! Warum ist mir denn Onkel Benedikt noch nicht eingefallen! Das ist der richtige Mann für eure Kommune. Der Bruder meiner Mutter. Er war Chirurg, er hat beizeiten aufgehört, weil er genug Narben hinterlassen hat, sagt er, seine eigenen Worte, ich erinnere mich genau. Er ist verwitwet, er ist in guter Verfassung, körperlich, meine ich, und geistig erst recht, vielleicht ein bißchen still, er hinkt, ich glaube, daß er hinkt. Als Tante Flora gestorben ist, hat er zu mir gesagt, daß er nicht begreifen könne, warum zwei Menschen nicht das letzte Stück zusammen gehen dürften, so ähnlich, es klang herzbewegend. Ich verstand es auch nicht, ich fand es genauso grausam wie er. Er hat Vorstellungen, wie man anders leben muß, sie kommen deinen Anschauungen entgegen, wenn ich es richtig sehe. Die Folgen der falschen Ernährung, überhaupt der falschen Lebensweise, sind auf seinem Operationstisch gelandet, sagt er. Ich rufe ihn an! Sofort, warum denn nicht sofort? Entweder er paßt in deine Kommune, oder er paßt nicht. Es muß doch endlich losgehen, sonst sind die Häuser fertig und stehen leer. Ich sage die ersten drei Sätze, und die nächsten sagst du, komm, Hannah, Onkel Benedikt ist in Ordnung, als Arzt für Alterskrankheiten könnt ihr ihn nicht einsetzen, mit Krankheiten will er nichts mehr zu tun haben. Er war Chefarzt, das ist vorbei, zumindest sagt er das. Er hat ein Hobby, irgendwas mit Steinen, Versteinerungen.« Lea wählt bereits die Nummer, ruft: »Onkel Benedikt! Hier ist Lea! Kennst du den Namen Pertes? – Ja! Der Pertes, genau! Ich baue hier Häuser, phantastische Häuser auf einem phantastischen Gelände. Häuser für Leute, die in der letzten Etappe ihres Lebens anders leben wollen, gesünder, irgendwie einfacher, aber trotzdem schöner, sinnvoller. Eine Kommune, eine Alterskommune, Männer und Frauen. Hier soll ein großer Gedanke verwirklicht werden. A la Rousseau. Sprich mal mit Hannah Pertes, sie steht neben mir, sie ist genauso phantastisch wie das ganze Projekt. Das Gegenteil von Tante Flora, aber trotzdem phantastisch. Tante Flora hat doch immer gesagt: ›Die Glücklichen bleiben zu Hause‹, genau das will man erreichen, man soll sich hier wohl fühlen und nicht vor sich selbst und den Problemen weglaufen. Keine mittelfristigen

Lösungen, dafür seid ihr doch alle zu alt, keiner kann mehr eine Entscheidung vor sich herschieben, jetzt oder nie! Den meisten bleibt dann das ›nie‹. Es wird nicht jeder ein eigenes Auto besitzen, eine eigene Waschmaschine. Man macht gemeinsame Sache. So ein bißchen kommunistisch –« Lea deckt die Sprechmuschel mit der Hand ab. »Er will wissen, ob du eine Christin bist.« Sie nimmt die Hand wieder weg und sagt, daß sie keine Ahnung habe. »Hannah weiß es selbst nicht genau, das wird es sein, du hast wieder mal recht, Onkel Benedikt, du bist phantastisch! Als ich anfing zu studieren, hast du mir geschrieben: ›Versuch immer, dich auf das Wesentliche zu konzentrieren.‹ Ich hab's behalten und oft sogar befolgt. Du mußt dir eine Art Entsorgungsanstalt vorstellen, jeder bringt seine Erfahrungen ein, das ist das wichtigste, Geld spielt keine große Rolle, aber davon hast du ja genug. Was noch? Hannah, sprich du mit ihm!«

Aber alles Wesentliche war ja gesagt, wenn auch in Leas Version und Diktion.

Lea sitzt bereits länger als eine Stunde im Schneidersitz auf dem Fußboden und starrt auf die Hauswand, die sie bisher nur durch Dach, Außenmauern und Grundmauern gekennzeichnet hat. Sie peilt über den Daumen, legt den Kopf nach links, nach rechts, knirscht mit den Zähnen, was sie immer tut, wenn sie sich konzentriert.

Hannah hat ihren Arbeitstisch aufgeräumt, sie muß zur Bank, aber Lea befiehlt ihr zu bleiben, sie soll den Termin verschieben, sie soll statt dessen diese dunklen Quadrate auf der Hauswand verteilen. »Diese Wand wird jeder schon von weitem sehen, das wird der erste Eindruck des Betrachters sein. Nur keine Fensterreihen!«

Hannahs Einwand, daß Fenster vor allem ihre Funktion zur Erhellung der Innenräume zu erfüllen hätten, wird abgetan.

»Wenn es außen stimmt, stimmt es innen. Ich brauche schwarzes Papier, und dahinein komponiere ich die erleuchteten Fenster. Bring mir eine Rolle schwarzes Papier mit.«

Als Hannah zurückkommt, liegt Lea auf der Matratze und

spielt mit dem Füchschen, beide stoßen helle Schreie aus, kugeln sich. Hannah lehnt die Papierrolle an die Zeichenwand, aber Lea ruft: »Leg sie irgendwo hin. Alles ist längst fertig, du brauchst nur noch ja und amen zu sagen, so wird es gemacht. Basta! Was fehlte, das war ein Auge. Diese Wand braucht ein Auge! Der Augapfel verglast, ein helles Braun, fast gelb, so wie deine Augen. Jedes Haus bekommt ein Glasauge, über die Farbe können wir noch reden. Das Haus blickt dem Betrachter und Besucher entgegen, verstehst du? Das hat Witz! Wenn du es nicht verstehst, macht es auch nichts, Hannah, aber lieber wäre mir, wenn du es verständest.«

Hannah fragt: »Bist du sicher, Lea?«

Und Lea sagt: »Nein! Sonst würde ich nicht so lange darüber reden. Wir riskieren kein Auge. Blicklose Häuserwände, auch gut. Aber schön wäre es gewesen, wenn die Häuser sich die Leute ansehen könnten, von denen sie kritisiert werden. Sag, daß es ein guter Einfall war! Es ist die Morgenseite. Du mußt dir vorstellen, das Haus schlägt morgens die Augen auf. Ein Auge wenigstens. Nach Süden hin ist mit Fenstern nichts zu bewirken, da sind nur Holzstreben und Glas, aber hier! An der Hangseite führt ein verglaster Gang an den Haustüren entlang, darin können Blattpflanzen überwintern, solche Zitronenbäume, wie sie im ›Bosco‹ stehen, stell dir den Duft vor, mitten im Winter! Der Gang führt zum Badehaus mit der Sauna und den Wasch- und Trockenräumen, da muß mir jetzt etwas zu der anfallenden Wärme einfallen, man könnte sie in ein Treibhaus leiten. Ein Treibhaus-Effekt! Was einem auch einfällt, es ist belastet! Soll ich ein Ozon-Loch herstellen? Also: ein Gewächshaus, dagegen ist doch wohl nichts einzuwenden. Rede ich dich tot? Weißt du, daß Handwerker, wenn sie ein Haus verputzen oder Fensterrahmen streichen, ununterbrochen reden? Wenn ich nicht reden kann, muß ich Musik haben und richtig aufdrehen, das hältst du gar nicht aus. Also rede ich.«

Inzwischen liegt sie wieder auf der Matratze, das Füchschen springt auf dem Bauch der Mutter herum, als wäre er ein Trampolin. »Besser, sie tanzt mir jetzt auf dem Bauch herum als später auf dem Kopf«, sagt Lea.

Rebekka krallt sich an den roten Locken ihrer Mutter fest und kommandiert: »Pomm!«

Abends erklärt Lea: »Ich muß in eine Disco, ich muß mich vollaufen lassen mit Musik, ich muß mich bewegen!«

»Bist du nicht ein wenig alt für die Disco?«

»In der nächsten Woche bin ich noch älter!«

Wieder ein Dienstagmorgen. Lea bürstet sorgfältig zunächst die eigenen roten Locken, dann die roten Löckchen des Kindes und knöpft es sich vor den Bauch. Sie muß zum Sozialamt, man hat ihre Papiere zuständigkeitshalber an den neuen Wohnsitz geschickt und ist dahintergekommen, daß sie arbeitet, unentgeltlich arbeitet. »Ist dir das klar, Hannah? Ich arbeite unentgeltlich für den Namen Pertes, das müssen die Leute mir erst einmal glauben! Wachs nicht so rasch, Rebekka«, befiehlt sie im gleichen Atemzug. »Du wirst zu schwer! Das Kind zieht mich zu Boden, siehst du das? Ich werde mit dem Bus fahren, beim Sozialamt macht sogar ein kleines Auto einen schlechten Eindruck. Es wird Zeit, daß ich ausprobiere, wie man mit einem Kind vorm Bauch Omnibus fährt.«

Als sie nach Stunden zurückkehrt, erklärt sie: »Die wollen mich fertigmachen! Mutterschaftsgeld und Erziehungsbeihilfe, sind das nun gesetzliche Ansprüche oder nicht? Da ziehe ich ihnen einen künftigen Steuerzahler auf, und die Leute fragen mich nach meiner Mutter und deren Einkommensverhältnissen! Sie halten meine Mutter für zuständig für mich und mein Kind, es sei schließlich das Enkelkind, in direkter aufsteigender Linie. Ich bin vierzig Jahre alt! Versuch nicht, mich zu beruhigen, Hannah! Am besten mache ich mich an die Arbeit. Wenn ich Wut im Bauch habe, zeichne ich am besten.«

»Außer Wut hast du nicht viel im Bauch«, sagt Hannah, »du solltest etwas essen, Marisa wartet in der Küche.«

»Irrtum! Tut sie nicht. Ich habe sie im Rathaus gesehen, sie wartet vor der Paßstelle für Ausländer.« Lea setzt das Kind ab, das, den Kopf im Nacken, eilig davonkrabbelt, schraubt das Fläschchen mit der Zeichentusche auf und schreibt in ihrer schönsten Schrift ›Scheiße‹ an die Wand. Hannah sagt, daß dafür der Zimmermannsstift genügt hätte.

Wenige Minuten später faßt sie Lea am Ärmel, flüstert: »Dreh dich um, sei leise!« Lea dreht sich nicht um, fragt statt dessen laut: »Was ist denn nun schon wieder los?«

Was los ist? Das Füchschen hat sich an einem Stuhlbein aufgerichtet, hält sich an einem Zeichenblatt fest und macht sich auf den sieben Meter langen Weg zu seiner Mutter, die sich nun doch umgedreht hat und das Kind, als es ihr Knie erreicht hat, hochhebt und ungerührt sagt: »Was für ein Geschrei um die ersten paar Schritte. Sie wird noch viel laufen müssen. Wenn sie klug ist, bleibt sie noch eine Weile unten. Sicher hat sie ein schwaches Rückgrat, genau wie ich, ihr Vater hat ihr gar nichts vererbt.«

»Heb sie nicht hoch, wenn sie dir zu schwer ist«, rät Hannah. »Begib dich doch auch mal auf die Ebene des Kindes.«

»Sollen wir beide hier herumkrabbeln? Zwei Füchse?« Lea bedeckt das Kind mit kleinen Küssen, setzt es ab, dehnt sich, krümmt den Rücken, richtet sich wieder auf und zeichnet weiter, macht dann aber doch eine Pause und sagt: »Komm, komm, mein Füchschen, wir beide gehen jetzt baden. Ich denke, du kannst laufen?«

Das Füchschen blickt zu ihr hoch, rührt sich nicht, sagt: »Pomm-pomm!«

»Auch gut, gehen wir auf allen vieren.« Aus dem Flur ruft sie Hannah eine weitere Erkenntnis zu: »Wir müssen auf Wachstum bauen! Wenn unser Projekt Erfolg hat, haben sollte, läßt sich eine weitere Häuserkette nach dem gleichen Modell bauen, oberhalb!«

»Da steht die Blutbuche!«

»Auf welcher Seite stehst du eigentlich, bist du ein Baumschützer?«

Die beiden verschwinden im Badezimmer, gleich darauf hört man sie planschen und vor Vergnügen kreischen.

Wenn wieder der Kostenvoranschlag einer Firma eintraf, erkundigte sich Lea: »Können wir uns das leisten?« Bis es eines Tages hieß: Vorsicht, wir nähern uns der Demarkationslinie.

Hannah Pertes hatte früh gelernt, mit Geld umzugehen, sie rechnete noch immer mit dem Kopf, wie es ihr der Opa beigebracht hatte, benutzte niemals einen Taschenrechner. Sie konnte mit wenig Geld umgehen, sie konnte mit viel Geld umgehen, erfaßte mit raschem Blick eine Kolonne mehrstelliger Zahlen. Sie hatte Buchführung in einer Handelsschule gelernt, Instinkt kam dazu, einen Steuerberater hatte sie nie benötigt; wenn es Unklarheiten gab, wandte sie sich an den zuständigen Sachbearbeiter, in besonderen Fällen auch an den Leiter des Finanzamtes. Der Sachbearbeiter war in ihrem Fall eine Frau Weber, die sich eingehend mit dem ›Projekt Pertes‹ beschäftigte. Die Frauen kannten sich seit Jahren, waren sich trotz der ungleichen Lebensverhältnisse sympathisch. Frau Weber war bereit, nach steuerlichen Vorteilen zu suchen; aus ihrem allgemeinen Interesse wurde schon bald ein persönliches, über das sie aber vorerst nicht sprach. Im Dienstzimmer fiel darüber kein Wort, aber sie fragte, ob sie im Erlengrund vorbeikommen und sich das Projekt ansehen könne.

Als es klingelte, rief Hannah Marisa zu, daß sie selbst aufmache, aber ihrem Gast gern eine Tasse Tee anbieten würde. Wie immer fragte Marisa Budak zurück: »Im Arbeitszimmer von Herrn Professor?«

Eine Frau in Turnschuhen und Jeans, den Parka umgehängt, kam den Gartenweg entlang. Frau Weber nahm den prüfenden Blick wahr, sagte zögernd: »Aber die Behördenbluse –«

Hannah Pertes lachte laut auf, erklärte, warum sie lache und was eine Behördenbluse sei, wenn man zu einer Behörde gehe, und was eine Behördenbluse sei, wenn man selbst dort arbeite. Dann lachten beide. Dieses erste gemeinsame Lachen, noch vor der Haustür, schaffte eine gute Gesprächsgrundlage.

Frau Weber erklärte ohne weitere Einleitung, daß sie mitmachen möchte, und Hannah Pertes sagte, ohne zu zögern, daß sie das erwartet habe. Frau Weber beabsichtigte, den Vorruhestand zu beantragen, die Kürzung der Rente sei nicht erheblich, sie habe nahezu vierzig Dienstjahre vorzuweisen, die meisten davon beim hiesigen Finanzamt; sie habe es nur bis zur Sachbearbeiterin gebracht, zu mehr habe ihre Ausbildung nicht gereicht, studiert hätten die Brüder. Sie sei jetzt berufsmüde, aber an Geld und Geldanlagen weiterhin interessiert. Sie möchte nun auch einmal erleben, was man mit jenem Geld anfangen könne, das nicht ans Finanzamt geht; sie nennt es ›den Rest‹. »Mit dem Rest muß man doch auch was machen können, den kann man doch nicht einfach nur verbrauchen.« Sie sei immer mehr als nur die zuständige Sachbearbeiterin für Steuernummern gewesen, hinter jeder Zahl stecke ein Schicksal. Dieses ›Projekt Pertes‹ möchte sie verwirklicht sehen, da möchte sie mitmachen, mit allem, was sie einzusetzen habe.

Zunächst zählte sie auf, was sie an Kenntnissen und Erfahrungen und Ersparnissen einzubringen habe, dann erst sagte sie, was sie sich erhoffe. Eine eigene Haustür! Sie möchte nicht bis ans Ende ihrer Tage allein bei Tisch sitzen müssen. Sie möchte im Grünen wohnen, im Garten arbeiten, sie möchte gesünder leben, mehr Bewegung haben, sie brauche Gesprächspartner, mit denen sie nicht nur über Finanzen reden könne. Sie sei nie verheiratet gewesen, eine Verlobung sei auseinandergegangen. Sie heiße Hannelore, aber überall sei sie ›die Weberin‹ gewesen, der Name Hannelore werde von keinem mehr benutzt. Es gibt niemanden, der ihr hineinredet; die Brüder kümmern sich nicht um die Schwester, die mit dem Finanzamt verheiratet sei. Sie habe gehofft, das habe sie lange Zeit gehofft, daß sie einen Witwer kennenlernen würde oder eine Freundin, mit der sie zusammenziehen könnte, aber sie sei auch wählerisch. Sie habe überlegt, ob sie mit ihren Ersparnissen einen kleinen Bio-Laden aufmachen solle. Aber Kaufen und Verkaufen, das sei es doch auch nicht. Und es ginge ihr ja nicht nur um die gesunde Ernährung, das sei ein Teil des Lebens, aber doch nicht das ganze. »Es muß mehr dahinterstecken, mehr Sinn.«

Sie machte eine Pause, trank den Tee aus. Als Hannah Pertes immer noch schwieg, sprach sie weiter.

»Vor drei Jahren hat man mir die Gallenblase herausoperiert. Die Gallensteine waren die Reaktion auf einen neuen Abteilungsleiter. Der junge Chef ist nach einem halben Jahr versetzt worden, aber davon war ich meine Gallensteine noch nicht los. Nach der Operation habe ich mich mit dem Computer angefreundet, schließlich war es kein Feind, der in der Ecke meines Zimmers stand. Angefreundet ist zuviel gesagt, aber ich habe gelernt, mit ihm umzugehen, nicht so schnell wie die jüngeren Kollegen, auch nicht so begeistert, aber ich bin nicht daran gescheitert wie eine Kollegin. Andere sagen, wenn sie in Rente gehen: ›Dann kann ich endlich soviel reisen, wie ich möchte.‹ Aber ich bin dreißig Jahre lang zweimal im Jahr gereist. Ich bin überall, wo ich hin wollte, gewesen, manchmal zwei- und dreimal, im vorigen Jahr sogar in Rot-China. Monatelang habe ich die Reise vorbereitet, nach der Rückreise habe ich die Dias geordnet und ausführlich beschriftet, wieder monatelang, ein ganzer Schrank voll Dias. Es sieht bei mir aus wie bei einem Missionar, lauter Reisetrophäen; ein Zauberhorn aus Sumatra, eine Tamaken-Maske aus Neukaledonien, ein geflochtenes Würfelbrett vom Kongo, Kürbisgefäße in allen Größen. Ich lebe in einem Völkerkundemuseum! Da will ich raus! Neulich hat mich ein Kollege gefragt, ob ich schon auf den Malediven gewesen sei, und da mußte ich überlegen. Ich habe genug von der Welt gesehen, und die Welt hat auch genug von der Weberin gesehen. Devisenbringer in Entwicklungsländern, das ist doch keine Lebensaufgabe.«

Kein Wenn und kein Aber, der Entschluß war gefaßt, keine Bedenkzeit, über Einzelheiten ließ sich reden, an Anpassung war sie gewöhnt. Frau Pertes wird kein neuer Abteilungsleiter sein. Erste Abmachungen werden getroffen. Die Weberin wird künftig zweimal wöchentlich für einige Stunden kommen und sich an Ort und Stelle um die Finanzierung des Projekts kümmern. Eine nebenberufliche, unentgeltliche Tätigkeit, steuerlich nicht zu erfassen; ihre Kündigung wird sie zum nächstmöglichen Termin einreichen. Es fehlt nicht an jüngeren Anwärtern auf ihren Posten, auch das hat sie bedacht. Sonntags wird sie fotografieren, eine gute Fotoausrüstung ist vorhanden, ein geeigneter Arbeitsraum wird sich in dem großen Gebäude finden lassen.

Nachdem sie sich eingehend umgesehen hatte, erklärte sie, daß sie mit dieser Lea nicht im selben Raum arbeiten könne. »Von Leitzordnern komme ich wohl nicht los«, fügte sie hinzu, »aber in der letzten halben Stunde habe ich wieder Hochachtung vor Leitzordnern und ihren Benutzern bekommen.«

Sie riet, die Bauleitung einem Mann zu übergeben. Hannah verteidigte Leas Arbeitsweise: »Sie hat soviel Phantasie! Trauen Sie einer Frau die Bauleitung für ein größeres Projekt nicht zu?«

»Es wäre schade um diese Lea, schade um diese begabte Person, sie sollte nur Entwürfe machen und anderen die Ausführung überlassen. Die Umsetzung der Ideen in Materie, das können doch auch Männer!«

Beim Abschied sagte Hannah Pertes: »Sie gefallen mir!« und faßte Frau Weber bei den Armen, hielt sie fest und sah ihr in die Augen. Ein Augenblick, in dem ein Pakt fürs Leben geschlossen wurde, vermutlich hatte die Weberin keine glücklicheren erlebt.

Britten erklärte nach dem ersten Zusammentreffen, daß diese Frau aus dem Finanzamt ein Kapitel für sich sei, woraufhin Hannah ihn korrigierte: »Jeder Mensch ist ein Kapitel für sich.«

Als Hannah am Abend mit Lea spricht, wehrt diese das Ansinnen, die Bauleitung einem anderen zu übergeben, zunächst ab, gibt dann aber zu, daß es vernünftiger sei.

»Du wirst mir noch dankbar sein, wenn ich rechtzeitig gehe. Ich kann nämlich nicht aufhören, ich ändere immer wieder, es fällt mir immer noch etwas ein, was dann die Fertigstellung verzögert und verteuert. Irgendwann mache ich mich davon, wenn erst mal Frühling ist. Für den Winter war dies hier genau richtig. Ich komme ab und zu vorbei, sehe mir die Baustelle an, rege mich auf und mache euch alle verrückt. Du wirst es erleben! Das Füchschen kann doch solange hier bleiben, es hat sich gut eingewöhnt, es gedeiht, findest du nicht? Ich bin jetzt so gut drin, ich kann mich vor Einfällen nicht retten. Damals war das Kind mein bester Einfall! Sieh mich nicht so an, Hannah! Ich wußte das wirklich nicht vorher, nun weiß ich es. Hier ist ausreichend Platz für das Kind. Ich komme ja auch immer wieder, und ich schicke dir auch Geld, falls ich wieder verdiene. Ich fühle mich wirklich als Mutter; wenn ich das Kind herumwuseln sehe, bekomme ich ein komisches Gefühl im Bauch, genau da, wo es mal in mir herumgeschwommen ist. Meine Mutter ist als Großmutter völlig ungeeignet, du bist ruhiger, hier hätte es ein wenig Ordnung, aber auch nicht zuviel. Das Gelände ist ideal für ein Kleinkind, im Frühling kann es über die Wiese laufen, barfuß! Und später, wenn die alten Leute - entschuldige, die älteren Leute - eingezogen sind, dann wirkt so ein Kind erfrischend, direkt verjüngend. Wir müssen das ja nicht jetzt entscheiden. Ich hatte das nicht vor, als ich hier aufgetaucht bin. Ich wollte mich wirklich einige Jahre meines Lebens dem Kind widmen. Du bist mit deinem Projekt in mein Projekt hineingeraten und hast alles durcheinandergebracht. Ich bin wie besessen, ich bin richtig happy, wenn ich Zeichenpapier vor mir habe und den Stift in der Hand. Die Ausführung der Pläne ist mir egal, trotzdem sehe ich alles ganz räumlich vor mir, aber es dauert so lange, ich werde schon ungeduldig, wenn der erste Bagger aufzieht und die Arbeiter frühstücken. Ich kann Arbeiter nicht frühstücken sehen! Ich frühstücke doch auch nicht und arbeite wie ein Pferd. Oh, Hannah, du bist so ein Prachtstück, die Bauleitung kostet natürlich, die Kosten richten sich nach der Höhe der Gesamtbaukosten, umsonst macht dir das keiner, aber Geld hast du doch. Entläßt du mich fristlos, wenn ich soweit bin? Bevor die Bagger aufziehen? Weißt du, wo Pertes seine Gedenkstätte bekommen muß? Auf seinem Atombunker! Und der bleibt, wie er ist, mit dem Zugang und dem gesamten Inhalt, Aggregaten und Lebensmitteln, das wird eine historische Gedenkstätte! Weißt du, wie das Mahnmal aussehen muß?« Und schon zeichnet sie, zeichnet das Wahrzeichen der Weltausstellung in Brüssel. »Erkennst du die Kugeln?«

Hannah nickt, sie erinnert sich.

»Jede Kugel ein Kopf, die Köpfe der berühmtesten Atomphysiker, mit Porträtähnlichkeit. Beschaff mir Fotos, die gibt es doch bestimmt in eurer Bibliothek. Otto Hahn! Niels Bohr! Oppenheimer, Oppenheimer dürfen wir nicht vergessen! Da war doch eine Frau, wie hieß sie denn -?«

»Lise Meitner.«

»Stimmt! Aus Becquerel wurde eine Meßeinheit, nach Röntgen sind die Röntgenstrahlen benannt - die berühmte Gleichung, wie war das? $E = mc^2$. Richtig?«

»Energie und Masse sind einander äquivalent«, sagt Hannah.

»Die Formel schreiben wir Einstein auf die Stirn! Sieh mich nicht so an, Hannah! Ich meine es ernst! Todernst. Aber so muß man es doch nicht darstellen, Hiroshima haben wir alle gesehen, wir sind doch abgestumpft. Ein Atombunker, von Kernphysikern bewacht! Das finde ich phantastisch! Wir brauchen einen weiteren Geldgeber, du mußt ja nicht alles finanzieren! Vielleicht übernimmt das die Deutsche Forschungsgemeinschaft, die gibt neunzig Prozent ihres Etats für die Naturwissenschaften. Man setzt die Plastik vor jedes Atomwerk und auch vor die Wiederaufbereitungsanlagen. Kunst am Bau, am besten auch noch auf die Briefmarken. Weißt du, daß Pertes einen Briefmarken-Kopf hat? Jetzt ist die Zeit ungünstig für Atomspalter, aber wenn es mal anders kommt: Er bekommt seine Briefmarke, zumindest eine Sondermarke. Zeiten ändern sich, Hannah! Die Hauptbedingung erfüllt er: Er ist tot. Wenn ich wieder auf die freie Wildbahn gehe, brauche ich Geld. Nicht von dir, Hannah! Ich will dir das Füchschen nicht verkaufen und die Pläne für dein Projekt auch nicht. Aber sie sind schön, sag, daß sie schön sind! Hundertwasserhäuser sind es nicht, das weiß ich selber, aber ein bißchen davon steckt drin. Ich werfe mich auf die Matratze, ich muß jetzt schlafen. Mach deiner alten Mutter Platz, Füchschen!«

Das Füchschen reckt die Arme, ruft: »Oma, Oma!«, woraufhin Hannah erklärt, daß das Füchschen nicht hierbleiben wird.

Und dann, zwei Tage später. Hannah hat allein zu Abend gegessen, hat das Kind versorgt, das sich zum Schlafen in den

Pelzmantel verkrochen hat, für Lea hat sie einen Teller mit Butterbroten und ein Glas Saft hingestellt, und nun liegt sie, ohne zu schlafen, in ihrem zu großen Bett und wartet, daß sie Leas leichte Schritte im Treppenhaus hört.

Darüber wird es drei Uhr nachts. Sie ruft Leas Namen, merkt, daß Lea zögert, dann aber doch die Tür öffnet.

»Bleibst du etwa wach, wenn ich spät nach Hause komme? Du bist nicht meine Mutter, und ich bin kein Kind mehr.«

Hannah sagt, daß sie etwas zum Essen vorbereitet habe, aber Lea winkt ab. »Wir haben im ›Bosco‹ gegessen, da geht ihr doch auch hin. Wenn du es wissen willst, wir waren noch zusammen.«

»Ich wollte es nicht wissen.«

»Nun weißt du es! Ist es dir nicht recht? Ich denke, ihr habt nichts miteinander. Das hast du selbst gesagt. Er ist nicht gut, oder wir passen nicht zusammen, beim ersten Mal klappt es selten. Hast du mal jemanden, einen Mann, meine ich, erlebt, der im entscheidenden Augenblick ›na so was‹ sagt? Kannst du dir das vorstellen? Mußt du ja auch nicht. Vergiß es, Hannah! Wenn du was dagegen hast, machen wir's nicht wieder, so wichtig ist er mir nicht. Eigentlich wollte ich mich nur erkenntlich zeigen, er verschafft mir eine Menge Anregungen und Beziehungen, er kennt Redaktionen und Verlage.«

»Lea!«

Lea gähnt, dehnt sich. »Ich bin hundemüde. Der Hund! Willst du glauben, daß der Hund dazwischengesprungen ist? Das Biest kann mich nicht leiden.«

Sie geht, schließt die Tür leiser als sonst. Hannah schaltet das Licht aus, legt sich zurück. Der Augenblick der Eifersucht ist vorüber. Es erheitert sie, daß ihr die Zuneigung des Hundes wichtiger ist.

6

›Kleine Brötchen kann man auch alleine backen.‹
Hilde Seitz

Lea hatte unmißverständlich erklärt, daß sie bei dem ersten Zusammentreffen der Anwärter nicht zugegen sein würde; Britten brachte den Ausdruck ›Aspiranten‹ ins Gespräch, woraufhin Lea sagte, die Leute würden doch nicht alle Fieber haben, Aspirant klinge nach Aspirin, vorerst seien es Interessenten. In Zukunft sprach man denn auch von ›Interessenten‹.

»Ich kann mir hinreißende Leute vorstellen, um die herum man mit Vergnügen Häuser bauen möchte, aber wenn ich sie dann vor mir sehe, Bäuche, dick wie Brieftaschen, vergehen mir alle Illusionen. Ernüchterung kann ich mir in diesem Stadium nicht leisten. Du kannst das, Hannah, du bist jemand für die vorderste Linie, ich bin jemand für die Unterstände. Ich rede wie mein leibhaftiger Vater! Mein erster Vater war mal Offizier.«

Sie warf einen Blick auf die Liste, zählte, stellte fest, daß sich annähernd fünfzig Personen angemeldet hatten, mehr Männer als Frauen. »Die Leute müssen alle erst einmal durch ein grobes Sieb gestrichen werden, am besten, man nimmt einen Durchschlag, dann noch durch ein Haarsieb, und wer übrigbleibt, dem zeige ich alles, mit dem will ich dann auch reden. Sieh mich nicht so an, Hannah, der zweite Mann meiner ersten Mutter ist Koch, weißt du das nicht? Meisterklasse, Spitze! In jedem Reiseführer für Gourmets ist er vertreten – war er vertreten, bis er die ebenso berühmte kalte Mamsell kennengelernt hat, und jetzt macht er mit ihr einen Party-Service auf allerhöchster Ebene. Man kann einen Abend lang mit ihm über die Zubereitung von Kutteln reden! Wenn den beiden auch noch ein Kind gerät, werden sie heiraten, und dann wird mein zweiter Vater, nachdem ich ihn zum Großvater gemacht habe, wieder Vater werden, und so weiter. Ist das nicht märchenhaft? Meine Mutter bildet sich ein, sie könnte mit einer dreißigjährigen kalten Mamsell konkurrieren; sie soll sich an das Füchschen halten! Der Pelz war das richtige, der hat ihm gefehlt. Wir nehmen ihn mit, dann fühlt es sich überall zu Hause, oder es verkriecht sich. Du willst doch alles teilen. Willst du nun, oder willst du nicht? Also!« Und schon fällt sie Hannah um den Hals. »Wir kommen ja wieder! Auf dem Rückweg besichtige ich noch ein paar Öko-Häuser mit Solar-Anlagen. Und du siehst dir inzwischen meinen Onkel Benedikt an, der paßt. Ich verstehe auch etwas von Menschen.«

Die Budaks hatten die Flügeltüren zwischen Eßzimmer und Kaminzimmer ausgehoben, Sitzgelegenheiten aus mehreren Räumen herbeigeholt, Kissen auf die Stufen gelegt, die im Halbkreis zum Kamin führen. In der Küche war ein Imbiß vorbereitet, Getränke, Gläser, Servietten. Hannah hatte nur einen flüchtigen Blick darauf geworfen, die Bewirtung schien ihr weniger wichtig zu sein als der Einführungsvortrag, den Britten halten würde.

Die Sprechanlage war ausgeschaltet, das Tor weit geöffnet, die Parkplätze vor der Mauer würden nicht ausreichen, man würde auf dem Grundstück parken müssen. Hannah stand am Fenster und wartete auf das Eintreffen der ersten Gäste. Es war noch nicht sechzehn Uhr, dämmerte aber bereits, der Park wirkte düster, Regenwolken hingen bis in die Baumkronen. Alles würde auf Brittens Ausführungen ankommen, eine Hoffnung, die er beiseite geschoben hatte, als sie den Ablauf der Veranstaltung besprachen. Nach seiner Ansicht würde es auf Hannahs Ausstrahlung ankommen. »Sie haben die Hauptrolle übernommen.« Woraufhin sie ihm erklärt hatte, daß es keine Haupt- und Nebenrollen geben werde. »Man wird gleichberechtigt und gleichbepflichtet miteinander leben.«

Woraufhin Britten erklärte: »Sie haben Ihre Entschlußkraft und Ihren Mut ein Leben lang geschont. Jetzt sind Sie an der Reihe.«

Beim Turnunterricht sei ihr der Mutsprung nicht schwergefallen, das gab sie zu, woraufhin er sich erkundigte, ob der Kasten gepolstert gewesen sei.

»Er war gepolstert.«

»Sehen Sie«, sagte Britten, »Ihr Unternehmen ohne gleichen wird durch das Pertessche Vermögen gut gepolstert sein, Geld ist die beste aller Polsterungen.«

Hannah korrigierte ihn: »›Ein Unternehmen ohne Beispiel‹.«

Britten lobte ihr Gedächtnis und sagte, daß er über die Beispiele, die es durchaus gäbe, zu sprechen gedenke.

Noch zehn Minuten. Sobald die ersten Gäste eintreffen, sich prüfend umblicken, mutmaßen, wird dieses Haus nicht mehr das ›Haus Pertes‹ sein, das Grundstück nicht mehr ihr Grundstück. Hannah hat die Hände in Schulterhöhe gegen die Fensterscheiben gelegt und versucht, sich zu sammeln. Dann klopft es, ihre Aufforderung einzutreten wird nicht abgewartet. Die Budaks! Sie bleiben, zum Ausgehen gekleidet, in der geöffneten Tür stehen. »Es ist alles vorbereitet. Das Kaminfeuer brennt.« Sie werden jetzt das Haus verlassen. Für immer. Sie waren bei einem Ehepaar ohne Kinder engagiert, nicht in einem Altersheim oder was das hier werden soll. Sie seien nicht eingestellt, um Butterbrote zu streichen, sondern um Partys vorzubereiten. In einem Kombinat wollen sie nicht leben. Morgen werden sie ihre Wohnung räumen.

Die Sätze werden abwechselnd gesprochen. Hannah unterbricht nicht, fragt nicht, bittet nicht, geht statt dessen auf die beiden zu, streckt ihnen die Hände hin und bedankt sich. »Danke, vielen Dank!« Das konnte man auffassen, wie man wollte, die Budaks fassen es als Dank für ihre jahrelange Tätigkeit im Haus Pertes auf und nicht als Dank, daß sie eine Kündigung vermieden haben. Hannah hält ihnen die Tür auf, wünscht einen angenehmen Abend, wünscht von Herzen alles Gute für alles Weitere und fühlt sich erleichtert und bestätigt. Wenn ihr Vorhaben den Budaks nicht paßte, mußte es richtig sein.

Mark Anton, den man in die Diele verbannt hatte, scharrte an der Tür, er war an Aussperrung nicht gewöhnt, sprang auf die Klinke, bellte. Britten entschloß sich, ihn ins Kaminzimmer zu holen, und befahl ihm, sich gefälligst ruhig zu verhalten, versetzte ihm einen eher freundschaftlichen Stoß mit dem Fuß, redete aber in einem Ton mit ihm, der sowohl den Hund als auch das Publikum befremdete und letzteres Partei ergreifen ließ: ›Der schöne Hund!‹ – ›Das arme Tier!‹

Britten wartete, bis wieder Ruhe eingetreten war, stellte eine Tafel auf den Kaminsims, legte ein Stück Kreide bereit, um einige Stichworte aufschreiben zu können.

»Was hier geplant wird, ist ein Unternehmen ohne Beispiel, so habe ich es einmal, Rousseau zitierend, genannt. Im Laufe meines Vortrags werden Sie hören, daß es nicht ganz ohne Beispiele ist. Ich werde mich an die übliche Redezeit halten, eine Dreiviertelstunde, anschließend wird es sicher Fragen geben.«

Sein Blick ging von einem grauhaarigen Kopf zum nächsten weißhaarigen Kopf. »Die Schule des Lebens kennt keine Altersbegrenzung. Die schwierigste Lektion erwartet uns am Ende. Ganz ohne Nachhilfestunden schafft man es nicht.«

»Nachhilfedreiviertelstunde!« Ein Zwischenruf, auf den Britten nicht reagierte, er fuhr fort, sagte, daß er seinerseits Nachhilfe so nötig habe wie seine Zuhörer. Er selbst sei ein Theoretiker. Die Wissenschaftler stellen fest, das Festgestellte dann umzusetzen sei die Aufgabe der anderen; wie er zugebe, die schwierigere Aufgabe. Er sprach dem Publikum seine Hochachtung aus, die Absicht, allein das Interesse seien schon aller Achtung wert.

Der Hund, der auf seiner Decke in der Nähe seines Herrn liegen bleiben sollte, erhob sich, zerrte an der Decke, legte sich wieder, lenkte die Aufmerksamkeit auf sich; die fremden Menschen, die fremden Gerüche irritierten ihn, er blickte sich um, stand auf, machte eine tiefe Verbeugung, die Heiterkeit erweckte, gähnte und ging von einem zum anderen, stieß hier an ein Knie, knurrte auch mal, wurde abgewehrt, wurde aber auch gestreichelt, zwängte sich durch die Reihen. Auf Brittens Aufforderung, gefälligst auf seinen Platz zurückzukehren, reagierte er nicht, begutachtete statt dessen das Publikum. Hannah forderte den Hund auf, sich ihr zu Füßen zu legen, aber er blickte sie lediglich aus blanken Augen an und ging zum nächsten Zuhörer. Als alle begutachtet waren, legte er sich auf seine Decke, den Kopf zwischen den Pfoten, den Blick auf den Redner gerichtet. Bald darauf schlief er ein, schnarchte. Er trug zum Gelingen der Veranstaltung viel bei.

Britten hatte versucht, das Verhalten seines Hundes zu ignorieren und seinen Vortrag fortzusetzen. »Ich werde mich in meinen Ausführungen mehrfach auf die Veröffentlichung eines gewissen Gizycki, Horst von Gizycki, sowohl Psychologe als auch Soziologe, stützen, der sich mit neuen Lebensformen, mit ›gelebten Utopien‹, befaßt hat, er spricht von neuen ›Oasen der Freiheit‹. Dieser Wissenschaftler benutzt einen Ausdruck, der wenig bekannt ist, er spricht von ›domistischer Lebensform‹, leitet das Adjektiv vom lateinischen ›domus‹ ab, das Haus; das Wort hat aber die weitere Bedeutung von ›Frieden‹.« Britten schrieb ›domus = Hausundfrieden‹ an die Tafel. »Es geht ihm um praktischen Humanismus, den das Christentum, der Marxismus, natürlich auch der klassische Humanismus lehren, über den wir theoretisch Bescheid wissen, den wir aber nicht praktisch zu leben verstehen. Versuche, diese Theorien auch zu leben, hat es immer wieder gegeben. Gizycki hält eine neue Kreativität in allen Altersgruppen für unerläßlich. Die Kleinfamilie gibt dem Einzelnen keine Entwicklungsmöglichkeiten mehr. Sie hat sich nur selten als krisenfest erwiesen, statt dessen dazu geführt, daß immer mehr Menschen in Einpersonenhaushalten leben, sogenannte ›Singles‹ oder ›Einzeller‹.

Hielte man sich - ich muß in meinem Vortrag häufig den Konjunktiv benutzen - an die Ideale der Französischen Revolution, dann besäße man die Richtlinien für das menschliche Miteinander; aber wir haben der Sozialgesetzgebung die Gleichheit, den Weltmächten die Freiheit überlassen, die sie uns in mehr oder weniger kleinen Dosierungen auf Zeit zuteilen oder entziehen. Die Brüderlichkeit, die Sache des Einzelnen wäre, hat man aus den Augen verloren. In einer überschaubaren Gruppe müßte man diese hohen Ideale, die heute noch so revolutionär sind wie vor zweihundert Jahren, auch wenn sie uns wie Floskeln klingen, verwirklichen können. Unerläßlich ist die Entwicklung unserer Liebesfähigkeit, die brachliegt. Seit Jahrzehnten ist von Selbstsuche, Selbstverwirklichung die Rede; bisher hat sich dieser Weg zur Vereinzelung nicht als glückbringend erwiesen. Der Egoismus zu zweien? Der Familienegoismus? Das ist alles fragwürdig, problembeladen und vorübergehend geworden. Wir haben uns angewöhnt, Eros und Sexualität voneinander zu trennen. Ich benutze hier ein Bild, das Gizycki verwendet. Er behauptet, ich zitiere wörtlich: ›Unsere Liebesfähigkeit auf Sexualpsychologie zu reduzieren wäre so sinnvoll, als wollte man den Kölner Dom in der Mineralogie behandeln, weil er seinem Material nach aus Steinen besteht.‹«

Britten klappte das Buch zu, blickte über seine halbe Brille hinweg, sah sich seine Zuhörer an, sah Skepsis, sah Aufmerksamkeit, sogar etwas wie Begeisterung, betrachtete einen Zuhörer länger als die anderen: Er war kein Zuhörer, er schlief. Britten hob die Stimme nicht, sondern senkte sie, was nach seinen Erfahrungen die Aufmerksamkeit weckt. »Gizycki, und darin stimme ich mit ihm überein, meint eine sanfte Revolution, die auf Taubenfüßen daherkommt. Klöster - Kolchosen - Kommunitäten - Kibbuzim, darüber wissen Sie mehr oder weniger Bescheid, darüber mag sich jeder selbst orientieren. Sie werden vom Monte Verità in Ascona gehört haben, wo eine Gruppe von Künstlern in sehr freier Form eine Lebensgemeinschaft versucht hat, Anfang unseres Jahrhunderts. Der schöne Enthusiasmus der ersten Jahre hat nicht standgehalten, zum Enthusiasmus muß die Vernunft kommen. Ich will hier weder Begeisterung wecken noch Begeisterung dämpfen: Ich sehe, daß unsere Gastgeberin mir ein Handzeichen gibt. Zurück also zu Gizycki, der sich nicht scheut, Nietzsches Begriff von der fröhlichen Wissenschaft für seine gelebten Utopien - zu lebenden Utopien! - anzuwenden. Wer heute gegen die sich weiter und weiter ausbreitende Apathie angehen will, braucht Phantasie, Tapferkeit, Widersetzlichkeit und Mut. Er muß gegen die Normen anleben, muß den Kampf gegen die drohende Zerstörung aller Lebensgrundlagen aufnehmen; das ist für einen Single, einen Einzeller, so gut wie unmöglich. Wer eines

Tages in dem hier geplanten Utopia leben will, sollte sich zuständig fühlen für die Erde, über die er geht, für die Erzeugnisse, von denen er lebt, für die Luft, die er atmet, das Wasser, das er trinkt, und den Geist, der hier einmal wehen soll! Alle wissen wir, daß der Wind von vier Himmelsrichtungen her Schadstoffe heranweht, zunächst kann man kaum etwas anderes tun, als die Schadstoffe nicht auch noch zu vermehren; man kann beispielhaft wirken. Es soll hier etwas entstehen, das ich einmal als Daseinsvertrauen bezeichnen will. Hannah Pertes spricht von Urvertrauen, andere werden Gottvertrauen sagen, gemeint ist in etwa dasselbe. Die Vergänglichkeit der Welt hat sich als unvergänglich erwiesen, bisher.

Ich höre etwas wie Unwillen aus Ihren Reihen? Zur Aussprache wird im Anschluß an meine Ausführungen Gelegenheit sein. Fröhliche Vernunft gehört zu den Voraussetzungen! Eine Lebensform soll gefunden werden, die Fröhlichkeit möglich macht. Man wird mit seiner Weltangst nicht allein dastehen. Lebenswünsche sollen erfüllt werden, eigene und die der anderen. Franziskanischer Geist: Entscheidungen werden gemeinsam getroffen, alle beteiligen sich an allen anfallenden Arbeiten, wobei Fähigkeiten und Neigungen berücksichtigt werden sollten.

Habe ich den Zuruf richtig verstanden? Bei den Franziskanern handele es sich um einen Bettelorden? Das ist richtig, der Vergleich hinkt wie die meisten Vergleiche. Man wird hier den Besitz miteinander teilen, nicht die Armut. Wichtiger als der materielle Besitz soll aber sein, was der Einzelne an Erfahrungen, an Kenntnissen, an Phantasie einbringt. Das Menschenmögliche ist noch nie versucht worden! Nehmen Sie diesen Satz als den Kernsatz des Vorhabens. Eine kreative Regression ist möglich. Wenn man sich aus dem jahrhundertealten Fortschrittsglauben löst, der von einigen weitsichtigen Menschen inzwischen als Fortschrittsnarrheit angesehen wird, kann ein zielbewußter Rückschritt zu einer Erneuerung werden. Das Einfache muß nicht schwierig sein! Aber ich warne Sie: Es ist das Schwerste! Ein Modell wird geplant. Eine Demonstration des Möglichen; andere demonstrieren anders, verbrauchen ihre Kräfte in Gegnerschaft. Hier soll etwas Zukunftsweisendes versucht werden. Sie wissen, daß das vorhandene Vermögen durch den Physiker und Atomwissenschaftler Pertes erworben wurde; die Herkunft des Geldes sollte nicht vergessen werden. Wer über einen Ausdruck wie ›atomwaffenfreie Zone‹ lacht, noch lachen kann, gehört hier nicht hin. Ein friedliches, hilfreiches Miteinander ist geplant, anders leben, das ist kein leichtfertiges Experiment, aber es sollte mit leichten Händen begonnen werden, mit Händen, die nichts haben und halten wollen, die pflegen und behüten –«

Britten brach ab, hob ratlos die Schultern, sah Hannah Pertes an und sagte, daß diese weitgehend tabuisierten Worte aus seinem Mund vielleicht wenig glaubwürdig klängen, er wolle lieber das Bild der Waage, der Balance, benutzen, auf das Geben und Nehmen komme es an.

»Wer fragt: ›Was bringt mir das?‹, hat hier nichts zu suchen und wenig zu finden. Diese Frage wurde doch - halblaut - soeben gestellt? Fahren wir fort!

Gelebter, praktischer Humanismus. Diese Worte kehren bei Gizycki immer wieder. Alle großen Menschheitsbewegungen haben ähnliche Ziele, im Diesseits. Das Leben bewußt machen und zum Tod hinführen. Ob mein Gewährsmann den Tod einbezieht, kann ich nicht mit Sicherheit sagen, aber er klammert ihn auch nicht ausdrücklich aus. Sein Utopia setzt früher ein. Noch gehören Sie - gehören wir! - zu den jungen Alten; was wird, wenn Sie zu den alten Alten gehören? Wenn dem dritten Lebensalter das vierte folgt? Ob eine so grundlegende Änderung aller Lebensbedingungen noch möglich ist, muß sich erweisen. Eines ist sicher, alle Anwesenden haben die Notjahre der Kriegs- und Nachkriegszeit erlebt. Not macht erfinderisch, belebt die Phantasie. Daß wir heute in Notjahren leben, diese Erkenntnis wird uns unter dem Firnis von Wohlstand und Überfluß verborgen. Ich werde keine apokalyptischen Bilder heraufbeschwören. Daß es Katastrophen von planetaren Ausmaßen geben kann und geben wird, wissen wir alle.

Hier breche ich ab, um noch etwas über die ganz spezielle

Ausrichtung dieses ›Unternehmens ohne Beispiel‹, ich zitiere, wie erwähnt, Rousseau, sagen zu können.« Er blickte Hannah Pertes und die Weberin an. »Wir halten diesen letzten Lebensabschnitt für richtig gewählt. Was zu erreichen war, ist erreicht, sowohl im Beruf als auch im Privatleben, die Familien haben sich aufgelöst, auf natürliche oder auf unnatürliche Weise. Was nun -? War das alles -? Folgt nun der unvermeidliche Abstieg, an dessen Ende dann ein Altersheim, eine Pflegestation steht? Gizycki bezeichnet das, was viele von uns erfaßt hat, als Abulie, als Willenlosigkeit. Die Gewißheit, oder sagen wir besser die Möglichkeit, daß dieses Vorhaben der letzte Versuch sein wird, den Lebensabschnitt, der mit dem Tod endet, neu zu gestalten, könnte ein starkes Gefühl des Nochlebendigseins hervorrufen.«

Mit dem letzten Satz war Britten nicht zufrieden, er zögerte weiterzusprechen, und in diese Pause hinein rief jemand: »Man könnte Ihnen direkt glauben!« Und die Weberin rief: »Dann tun Sie es doch!«

»Man soll mir nicht glauben, mir liegt daran zu überzeugen«, sagte Britten, »ohne Ernüchterung geht es nicht. Wir reden von ›Herbst des Lebens‹, von ›Lebensabend‹, Verharmlosungen und Verschönerungen: Euphemismen! Wir wissen, daß dem Abend kein Morgen und dem Herbst kein Frühling folgen wird. Wir machen uns lustig über die grauköpfigen Ausflugsfahrten, diese Ablenkungsreisen. Man kritisiert die anderen und kritisiert damit auch sich selbst, man macht mit. Es gilt, Neues auszuprobieren, die Möglichkeit des Glücks zu erproben, indem man die eigenen Kräfte ohne Vorbehalte auf ein neues, großes Vorhaben konzentriert. Der alternde Mensch ist und bleibt liebebedürftig, darum sollte er auch liebenswert sein. Eros ist die Fähigkeit zu lieben und ist nicht an ein Alter und nicht an ein Geschlecht gebunden. Sensibel werden! Nicht nur empfindlich für die eigene Person, sondern empfindsam für andere.«

Britten hatte sich warmgeredet, was auch am Kaminfeuer liegen mochte, er zog sich das Jackett aus, sah über die Brille hinweg in die Gesichter, einige prägten sich ihm bereits ein; er ermahnte sich zur Nüchternheit, er durfte nicht wie ein Erwekkungsredner wirken. Er blickte auf seine Notizzettel und fuhr fort: »Eine neue Moral der Bescheidenheit, der Verlangsamung, viele Menschen halten das für ein Gebot der Stunde. Die Einsicht in die Endlichkeit des Lebens, die sich mit dem Vertrauen auf die erhaltenden Kräfte des Lebens verbindet: Man will etwas bewirken, das über die eigene Lebenszeit hinausreicht! Ein neues Gefühl der Verantwortung gegenüber der Welt. Nichts Kleinkariertes. Nichts Kleinmütiges. Immer wird jemand dasein, der sagt: Das geht nicht. Vieles wird nicht gehen, nicht im ersten Anlauf, aber mit Geduld vielleicht im zweiten oder dritten. Zum Elan der ersten Stunde muß die Kraft der beharrlichen Ausdauer kommen. Nicht alle, die sich an diesem Modell beteiligen wollen, werden beides in sich vereinen. Wie wird dieses Modell auf andere wirken? Wird es verlacht werden? Geächtet? Bewundert? Man wird der Kritik ausgesetzt sein. Eine Balance zwischen Verzicht und Gewinn muß gefunden werden, von jedem Einzelnen. Die Veränderung der Lebensumstände wird radikal sein, es wird sich um eine Gruppe von Radikalisten handeln. Radikal, das Wort bedeutet in seinem Ursprung: ›bis auf die Wurzeln gehend‹.«

Er blickte auf seinen Notizzettel, suchte ein weiteres Stichwort. In die Pause hinein sagte Hannah Pertes: »Das Radikal ist eine Atomgruppe chemischer Verbindungen.«

Britten bedankte sich für den Einwurf. »Wenn wir in diesem Modell, das der Größe nach ein Atom ist, aufmerksam leben, verantwortlich leben, dann wird sich uns auch das größere Weltbild klarer abzeichnen. In der Mechanik gibt es eine sogenannte goldene Regel, an die Sie sich vermutlich noch aus der Schulzeit erinnern werden: Was man an Kraft spart, muß man an Weg zusetzen. Eine solche goldene Regel gibt es auch in den menschlichen Beziehungen: Was man an Freiheit gewinnt, verliert man an Geborgenheit. Die Regel gilt auch in ihrer Umkehrung: Was man an Freiheit verliert, gewinnt man an Geborgenheit. Angestrebt wird ein hohes Maß an individueller Freiheit, verbunden mit einem Maß an Geborgenheit, das der Mensch braucht, der alternde Mensch ebenso wie der ganz junge. In der Zwischenzeit gibt es eine Periode, wo er meint, auf Geborgenheit verzichten zu können, was sich oft als Irrtum herausstellt. Geborgenheit läßt sich nicht bei Bedarf in einem Supermarkt einkaufen. Lassen Sie mich die altmodische Vorstellung eines Paradieses auf Erden einmal benutzen, in dem wir, beziehungsweise Sie, freiwillig, freundschaftlich, hilfsbereit und herrschaftsfrei miteinander leben.«

Britten legte die Hand ans Ohr. »Habe ich mich verhört, oder hat da jemand von Besserungsanstalt gesprochen? Genau das! Der Mensch ist besserungsbedürftig und besserungsfähig! Diese Weiterentwicklung, diese Verbesserung sollte jeder an sich selbst vornehmen, nicht einer am anderen. Wer sich an diesem Lebensversuch beteiligt, darf nicht zur Test-Maus werden, dieser Ausdruck wurde von Gizycki geprägt. Keine Menschenversuchsanstalt mit exakten Meßwerten! Sie werden ein Ziel brauchen, sonst geht Ihr schönes Vorhaben in kleinlichen Entscheidungen unter: ob man Gemüse ›al dente‹ essen soll oder weich gekocht, falls Magen und Darm nicht mehr funktionstüchtig sind; ob jeder eine eigene Tageszeitung liest, oder ob man mit wenigen Zeitungen auskommt.«

Britten hatte mehrfach zwischen ›man‹ und ›wir‹ und ›Sie‹ gewechselt; sobald er es bemerkte, korrigierte und distanzierte er sich. »Ich sollte Ihnen vielleicht noch einige Stichworte geben, bevor es zu einem Gespräch kommt. Es ist die erklärte Absicht der Gründerin, daß hier ein weitgehend atomfreies Leben geführt wird. Was das im einzelnen besagt, ist jetzt noch nicht zu ermessen. Einschränkungen im Energieverbrauch! Es wird nicht in jeder Wohneinheit eine Waschmaschine stehen, es wird nicht jeder ein eigenes Auto besitzen, aber es werden im Bedarfsfall Autos zur Verfügung stehen. Man wird zu Fuß gehen, radfahren, öffentliche Verkehrsmittel benutzen, eine Busstation befindet sich in der Nähe. Ich probiere ein autofreies Leben bereits seit Monaten aus. Ich nehme keine Entzugserscheinungen wahr. Wenn ich noch einen persönlichen Rat geben darf, bei späteren Sitzungen werde ich vermutlich nicht zugegen sein: Man sollte die herkömmlichen Begriffe des Familienlebens für diese neue Form des Miteinanders nicht benutzen. ›Brüderlich‹, ›schwesterlich‹, ›väterlich‹, das sind mit Emotionen belastete Bindungen. Hier wird man in einem Zustand der Unschuld beginnen, keiner hat dem anderen bisher Gutes oder Böses zugefügt, keine vernachlässigten Pflichten, keine versäumte Liebe liegen als Hypotheken auf den neuen Beziehungen. Unfreiheit, soziale Ungleichheit sollen schrittweise aufgehoben werden, Lebenszeit soll genutzt und nicht totgeschlagen werden.«

Sein Blick blieb auf Hannah Pertes hängen; sie gab ihm ein Zeichen, das er falsch deutete, das ihn aber zu einem beeindruckenden Schlußsatz befähigte: »Unser, und ich sage jetzt ganz bewußt ›unser Projekt‹ ist die – positive! – Utopie einer solidarischen Gesellschaft, die im Frieden mit sich und der Natur lebt; sie könnte als Modell für die Weltgesellschaft gelten. Im gleichen Maß, wie der Versuch hier im kleinen gelingt oder nicht gelingt, wird er auch im großen gelingen – oder nicht.«

Als die Stimme seines Herrn schwieg, wachte Mark Anton auf, stellte die Hinterbeine hoch, ließ die Vorderbeine liegen, machte seine schönste Verbeugung, tat noch ein übriges und bellte einmal kurz: Das Zeichen zum Applaus war gegeben.

Die erste Frage aus dem Zuhörerkreis gilt dann doch der Finanzierung des Projekts.

Hannah Pertes erklärt, daß man beim nächsten Treffen über die materielle Seite reden werde. »Als Anhaltspunkt nur soviel: Jeder zahlt die Hälfte seiner monatlichen Einkünfte in die gemeinsame Kasse, für Wohnung, Heizung, Licht, Wasser, Verpflegung.«

Jemand ruft: »Die Hälfte wovon?«

»Habe ich mich unklar ausgedrückt? Wer ein hohes Einkommen hat, zahlt entsprechend mehr als der, der eine kleine Rente hat, dann ist die Hälfte – relativ – für jeden gleich viel.«

»Dann kommen die Kleinen aber gut weg!«

Hannah sagt, daß es genauso gemeint sei, blickt rasch über die Sprecherin hinweg; sie wird nicht wiederkommen, warum sollte sie sich das Gesicht einprägen. »Weitere Wortmeldungen?«

Zaghaft hebt sich ein Arm, zaghaft eine Stimme, die aber rasch an Festigkeit gewinnt. »Edel sei der Mensch, hilfreich und gut!«

Beim zweiten Adjektiv wird bereits gelacht.

Als das Gelächter verstummt ist, fährt die Frau unbeirrt fort: »Das hat Goethe gesagt, und damals hat wahrscheinlich keiner darüber gelacht. Warum lacht man heute? Der Mensch war damals auch nicht edel und hilfreich und gut, aber er könnte es doch sein und sollte es sein, und ich vermute, daß er es auch möchte. Anders wird Goethe es auch nicht gemeint haben, sonst hätte er nicht den Konjunktiv benutzt.« Sie blickt Hannah Pertes an, blickt nach rechts, nach links und sagt, daß sie etwas von Rosen verstehe, sie sei eine Rosenfreundin. Im Park gebe es so viele Bäume und Sträucher und so wenig Blumen, soweit man das im Winter sehen könne. »Wir werden leben, was andere nur träumen!« Und dann fügt sie hinzu: »Ich lebe allein. Ich lebe sehr allein.« Sie setzt sich. Keiner lacht, außer Hannah, die ihr ansteckendes, unmotiviertes Lachen lacht, das von der Rosenfreundin aufgefangen wird.

Die Termine! Wann wird man das nächste und übernächste Mal zusammenkommen? Der Kreis wird dann voraussichtlich kleiner sein, man wird früher eintreffen, um bei Tageslicht das Gelände und vor allem den künftigen Bauplatz zu besichtigen.

Die Weberin verteilt die vorbereiteten Testbögen, die jeder für sich beantworten mag, sie dienen der eigenen Orientierung, werden nicht wieder eingesammelt werden. Ein kleiner Imbiß sei vorbereitet, Hannah Pertes erwähnt, daß sie seit einigen Stunden ohne Hilfe sei, das Personal habe gekündigt. Wie die Personalfrage später zu lösen sein wird – auch das Thema wird bei einer späteren Zusammenkunft besprochen werden müssen.

Die ersten Gäste haben sich bereits erhoben, da meldet sich noch jemand zu Wort, ein kräftiger Mann mit kräftiger Stimme, er kommt nach vorn. »Das Projekt ist gut«, sagt er, wiederholt seine Zustimmung, sagt, daß er schon gestern angereist sei und sich die Sache von außen her mal angesehen habe. »Ich bin Landwirt, ein stillgelegter Landwirt. Ich habe mich zunächst einmal über die Bodenverhältnisse orientiert, das kann man auch im Winter. Der Baumbestand ist gut, vielleicht etwas überaltert, das paßt zu dem Unternehmen. Ich kann bereits einige Vorschläge unterbreiten, so ist das doch wohl gedacht, daß jeder sein Wissen einbringt. Nach so viel Theorie muß die Sache Hand und Fuß bekommen. Im Osten des Geländes gibt es Sandboden, gutes Kartoffelland. Ich werde so bald wie möglich Kontakt mit den Besitzern aufnehmen, das angrenzende Feld liegt schon längere Zeit brach, der Boden kann nicht überdüngt sein, ist vermutlich nicht durch Pestizide verdorben. Warum sollte dieser Landwirt nicht Kartoffeln für uns anbauen? Es werden sich andere Interessenten im Umkreis finden, die ebenfalls Wert auf gute und gesunde Kartoffeln legen, wofür dann der Verbraucherpreis bezahlt wird und nicht der Erzeugerpreis. Als Eigenleistung könnte man sogar das Ernten der Kartoffeln übernehmen, dann weiß man wenigstens, woher das, was man auf dem Teller hat, kommt: aus der Erde. Getreide kann man in einschlägigen Geschäften kaufen, obwohl das Wort ›Bio‹ und ›Natur‹ oft mißbraucht wird. Aber die Ernährung steht und fällt mit der Kartoffel, ich kann mitreden, ich bin auf einem Bauernhof in Pommern aufgewachsen.« Er macht eine Pause, die aber nicht lang genug ist, ihn zum Halten zu bringen. »Hier in dieser Runde und vermutlich auch mit den Nachbarn kann ich reden, da setze ich mich durch, was ich zu Hause nicht kann. Da muß ich mich mit meinem eigenen Sohn darüber streiten, was eine gesunde Kartoffel ist. Der Sohn baut nur auf Ertrag und Profit an.« Es steigt ihm Röte in die Stirn. Britten sagt leise, daß dieser stillgelegte Landwirt auf seinen Blutdruck achten müsse. Hannah sagt ebenso leise: »Der Ärger muß raus, nur der unterdrückte Ärger ist schädlich.«

»Kartoffel ist nicht Kartoffel!«

Britten klatscht, der stillgelegte Landwirt bekommt den Schlußapplaus, sagt dann: »Für eine gute Kartoffel gehe ich meilenweit!«

Die Weberin fragt: »Und zurück? Mit den Kartoffeln?«

»Sie sind gut, Sie gefallen mir!«

Mit diesem kurzen Dialog beginnt eine anhaltende Zuneigung, die sich vornehmlich in Reibereien äußern wird.

»Für den Kompost erkläre ich mich jetzt schon zuständig. Das wichtigste im Garten ist ein guter Kompost, Erde muß pfleglich behandelt werden, mit lackierten Fingernägeln ist da nichts zu machen -«

Einige der Frauen ziehen ihre schöngepflegten Krallen ein.

»Was ist denn nun mit den Kraftfahrzeugen?«

»Können wir diese Frage hinausschieben?« sagt Hannah Pertes. »Da wird es die meisten Schwierigkeiten geben. Wir wollen heute noch nicht so sehr ins Detail gehen.«

Eine weibliche Stimme fragt: »Wohin sollen wir heute noch gehen?«

Sie wird von mehreren Seiten belehrt: »Nicht gehen!« - »Ins Detail!«

»Wo ist das?«

Heiteres Gelächter als Antwort. Dieses kleine Mißverständnis führt dazu, daß später, wenn gefragt wird: Wo wollen wir den Kaffee trinken?, die Antwort lautet: Gehen wir doch mal wieder ins Detail, so wird der Sitzplatz vor den Rhododendronbüschen später genannt werden.

Einige der Gäste beschließen, des Straßenzustands wegen sofort aufzubrechen. Aber man hat nicht mit der Hartnäckigkeit dieses Landwirts ohne Land gerechnet: »Setzen Sie sich noch mal hin«, verlangt er, »ich habe noch ein Anliegen. Ich will eine Kandidatin vorstellen: Sie lebt in Jerusalem, heißt Jelena Koenig. Ich habe ihr von diesem Projekt geschrieben, und nun lese ich Ihnen die Antwort vor.«

Während er den Brief aus der Tasche zieht, sagt jemand: »Das ist doch bestimmt eine Jüdin!«

»Ganz recht! Eine Jüdin, sie ist aus Deutschland vertrieben, ich bin ebenfalls vertrieben, zehn Jahre später, das hing unmittelbar damit zusammen. Sie schreibt: ›Ich, Jelena Koenig, habe noch nie eine Bewerbung geschrieben, ich bitte, die Mängel zu entschuldigen, ich schreibe nicht oft einen Brief in deutscher Sprache. Im Kibbuz habe ich in der Nähstube gearbeitet, an das Leben in einer größeren Gemeinschaft bin ich gewöhnt, ich will nicht verschweigen, daß mein Herz –«

Wer hörte überhaupt noch zu? Dachten nicht alle bereits über die Vorzüge nach, daß jemand da sein würde, der ein Mantelfutter, eine Jackentasche reparieren könnte?

»Ich rauche nicht, trinke keinen Alkohol. Eine Kaution kann ich nicht zahlen, in Israel ist man nicht so wohlhabend wie in Deutschland. Die Möbel müssen hier bleiben, bei meinen Kindern, das Klavier werde ich vermissen. Immer vermißt man etwas. Ich liebe Schuberts ›Winterreise‹. Den Frühling meines Lebens habe ich in Deutschland verbracht, den Winter möchte ich dort verbringen, wo ich als Kind gelebt habe. Wenn es in Ihrem Alten-Kibbuz strenge Regeln und Verbote gibt, dann komme ich nicht in Frage, verboten ist bei uns in Israel nicht viel, aber vieles ist gefährlich.«

Er faltet den Brief zusammen, übergibt ihn Hannah Pertes. »Diese Jelena Koenig vermutet, daß ich für sie bürgen würde, was ich hiermit ausdrücklich tue.«

Das Publikum hat mit Ungeduld und Unruhe reagiert. Man hat nicht damit gerechnet, daß diese Veranstaltung so lange dauern würde, auf den geselligen Teil wird man verzichten.

Ein kleiner Kreis findet sich dann doch noch zusammen. Britten steht abseits, hört gelegentlich eine Frage oder einen Ausruf: »Ohne Auto?« – »Sind Sie denn Arzt?« – »Ein Arzt in der Nähe wäre eine große Beruhigung für später.« – »An körperliche Arbeit bin ich gar nicht gewöhnt.«

Der stillgelegte Landwirt geht von einem zum andern, füllt die Gläser. »Mein Name ist Lorenz! Jobst Lorenz! Man kann doch nicht so anonym herumstehen.«

Jemand sagt halblaut, daß hier wohl schon Posten verteilt würden, dieser stillgelegte Landwirt führe sich auf wie ein künftiger Hausherr. – »Das kann ja noch werden«, sagt ein anderer. – »Jemand, der sich um Finanzen und Steuern kümmern wird?« – »Jemand, der sich um die Kleidung kümmern könnte?« – »Und ein Arzt –?« Die großen Ideale scheinen bereits in kleinen Vorteilen, die man sich von diesem Unternehmen ohne Beispiel verspricht, unterzugehen.

Eine großgewachsene Frau geht auf Hannah Pertes zu, schiebt alle anderen, die ihr im Wege stehen, beiseite, ergreift ihre Hand, hält sie eine Weile fest, noch sagt sie nichts. Hannah Pertes blickt in ein ruhiges, großflächiges Gesicht, hält dem prüfenden Blick der hellen Augen stand, erfährt dann, daß diese Frau aus dem Osten stammt, schon zweimal von vorne angefangen hat, das erste Mal in Mitteldeutschland und vor zwanzig Jahren in Westdeutschland. »Ich habe mir einige Ideale bewahrt!« Wie hätte Hannah Pertes heraushören können, daß es falsche Ideale sind? Ihr Mann ist schon vor Jahren gestorben, die Kinder brauchen sie nicht mehr, sie will nicht abwarten, bis sie selbst eines Tages die Kinder brauchen wird. Sie hat ihre eigene Mutter bis zum letzten Lebenstag gepflegt, sie ist über neunzig geworden. Weder ihrer Tochter noch ihrer Schwiegertochter möchte sie zumuten, was das Leben ihr zugemutet hat. Ihre Rente ist nicht hoch, aber sie ist gewohnt zuzupacken. Hannah fragt: »Möchten Sie das - zupacken?« - »Ich bin ein Arbeitstier!« sagt die Frau aus dem Osten, und Hannah blickt ihr nachdenklich ins Gesicht. Eine andere Frau schiebt sich dazwischen, spricht hastig, damit niemand sie unterbrechen kann: Sie war Filialleiterin in einer Reinigungsanstalt, August-Bebel-Platz, vielleicht ist der Laden bekannt, er ging gut, aber dann wurde nebenan ein großes Feinkostgeschäft aufgemacht, und sie mußte der giftigen Dämpfe wegen schließen. Sie selber habe die giftigen Dämpfe jahrelang eingeatmet und sich nichts dabei gedacht, aber nun denke sie sich was. »Man muß doch was unternehmen! Man muß doch was tun! Ich könnte hier die ganze Wäsche besorgen, für alle! Ohne Phosphate und ohne Weichspüler! Wenn durch das Grundstück ein Bach fließt, könnte man dort bleichen!« Sie hält sich den Mund zu, es fällt ihr zuviel auf einmal ein. »Ich heiße Hilde Seitz!«

Jobst Lorenz nähert sich einem weiteren Gast, sagt: »Bitte sehr« und reicht ein Glas Rotwein, das abgelehnt wird. »Ich darf keinen Wein trinken!« sagt die Frau und fügt hinzu, daß er

Erde an den Schuhen habe. Zwei Vorwürfe in einem Satz. »Ich heiße auch Hanna, Hanna Kirsch.« Keiner ist an dieser Mitteilung interessiert, keiner horcht auf, später wird man sie ›die andere Hanna‹ nennen.

»Bevor ich auf meinen Wagen verzichte –!« sagt jemand laut, und ein anderer fragt: »Auf wen würden Sie denn lieber verzichten?« – »Dürfen Hunde überhaupt mitgebracht werden? So ein großes schwarzes Tier, davor muß man sich ja fürchten!«

Britten mischt sich ein: Weder er, geschweige denn sein Hund würden bei dem Projekt Pertes mitmachen. Er wird gefragt, warum er für eine Sache werbe, die nicht die eigene sei. Britten fühlt sich, wie er sagt, ›noch zu sehr im Leben stehend‹. Er sei, wenn auch freiberuflich, voll ausgelastet, und seine persönlichen Lebensumstände –.

»Das war alles Theorie? Dann hätte man ja gleich das Buch dieses Gizycki lesen können!«

Das Haus leert sich, die Autos fahren davon, hinterlassen tiefe Spuren im Rasen.

Britten erkundigt sich bei Hannah, ob wenigstens sie mit seinen Darlegungen einverstanden gewesen sei.

»Ihre Sätze enden alle mit einem Ausrufezeichen. Warum stellen Sie nichts in Frage? Es sind doch Fragen, auf die man gemeinsam Antworten suchen will – oder?«

»Sie sagen sehr oft ›oder‹, Hannah!«

Außer Britten und der Weberin ist noch jemand zurückgeblieben, der sich nun vorstellt: Benedikt Jonas, von Lea empfohlen, seine Anreise war lang, er wird nicht so bald wiederkommen können. Er habe gehofft, Lea anzutreffen. Er ist bereit, mit Hand anzulegen. Britten holt sich noch ein Glas Wein, zündet sich eine Zigarette an, möchte die Aufräumungsarbeiten zunächst einmal organisatorisch besprechen, während die Weberin sich bereits die Pumps ausgezogen hat, die schmerzenden Füße reibt und in die Küche gehen will. »Ich werde spülen, die Herren trocknen ab, Hannah Pertes räumt weg. Viele Erfahrungen mit Männern konnte ich nicht machen, aber Gläser abtrocknen können alle.« Sie krempelt die

Ärmel hoch, läuft auf Strümpfen, verteilt Geschirrtücher. Diese Junggesellin erweist sich als brauchbar, kocht nebenher auch noch Kaffee. Britten drückt die Zigarette aus und erklärt, daß er sich um ein Haar selbst überzeugt hätte; er habe die kleine Diskussion übrigens unbemerkt mitgeschnitten, die menschliche Stimme sei decouvrierend, man könne vermutlich eine Menge heraushören.

Hannah sieht ihn abweisend an, weiß er denn immer noch nicht, daß sich hier niemand decouvrieren soll? Sie sagt, daß man sich am besten auf den Instinkt des Hundes verließe. Bei dieser Rosenfreundin sei er am längsten stehen geblieben. »Sie kommt doch - oder?«

»Den stillgelegten Landwirt werden Sie auch nicht mehr los!«

Als wieder Ordnung im Haus herrscht, fragt die Weberin, ob sie einen der Herren mitnehmen könne, noch sei sie Besitzerin eines Wagens; aber Britten will mit dem Hund zu Fuß gehen, und Professor Jonas will seinen besonderen Fall noch mit Frau Pertes unter vier Augen besprechen.

Das Kaminfeuer ist heruntergebrannt. Hannah setzt sich auf die untere Stufe, bittet den Gast, Platz zu nehmen. Ein Gespräch kommt zunächst nicht zustande. Professor Jonas sagt, daß er ein schweigsamer Mensch sei und versuche, möglichst nur das Wesentliche zu sagen; für sein Empfinden sei heute zuviel geredet und zuwenig nachgedacht worden. Sein Schweigen sei von den Ärzten und Schwestern, vor allem aber den Patienten, oft falsch verstanden worden. Der langjährige Umgang mit Steinen habe ihn nicht gesprächiger gemacht.

Er blickt Hannah an, die seinen Blick nicht erwidert, sondern dem Verglimmen des Feuers zusieht.

»Sie sollten mich nicht nur aus Leas Sicht kennen. Ich werde versuchen, Ihnen ein Bild von mir zu entwerfen, so, wie ich mich sehe, unscharf vermutlich. Der Tod meiner Frau hat mein Leben verändert. Bei einer Wanderung in der Schwäbischen Alb bin ich, vermutlich aus Unachtsamkeit, in einen verlassenen Steinbruch gestürzt, mehrere Meter in die Tiefe; man fand mich erst nach Stunden. Ich hatte heftige Schmerzen, war aber bei Bewußtsein, sogar bei erhöhtem Bewußtsein. Mittagsstille in einem verwilderten Steinbruch. Der Berg wies Narben auf. Ich hatte beim Sturz versucht, mich festzuhalten. Als man mich abtransportierte, hatte ich noch immer einen Stein in der Hand. Später stellte ich dann fest, daß in diesen Stein eine Seelilie eingeschlossen war. Ein ungewöhnlich schöner Fund, um den mich jeder Sammler beneidet. Auf diese brutale Weise wurde ich zum Paläontologen. Ich lag mehrere Wochen in meinem eigenen Krankenhaus, der Bruch erwies sich als kompliziert. Mein Oberarzt wollte seine Sache besonders gut machen, nun – es geriet nicht, ich kann das Bein nur begrenzt belasten, eine zweite Operation habe ich abgelehnt, statt dessen den Wink des Himmels verstanden: Ich habe aufgehört zu operieren, zeitig, vorzeitig, rechtzeitig – da kann man unterschiedlicher Meinung sein. Darf ich mir noch ein Glas Rotwein holen?« Hannah Pertes nickt, er fährt dann fort: »Ich habe mir in meinem Haus ein Arbeitszimmer eingerichtet und gelernt, ohne Hilfskräfte auszukommen; ich seziere Steine, erforsche das Innere, ohne Narkose, ich benutze Ausdrücke meines Sohnes, der ebenfalls Chirurg ist. Ich habe mich auf fossile Pflanzen spezialisiert, arbeite mit mehreren Instituten zusammen, halte gelegentlich einen Vortrag, lasse mich wohl auch einmal für einige Stunden in einen Steinbruch fahren. Wenn man Moose und Schachtelhalme sieht, seit Jahrmillionen in einen Stein eingeschlossen, denkt man zurück, denkt aber auch voraus, spürt sich kleiner werden, bedeutungsloser, auch der Schmerz verliert an Bedeutung.«

Er blickt Hannah an. »Sie sind jetzt müde, das kann ich sehen; einsam sind Sie, das kann ich auch sehen. Aber Sie leben nach vorn. Warum ist Lea nicht anwesend? Sie hat mich hierhergelockt. Sie kennt mein Haus, den Garten, beides annähernd so weitläufig wie Ihr Besitz, den scheinbaren Ansprüchen eines Klinikchefs entsprechend. Inzwischen weiß ich, daß man nicht mehr besitzen sollte, als man genießen kann. Besitz bringt Unfrieden. Vielleicht bin ich bereits etwas verholzt, aber noch nicht versteinert, das dauert länger. Die Verknüpfung von Botanik und Geologie, die sogenannte Paläobotanik, ist ein faszinierendes Gebiet, nicht nur für den Wissenschaftler, auch für den Laien. Das älteste Stück meiner Privatsammlung ist vierhundert Millionen Jahre alt. Nun, ich will Sie nicht länger mit einem Vortrag über mein Fachgebiet langweilen.«

»Vielleicht halten Sie einen solchen Vortrag eines Tages für alle - oder? Sie müssen sich nicht entschuldigen, Professor Jonas, mein Projekt ist in den letzten zehn Minuten, während Sie über Steine gesprochen haben, geschrumpft, das hat ihm gutgetan.«

7

> ›Wenn ich denke, daß sich die Welt in einem Tag herumdreht! Was'n Zeitverschwendung! Wo soll das hinaus, Woyzeck, ich kann kein Mühlrad mehr sehen, oder ich werd melancholisch.‹
>
> Georg Büchner

Die Tage werden länger und heller, die Müdigkeit, die nach der ersten Zusammenkunft über Hannah hergefallen ist, verfliegt bald. Die Budaks sind fort! Sie räumt Flaschen und Spraydosen mit Reinigungsmitteln in die Garage, auch damit ist nun Schluß. Sie wird sich beraten lassen, wohin sie den Problemmüll bringen muß; es wird Mittel geben, die weniger schädlich sind, sie wird selbst ausprobieren, was man mit kaltem Wasser, mit warmem Wasser, mit Bürsten reinigen kann; sie wird ihre Ernährung umstellen. Ungestört hantiert sie in der Küche, streicht sich ein Brot, ißt es im Stehen vor Leas Bilderwand, geht über das künftige Baugelände, wo es ihr an guten Tagen gerät, die Bilder in die Realität zu übersetzen. Ihre Vorstellungskraft projiziert die Rosenfreundin auf den Gartenweg, der stillgelegte Landwirt kommt ihr über den Rasen entgegen, der versteinerte Onkel Benedikt, die Frau aus dem Osten -. Die Weberin muß sie sich nicht vorstellen, die kommt oft nach

Dienstschluß vorbei. Die Frauen trinken zusammen Tee, sprechen über ihr Projekt, sprechen über die Briefe, die zahlreich eingehen. Auf einer gelben Briefkarte steht: ›Am liebsten käme ich schon morgen!‹ Statt einer Unterschrift ist eine Rose daruntergezeichnet. Es kommen auch andere, ganz andere Nachrichten. ›Soviel Kommunismus ist nichts für mich!‹ – ›Das hört sich in der Theorie alles gut und schön an, aber wie soll das in der Praxis funktionieren?‹ – ›Urchristen ohne einen Christus gibt es doch nicht!‹

Gelegentlich vermißt sie das Füchschen und vermißt Leas Redefluß, der sich in Wasserfällen und Strudeln über sie ergossen hat. Die Abende werden ihr lang, sie legt eine Schallplatte auf, stellt den Apparat wieder ab, sie greift nach einem Buch, legt es beiseite, sie will sich nicht ablenken lassen, ist unruhig. Britten läßt nichts von sich hören, er muß aber in der Stadt sein, sonst hätte er den Hund bei ihr abgeliefert. Sie vermeidet es, bei Dunkelheit fortzugehen und das Haus allein zu lassen. Nur selten kommt ein Telefonanruf. »Soll man alles auf diese eine Karte setzen?« – »Kann man für ein paar Wochen auf Probe kommen?« – »Hat man wenigstens ein eigenes Telefon?« – »Sind das alles Vegetarier?«

Auch am Telefon läßt Hannah die Anrufer ausreden, sie zögert mit der Antwort, was Beunruhigung auslöst. Ist die Leitung unterbrochen? Man hat doch etwas gefragt! Wird etwa alles auf Band aufgenommen? Hannah Pertes sagt, daß jeder ein Telefon haben wird, aber vor allen Dingen hat er Gesprächspartner in der Nähe, darum wird man seltener das Bedürfnis haben, lange Telefongespräche zu führen.

»Gibt es eigene Briefkästen, oder wird die Post kontrolliert?«

»Wer sollte das tun?« fragt Hannah.

»Sind die Häuser wirklich im Herbst bezugsfertig? Man muß doch termingerecht kündigen.«

In der Dämmerung setzt sie sich manchmal für längere Zeit auf das alte Wachstuchsofa. Es kann dann passieren, daß sich die Flügeltür öffnet und Pertes erscheint, keinen Blick für sie hat und wieder verschwindet. Nichts wird in Zukunft mehr zu groß sein, nicht das Haus, nicht das Grundstück, nicht das Vermögen. Sie steht auf, lacht, hört ihr eigenes Lachen, das sich im Treppenhaus ausbreiten kann. Schon als Kind hat sie oft grundlos aufgelacht, grundlos für andere.

Morgens wird sie von einer Amsel geweckt, die hartnäckig das Ende des Winters verkündet. Es muß weitergehen, es muß schnell gehen, sie wird ungeduldig. Schluß mit den Plänen, den Zeichnungen, den Berechnungen. Sie ist früh aufgebrochen, hat in der Stadt Wege erledigt, hat auf dem Markt eingekauft, am Abend wird Lea mit dem Füchschen eintreffen. Sie hat einen kurzen Besuch beim Justitiar gemacht, sich nicht anmelden lassen, ist in sein Arbeitszimmer gegangen, ohne auch nur ein ›Herein‹ abzuwarten, sie legt den Mantel nicht ab: zwei oder drei Fragen! Er erkundigt sich, ob sie vorhabe, die Welt aus den Angeln zu heben, und sie fragt zurück: »Warum eigentlich nicht? Wenn sie lose in den Angeln hängt?«

Zwei Einkaufskörbe behindern sie. Als sie das Parktor aufgeschlossen hat und mit dem Fuß dagegentritt, tritt sie kräftiger zu als nötig, und dann hängt das Tor nicht mehr in zwei, sondern nur noch in einer Angel; sie stemmt sich mit dem Rücken dagegen, läßt die Körbe fallen, hängt dann mit beiden Armen in den Stäben des Eisengitters. Ihre Kräfte reichen nicht aus, ihre Geduld reicht noch weniger aus, niemand muß ihr das sagen, sie weiß es selbst. Nicht nur das Tor ist aus den Angeln geraten, der zu große Schwung endet in Hilflosigkeit.

Hinter ihr bleibt jemand stehen, eine Männerstimme sagt: »Wo fehlt's denn?«

Sie sagt wahrheitsgemäß: »An Kraft und an Geduld.«

»Davon hab' ich genug«, sagt der Mann, »und Zeit habe ich mehr als genug.« Er zieht sich die Jacke aus, hängt sie ans Gitter, besieht sich den Schaden, dann die, die ihn angerichtet hat, und lobt zunächst einmal das Tor: »Gute Arbeit! Und gutes Material! Vorkriegsware, vorm Ersten Weltkrieg. Nun gehen Sie mal beiseite!« Er hebt das Tor an und setzt es mit Bedacht wieder in die Angeln. »Haben Sie noch mehr Sachen, die ich wieder einrenken soll? Schlosser habe ich gelernt. Aber jetzt bin ich nur noch ein ungelernter Frührentner.«

Hannah faßt ihn bei den Armen, sieht ihm in die wäßrigen Augen und sagt: »Sie schickt mir der Himmel!«

Das lehnt der Mann ab, der Himmel nicht, der große Genosse Honecker fand, daß es nun Zeit wäre. »Ich sollte auch mal in den Westen reisen dürfen. Noch zwei Wochen, dann gehe ich wieder rüber. Siminski, Ludwig, Rentner aus Halle an der Saale. Waren Sie mal da?« Hannah schüttelt den Kopf, sieht den Mann aufmerksam an, hört ihm aufmerksam zu. Er sagt: »Warum auch, wenn Sie da keinen haben. Meine Tochter wohnt hier, gleich um die Ecke, Eschenweg. Ich dachte, ich könnte mich nützlich machen, aber da gibt es nichts zum Nützlichmachen. Da denkt man, zu reparieren ist überall was, so Tüftelkram, aber hier wirft man ja alles, was kaputt oder alt ist, weg. Ab in den Müll! Sperrgut, zwecks Ankurbelung der Wirtschaft. Die Tochter sagt: ›Ruh du dich aus, du bist jetzt in Rente! Schon dich! Geh spazieren!‹ Die machen einen alten Mann aus mir. So alt wie hier habe ich mich noch nie gefühlt. ›Laß man, Vater!‹ sagen sie. ›Das hat sich bei uns alles so eingependelt, da muß jeder Handgriff sitzen.‹ Beide haben ein Auto, was das an Benzin kostet, ein Kind ist da nicht drin, sagen sie. In jedem Auto sitzt nur einer, und jedes Auto braucht einen Parkplatz, und wenn sie nach Hause kommen, reden sie über Staus und wie lange sie gebraucht haben, um einen Parkplatz zu finden, und was sie das alles an Nerven kostet. Und als erstes den Fernseher an. Sie sehen mehr DDR als wir: ›Die schönen alten Ufa-Filme!‹ Dabei haben die beiden damals noch gar nicht gelebt. Und immer Tiefkühlkost, alles in Fertigpackungen. Ich könnte doch für uns alle kochen, frische Kartoffeln, bei uns gibt es die erst Ende August. Was sind das für Früchte in Ihrem Korb?«

»Avocados.«

»Wollen Sie das alles alleine essen?«

Hannah sagt, daß heute abend eine junge Frau mit ihrem Kind kommen wird.

»Ihre Tochter und Ihr Enkelkind.«

»So etwas Ähnliches.«

»Ich habe den ganzen Tag noch mit keinem geredet. Morgens stehe ich erst auf, wenn die beiden weg sind. Besser, man kommt dann keinem in die Quere. Wir Sachsen reden viel, dafür sind wir bekannt, falls man in der Welt überhaupt noch Sachsen kennt. Kennen Sie einen?«

Hannah schüttelt den Kopf. »Was bekommen Sie für die Reparatur des Tores, Herr Siminski?«

»Noch kein Mensch hat beim ersten Mal meinen Namen behalten!«

»Ich habe ein gutes Gedächtnis. Ich sehe mir die Leute an, mit denen ich rede.«

»Das habe ich schon gemerkt, daß Sie mich im Blick haben. Die erste Hilfe kostet nichts. Ursprünglich bin ich aus Schlesien, aber dann bin ich in Halle hängengeblieben, meine Frau war Hallenserin.«

Er macht eine Pause, schweigt so lange, bis Hannah Pertes fragt: »War –?«

»Sie ist nämlich gestorben, sonst hätte ich ja nicht fahren können. Sie hat es immer am Herzen gehabt, sie nahm sich alles so zu Herzen. Und als wir dann endlich den Trabbi hatten und ich sie spazierenfahren konnte, da ist sie gestorben; da war der Spaß am Auto auch hin.« Er zeigt auf das Gebäude, blickt sich im Parkgelände um und fragt, wer da alles wohne, drüben wäre das volkseigenes Gelände.

Nachdem Hannah Pertes auf sich gezeigt hat, sagt er: »Also wenn Sie mich fragen, richtig ist es nicht, daß das alles Ihnen gehört. Aber Sie haben mich auch gar nicht gefragt.«

»Wollen Sie mit der Kapitalistin eine Tasse Kaffee trinken, Herr Siminski?«

»Dagegen wäre nichts einzuwenden. Einen Sachsen kann man immer zum Kaffee einladen.«

Herr Siminski trägt die Körbe mit Gemüse und Obst und Kartoffeln, redet weiter: »Eigentlich wollte ich nur mal sehen, woher der Bach kommt, der unter der Straße verschwindet und nicht wieder auftaucht, alles einbetoniert.«

Hannah setzt Kaffeewasser auf und wird gefragt, ob sie denn keine Kaffeemaschine habe; sie lacht, die Maschine kann sie nicht bedienen, aber Wasser aufsetzen kann sie und Kaffee kochen kann sie auch. »Am besten, wir trinken ihn hier in der Küche.«

»Sie meinen wohl, hier passe ich besser hin?«

»Wo Sie hinpassen, weiß ich nicht. Aber ich trinke meinen Kaffee hier, wenn ich allein bin. Als Kind habe ich auf einem Wachstuchsofa in der Küche geschlafen.«

»Sie haben Karriere gemacht! Das Sofa steht auf der Treppe, habe ich schon gesehen, und gewundert hab' ich mich auch.«

»Mein Arbeitgeber ist vor kurzem gestorben.«

»Heißt das, Sie sind 'ne Witwe? So sehn Sie aber nicht aus!« Er faßt in den Hosenbund und führt vor, wie weit ihm die Hose geworden ist. »Wissen Sie, was ich geträumt habe, in der Nacht vor der Reise? Da habe ich geträumt, daß ich sterbe, und meine Trude hatte mich in den Armen. Ich wußte, daß ich träume, und wollte, daß ich nicht träume und daß ich nicht aufwache. Danach ging es mir aber besser. So'n Traum stellt Verbindungen her. Ist das bei Ihnen auch so?«

»Nein, nein, so ist das nicht.« Hannah führt vor, wie eng ihr der Rock geworden ist, seit sie nicht mehr auf ihre Figur achten muß.

»Bei Ihnen ist alles anders«, stellt Herr Siminski fest. »Ich weiß gar nicht, mit wem ich die Ehre habe.«

»Pertes. Mein Mann war Atomphysiker.«

»Ein Geheimnisträger? Bei uns dürfte keiner in so einem Haus Kaffee trinken. Mir kann es egal sein, was Ihr Mann war.« Er zeigt zum Fenster. »Lauter hohe Bäume. Der Rollstuhl mußte immer an der Balkontür stehen. Sie konnte nur einen einzigen Baum im Hof sehen, einen Rotdorn. Zehn Jahre hat sie im Rollstuhl gesessen. Wenn jemand ein neues Oberhemd auf der Leine hängen hatte, wußte sie Bescheid. Sie kannte die neueste Mode, mit zwei oder drei Jahren Verspätung kamen die Sachen aus dem Westen zu uns. Sie hat viel gelesen, ich mußte ihr Bücher aus der Bücherei holen, die kannten mich da schon alle. Neulich habe ich mich mal selber in den Rollstuhl gesetzt, nur um zu sehen, was sie gesehen hat. Und dann bin ich durch die Wohnung gekutscht, und dann habe ich vom Rollstuhl aus gekocht. Wie sie das auch gemacht hat. Das ist gar nicht so leicht. Wir haben Gas. Ich habe mir die Rockärmel angesengt. Das war eine Frau! Meine Arbeitskollegen meinten, sie müßten mich bedauern. Gesagt haben sie das nicht direkt, aber wenn sie dann doch mal was sagten, hieß es: ›Sei froh, Ludi, deine Frau läuft dir wenigstens nicht davon‹, dann wußte ich, wie sie das meinten. Drüben gehen viele Ehen auseinander. Alle nennen mich Ludi. Ich hätte das Zeug zum Werksleiter gehabt, das sagten die Kollegen auch, und man weiß ja selbst, was man kann - egal. Zu den Lehrgängen konnte ich nicht fahren. Die anderen kamen schon mal in die SU -«

»Wohin -?«

»Sowjetunion. Von der Fachschule für Politunterricht war ich auch befreit. Ein Aktivist konnte aus mir nicht werden. Das verdanke ich alles meiner Trude. Die hinderte mich, und die beschützte mich auch. Der Sohn ist Hochschulabsolvent. HSA! TU Dresden. Wir haben nicht viel Kontakt. Die Tochter hat es geschafft, im Rahmen der Familienzusammenführung. Sie schickt Pakete. ›Geschenksendung‹, zwei Ausrufungszeichen. ›Keine Handelsware‹, zwei Ausrufungszeichen. Die Trude hat mal in einem Brief auch immer zwei Ausrufungszeichen gemacht: ›Danke für den Kaffee!!‹ - ›Danke für den Kakao!!‹ Die Annegret hat das gar nicht gemerkt. Auf der Karte, die oben im Paket liegt, steht jedesmal: ›In Eile!!‹ Die Paketabschnitte werden fürs Finanzamt gesammelt: Wir sind ihre ›außergewöhnliche Belastung‹, und so haben wir uns immer gefühlt. Wenn wir zu Weihnachten einen echten Dresdner Stollen geschickt haben, die sind gar nicht so leicht zu bekommen, hat sie jedesmal geschrieben: ›Das tut doch nicht nötig, das gibt es hier doch alles.‹ Seit ich im Westen bin, fühle ich mich wieder wie eine außergewöhnliche Belastung. Ich bin steuerlich absetzbar. Wenn Sie nichts mehr davon hören wollen, Frau Petres oder wie?, dann müssen Sie es nur sagen. Kennen Sie sich mit Kaninchen aus? Wir hatten immer Kaninchen auf dem Balkon.«

»Mein Opa hatte auch Kaninchen.«

»Dann wissen Sie ja Bescheid. Man hängt an den Tieren, aber dann ißt man sie doch gerne, sie müssen nur richtig zubereitet werden, und das konnte die Trude. Das letzte Kaninchen, den Oskar, habe ich geschlachtet, bevor ich abgereist bin. Für einen Esser lohnt sich das ja nicht, und einen Froster haben wir nicht. Ich wollte den Braten mitbringen, man will hier doch nicht mit leeren Händen ankommen, die Tochter hat früher gern Kaninchen gegessen. Am Telefon hat sie gesagt, bloß nicht, Kaninchen ißt hier doch keiner! Ich bin von einem Kollegen zum anderen gefahren, nur damit mir einer den Braten abnimmt. Wenn ich zurückkomme, und der leere Rollstuhl steht vor der Balkontür und die leeren Kaninchenställe ... Da konnte ich doch mal so einen Stallhasen streicheln. Man muß doch was Warmes unter den Händen haben. Meine Trude hat immer gesagt, die anderen haben es im Kopf und in den Beinen, mein Ludi hat es im Herzen und in den Händen.

So eine Haut habe ich noch bei keiner Frau gesehen, schneeweiß und blank. ›Du streichelst mir die Falten weg!‹ Die Haut war glatter als Ihre, und kein graues Haar. Die grauen Haare habe ich bekommen, die meisten sind schon vorher ausgefallen. Acht Jahre haben wir gewartet und auf das Auto gespart, ein Trabant, wenn Sie die Marke kennen. Jetzt steht der Trabbi unter der Laterne. Wo soll ich hinfahren? Nur die Luft verstänkern? Ich wollte meine Trude am Sonntag in die Heide fahren oder mal an die Saale. Ich dachte, die Kinder ließen mich hier mal mit einem ordentlichen Auto fahren, aber ist nicht. ›Laß du dich mal spazierenfahren, Ludi.‹ Sie sagen auch Ludi zu mir. ›Geschwindigkeitsbegrenzung wie bei euch, die gibt es bei uns nicht, und du hast ja auch noch gar keine Fahrpraxis. Der Verkehr bei euch und der Verkehr bei uns ...‹ Und immer ›bei uns‹ und ›bei euch‹. Ich hätte doch mal die Autos waschen können. Wenn man nichts zu tun hat und gar nicht gebraucht wird, kann man gleich auf den Friedhof gehen und warten, bis man dran ist. Meine Frau ist tot, aber ich doch noch nicht. Das ist mir erst hier so richtig klargeworden. Kaffee kochen, Zeitung lesen, dann gehe ich in die Stadt. Diese Werkzeugabteilungen in den Kaufhäusern! Da könnte unsereiner verrückt werden oder zum Dieb. Früher habe ich geangelt, aber das ist jetzt nichts mehr mit den Fischen bei uns. Und hier bestimmt auch nicht. Ich dachte, ich könnte mal irgendwo am Bach sitzen, nur so sitzen, kalt ist es ja eigentlich nicht. Egal, die Zeit geht auch so weiter. Abends sagt die Tochter: ›Willst du nicht schlafen gehen, Ludi, du bist doch nun nicht mehr der Jüngste.‹ Ich bin aber nicht zum Schlafen hergekommen, schlafen kann ich auch drüben. Nun wissen Sie schon so viel, nun kann ich Ihnen auch alles sagen. Meine Frau hat noch eine Mutter, die lebt in Leuna. Um ihre Tochter im Rollstuhl hat sie sich nie viel gekümmert, aber jetzt sagt sie: ›Ludi, ich könnte doch zu dir nach Halle ziehen, jetzt ist doch Platz in der Wohnung.‹ Sie ist Ende Achtzig! Sie denkt wohl, der Ludi hat Erfahrung in Krankenpflege: erst die Tochter, dann die Mutter. Ich soll sie spazierenfahren. Lieber mache ich mich davon, dann kann sie die Wohnung für sich allein haben, falls man sie ihr überläßt. Wenn ein Rentner geht, ist das ja keine Republikflucht, mich würden die gar nicht entbehren. Wissen Sie, was mein Schwiegersohn hier verdient? Der hat auch nur Maschinenbau gelernt: achtmal soviel wie ich, und das in West-Mark. Da kommt man sich doch wie zweite Wahl vor. Hier denkt man, Geld ist alles, aber bei uns hat jeder noch so ein paar Ideen, wie alles mal werden müßte, Perspektiven. - Die Mauer. Die Grenze. Aber außerdem liegen noch Welten zwischen uns und euch, Welten!«

Ludi schweigt. Hannah Pertes schweigt ebenfalls. Dann fragt er: »Und was machen Sie?«

»Ich denke nach, ich denke die ganze Zeit über Sie nach, Herr Siminski.«

Inzwischen hat sie gelernt, ihr großes Vorhaben in wenigen kurzen Sätzen zusammenzufassen.

Ludi sieht sie abwartend, auch mißtrauisch an, nickt auch mal, sagt zwischendurch: »Mensch!«, gießt sich noch einmal Kaffee ein, füllt einen Löffel Zucker nach dem anderen in die Tasse.

Als Frau Pertes fertig ist, sagt er: »Vielleicht war es doch der Himmel, der mich vorbeigeschickt hat, aber dann hat er sich heute zum ersten Mal an den Ludi erinnert.«

Frau Pertes sagt, daß die Wohnung im Souterrain seit kurzem leerstehe, daß er sie sich ansehen könne, auch das Grundstück. »Ob es noch Fische in der Seume gibt, stellen Sie am besten selber fest.«

»Ich bin zwar gelernter Schlosser, aber ich kann auch mit Holz umgehen, und auf Wasserhähne verstehe ich mich und Lichtschalter und Türschlösser, was so kaputtgeht. Meine Rente kriege ich auch im Westen.«

»Sie sehen sich hier mal um, Herr Siminski, und überlegen es sich in Ruhe, Sie haben ja noch zwei Wochen Zeit.«

»So lange brauche ich nicht zum Denken. Das ist wie mit Ihrem Tor, wenn was paßt, dann paßt es gleich.« Aber dann kommt doch noch ein Einwand: »Sind Sie am Ende so was wie eine Kommunistin?«

Hannah lacht, den Einwand kennt sie.

»Oder ist es mehr christlich?«

Wieder lacht sie, auch diese Frage kennt sie.

»Soll das ein Sozialismus auf privater Ebene werden?«

»So ähnlich, so könnte man das nennen.«

»Kann man das denn so einfach machen?«

»Einfach wird es nicht werden.«

»Das ist ja ein Fall von Selbstenteignung! Kann ich mir mal eine Zigarette anstecken?«

»Das Rauchen sollte man sich hier abgewöhnen.«

»Verbote gibt es also doch, hätte mich auch gewundert! Egal - hier ist Platz für eine Menge Leute. Wenn man nicht verwandt ist, kann man vielleicht sogar besser zusammenleben, da nimmt man mehr Rücksicht. Mit meiner Trude war ich ja auch nicht verwandt, die hatte ich mir ja ausgesucht. Und wenn alle dasselbe wollen? Richtig neu anfangen, das hat man sich ja schon manchmal gewünscht. Und wenn man eines Tages nicht mehr so recht kann, dann ist jemand da, der sich um einen kümmert. Ich würde auch jemanden im Rollstuhl fahren, da weiß man doch, wofür man da ist. ›Ohne meinen Ludi‹, hat die Trude so oft gesagt, und jetzt steht der Ludi allein da. Ich habe ein Foto dabei. Wir beide. Wenn ich das jetzt so ansehe, ist nicht viel Unterschied, ob man nun schiebt oder drinsitzt. Wir wohnten Hochparterre, ich hatte so eine Holzschräge konstruiert, neben der Treppe. Daran müssen Sie auch denken, wenn Sie mit Bauen anfangen, Frau Pertes, es sitzen mehr Leute im Rollstuhl, als man denkt, man sieht sie nur nicht, weil sie in den Häusern bleiben. Über so was denke ich jetzt oft nach. Früher habe ich nicht soviel nachgedacht, da war ich auf Arbeit und hatte zu Hause zu tun.«

Er schweigt, denkt nach, sagt dann: »So, nun weiß ich es: Sie wollen was wiedergutmachen. Mit seinem Geld. Da haben Sie sich aber was vorgenommen. Zum ersten Mal finde ich hier im Westen etwas richtig gut. Das imponiert mir. Das sind vielleicht Ideen, das sind ja sogar Ideale! Sonst wollen immer nur die teilen, die nichts haben.«

»Hier müssen alle teilen, Herr Siminski. Wer viel hat, teilt viel, wer wenig hat, teilt das Wenige.«

»Haben Sie vielleicht einen Schnaps, oder muß man sich das hier auch abgewöhnen?«

»Bei besonderen Anlässen gelten Ausnahmen. Ich trinke auch einen Schnaps.«

Als der Schnaps getrunken ist, legt Hannah Pertes abschließend die Hände flach auf den Küchentisch und sagt: »Nun kennen Sie das Projekt, Herr Siminski. Wenn Sie mitmachen wollen, dann tun Sie es.«

»Dann hätte ich meine Rente und trotzdem meine Arbeit?«

»Soviel Arbeit, wie Sie wollen, Herr Siminski.«

»Sagen Sie doch Ludi! Und angeln könnte ich auch, und vielleicht könnte ich wieder ein paar Kaninchen halten, oder sind das alles Vegetarier?«

»Halbe Vegetarier.«

Die Wohnung im Souterrain hatten sie bereits besichtigt, Frau Pertes zeigte ihm den Ausgang, der in den Garten führte; sie kamen durch einen Raum, der ebenfalls leerstand. »Das wird die Werkstatt!« sagte Ludi. »Das war immer mein Traum, eine eigene Werkbank. Elektrische Anschlüsse sind auch schon da, wieviel Volt denn? Kann ich mich hier mal eine Weile hinsetzen? Ich gehe dann durch den Garten, Sie müssen mir nur das Tor öffnen – das geht automatisch?«

Er verabschiedete sich. »Der Himmel – was Sie gesagt haben! Morgen komme ich wieder, und dann gehe ich durchs Gelände und an den Bach runter. Sie müssen sich gar nicht um mich kümmern. Es ist gut, wenn sich hier mal ein Mann umsieht, damit Ihnen keiner zu nahe kommt. Wenn man Sie so ansieht, ich meine: für Ihr Alter! Da muß schon jemand aufpassen. Ich bin nie einer gewesen, vor dem sich eine Frau in acht nehmen mußte. Ich sage das nur, damit Sie sich nichts denken.«

Hannah Pertes lachte, und Ludi sagte: »Sie können vielleicht lachen!«

8

›Die Neigung des Menschen, kleine Dinge für wichtig zu halten, hat sehr viel Großes hervorgebracht.‹

Lichtenberg

Vorteilhafter hätte sich das künftige Baugelände den Besuchern nicht präsentieren können: Über Nacht hat es noch einmal geschneit, die Temperaturen liegen nur wenig unter dem Gefrierpunkt. Die Farben des Himmels wechseln rasch von kühlem Grün zu wärmerem Rosa. Hannah und Lea sehen es vom Fenster aus mit Entzücken; am Abend, nach der geplanten Flurbegehung, wird alles zertrampelt sein, aber jetzt!

»Hast du es dir überlegt, Hannah? Diese phantastische weite Fläche! Wenn die Bagger kommen, wird alles zerstört, und ich bin daran schuld. Meinst du, daß es je wieder so schön sein wird wie heute morgen? Ob alle Architekten solche Zweifel haben? In dem Team, mit dem ich gearbeitet habe, ging ich den Kollegen auf die Nerven, erst mit meiner Begeisterung, aber mit meinen Skrupeln wurden sie überhaupt nicht fertig.«

Und dann, ohne Übergang, der Ausruf: »Hannah! Ich habe eine phantastische Idee. Komm mit! Hast du einen Stock, irgendeinen Knüppel, etwas, womit man die Grundrisse in den Schnee zeichnen könnte? Paß auf! Ich stelle mich oben auf den

Hügel, und du zeichnest nach meinen Anweisungen. Wir zeichnen die ganze Planung in den Schnee. Zieh dir eine Jacke über! Es muß doch nicht maßstabgetreu sein, es soll nur das Vorstellungsvermögen dieser alten Leute in Bewegung setzen. In den Sand zeichnen alle, aber jetzt: in den makellosen Schnee. Das wird eine späte Form von Land Art. Zieh Handschuhe an, hast du Handschuhe für mich? Ich hole die Skizzenblätter. Gummistiefel stehen im Vorraum?«

Leas Überzeugungsgewalt zu widerstehen ist schwer, Hannah versucht es gar nicht, läßt sich anstecken; das Füchschen schläft noch.

Lea dirigiert und kommandiert. »Tritt so leicht auf wie möglich, kannst du nicht auf den Linien, die du zeichnest, gehen? Du zertrampelst alles! Erst zeichnen, dann trampeln! Für die dickeren Außenwände setzt du die Füße nebeneinander, das entspricht der Mauerstärke. Du machst das phantastisch! Zehn Schritte in Richtung Bach. Stopp!« ruft sie. »Und jetzt einen stumpfen Winkel. Du mußt kräftiger auftreten, sonst sieht man von hier aus nichts, die Innenwände schmaler, ein Fuß vor den anderen. Gut, Hannah, sehr gut! Wenn du hier nicht der Chef wärst, gäbst du eine phantastische Assistentin ab. Du begreifst sofort, was man meint. Deinen Pertes könnte man beneiden. Aber er hat dich lange genug gehabt. Ganz deutlich muß sich der Glasgang an der Hangseite abzeichnen. Drei Schritte nach Süden, nein, Hannah! Du kennst doch die Pläne!«

Lea breitet beide Arme aus, zeigt auf die Reihe dunkler Bäume, ruft: »Jetzt verkürzen sich die Schatten der Pappeln.«

Hannah verbessert: »Der Schwarzerlen.«

»Das müßte man malen, hat jemand schon einmal einen Bach mit Bäumen im Gegenlicht gemalt? Im Schnee? Natürlich hat man, aber ich sehe es anders, völlig anders. Zeichne weiter, jetzt kommen drei Wiederholungen, immer um fünf Schritte versetzt, nach rechts, du mußt der Biegung des Hanges folgen, Hannah, das kann doch nicht so schwer sein. Nicht so gradlinig und rechtwinklig!«

Nach zwei Stunden sind die Frauen fertig und betrachten ihr Werk mit Wohlgefallen. Als sie zum Haus zurückkehren, kommt ihnen die Weberin mit dem heulenden Füchschen auf dem Arm entgegen. Sie reicht das Kind weiter, hält den Fotoapparat hoch: Sie wird diese Schneehäuser im Bild festhalten, das gehört in die Dokumentationsmappe.

»Zieh meine Jacke und meine Stiefel an«, sagt Hannah. »Du paßt in meine Stiefel.«

Die Weberin lacht, Hannah wird recht haben, ihre Anpassungsfähigkeit reicht bis zu den Füßen. Sie stiefelt durch den Schnee und benutzt die vorhandenen Spuren.

Das Füchschen muß getröstet und angezogen werden, Hannah und Lea müssen endlich frühstücken. Sie gehen zusammen in die Küche und nehmen nicht wahr, daß inzwischen Britten mit seinem Hund eingetroffen ist. An der Sitzung der Aspiranten wird er nicht teilnehmen, für die materiellen Fragen fühlt er sich nicht zuständig, aber er möchte doch sehen, wie weit man mit den Vorbereitungen gediehen ist. Er erkennt unter der Blutbuche eine Gestalt, erkennt die Jacke und leint den Hund ab. Mark Anton rennt los, bellt, nimmt Hannahs Spur auf und gerät, als er den Irrtum erkennt, außer Rand und Band. Britten sieht den Späßen seines Hundes mit Vergnügen zu, soll er sich austoben, er hat nicht oft Gelegenheit dazu.

Die Weberin ruft: »Laß das! Verdammter Hund!« Sie wirft einen Schneeball nach ihm, den er in elegantem Sprung auffängt, den zweiten ebenfalls.

Vom Grundriß des Bauprojektes ist nach wenigen Minuten nichts mehr zu erkennen.

Lea erschlägt den Hund nicht, kündigt es aber überzeugend an. Hannah trägt das Frühstückstablett in das Zeichen- und Rechenzentrum, wo Lea die Skizzenblätter wieder an die Wand heftet.

»Hat es Spaß gemacht, Hannah? Sag, daß wir Spaß gehabt haben!«

Britten erkundigt sich, ob dieses Kind nicht besser an einem Tisch frühstücken würde als auf der Erde. »Das muß es doch allmählich lernen, es gibt doch solche Kinderstühlchen.«

Lea sieht ihn mißbilligend an. »Das Kind kann später noch an vielen Frühstückstischen und Frühstücksbüfetts frühstükken. Stücken! Es bekommt seine Stückchen, bekommt seine Schlückchen!«

Lea füttert das Kind und füttert sich. Hannah hält den Hund zwischen den Knien fest, damit er an der Fütterung nicht teilnimmt, und Britten sitzt entspannt auf einem Hocker, läßt die Arme rechts und links vom Körper pendeln, was er häufig tut, wenn er weder liest noch schreibt, noch raucht: Er regeneriert sich. Plötzlich schreit er auf.

Was ist passiert? Von seinem Handrücken rinnt ein Tropfen Blut; das Füchschen krabbelt so rasch zurück, wie es gekommen ist, legt sich auf den Bauch, stemmt sich mit den Ärmchen hoch, blickt ihn aus seinen dunklen Augen an und sagt: »Opa!«

»Wenn ihr das Kind ›Füchschen‹ nennt, benimmt es sich wie ein Fuchs – wundert es euch, wenn es beißt? Es müßte doch allmählich laufen und sprechen können.«

Lea faucht ihn an: »Sonst noch was? Laß mein Füchschen in Ruhe, sonst beiße ich dich auch. Wir hatten einen so schönen Morgen, dann kommt ein Mann mit seinem Hund und macht alles kaputt! Erst die Schneehäuser und jetzt die Stimmung. Ich bin nervös, begreift das denn keiner?« Sie schreit ihn an, das Kind schreit ebenfalls, und der Hund bellt.

Britten lutscht die Wunde aus und erkundigt sich, ob man ihm ein Pflaster geben könne.

»Leg doch den Arm in die Schlinge, wenn du verletzt bist! Das Füchschen – wieso hat das Füchschen auf einmal Zähne? Wieso kann es denn beißen? Wir haben nicht einmal gemerkt, daß es zahnt. Oh, Hannah, sieh dir das an, zwei Zähnchen unten, eines oben! Meinst du, daß es die Zähne seines Vaters geerbt hat, der hatte ein phantastisches Gebiß.«

Inzwischen bleckt der Hund ebenfalls die Zähne. Die Weberin hat aus dem Badezimmer ein Pflaster geholt und klebt es auf Brittens Handrücken, Lea empfiehlt ihm eine Tetanusspritze: »Sag dem Arzt, daß dich ein tollwütiges Füchschen mit seinen ersten drei Mausezähnchen gebissen hat. Kannst du nicht heute nachmittag auf dieses Kind aufpassen? Den Hund lieferst du bei uns ab, aber uns nimmst du in dringenden Fällen nicht einmal das Kind ab. Du bist doch im Großvateralter!«

»Danke!« sagt Britten. »Danke, für heute genügt das.« Sein Bedürfnis nach Kleinkindern sei gestillt, er empfiehlt die Anschaffung eines Laufgitters, dann könne so etwas nicht passieren.

Lea steht vor ihm und faucht ihn an: »Dieses Kind kommt nicht hinter Gitter, es ist nicht gemeingefährlich, es wird krabbeln und laufen und sprechen, wann es will und wie es will!«

Britten nimmt den Hund am Halsband, verabschiedet sich. Wenn sein Besuch erwünscht sein sollte, mag man ihn anrufen.

Hannah und die Weberin begeben sich ins Kaminzimmer, um den Raum für die Veranstaltung herzurichten. Lea tobt und turnt mit dem Kind, damit es am Nachmittag ein paar Stunden Ruhe gibt und auf Hannahs Bett vor Übermüdung schläft. »Erheb dich, Rebekka! Lauf gefälligst aufrecht! Wer drei Zähne hat, kann auch sprechen. Hast du außer ›pommpomm‹ vielleicht noch etwas zu sagen?«

Das Kind steht breitbeinig, aber schwankend vor seiner Mutter, ahmt deren Haltung nach, stemmt die Händchen in die Hüften und sagt etwas, das vermutlich ›phantastisch‹ heißen soll. Lea ruft denn auch: »Phantastisch!«, das Kind ruft etwas Ähnliches zurück und wird abgeküßt, dann kugeln sich beide wieder auf dem Matratzenlager.

Es ist sehr viel leichter, die Mutter zu ermüden als dieses Kind.

Mittags setzt Tauwetter ein, es tropft von den Ästen, der Himmel verdunkelt sich, es regnet. Aber: Die Idee ist gerettet, die Weberin klopft befriedigt auf den Fotoapparat.

Bei dieser zweiten Veranstaltung reichen die Parkmöglichkeiten aus. Zwei Interessenten haben sich bereits während der Bahnfahrt als ›Pertesianer‹ wiedererkannt und sich gut miteinander unterhalten; am Bahnhof haben sie gemeinsam ein Taxi genommen. Als jemand in vorwurfsvollem Ton darauf hinweist, daß es eine durchgehende Busverbindung gebe, kommt die erste kleine Verstimmung auf; noch entscheidet jeder über die Wahl des Verkehrsmittels selbst.

Einige Autofahrer verspäten sich, der Straßenverhältnisse und der ungünstigen Witterung wegen, was von anderen Besuchern mit Genugtuung vermerkt wird.

Hannah ist zur Begrüßung an die Haustür gegangen, Lea steht am Fenster und kommentiert den Auftrieb. »Die Hälfte«, sagt sie zur Weberin, »es sind nur noch halb so viele, und wenn ich erst die Entwürfe gezeigt habe, sind es noch weniger, und wenn Sie über die Finanzierung gesprochen haben - wie bei den zehn kleinen Negerlein! Zuerst durch den Durchschlag, dann durch mein grobes Sieb und dann durch Ihr Haarsieb. Mein zweiter Vater ist Koch«, erklärt sie. Als die Weberin sie immer noch verständnislos ansieht, fügt sie hinzu, daß dieser Vater-Koch vermutlich keine Siebe mehr benutze, statt dessen Küchenmaschinen. »Wollen wir die alten Leute denn durch Küchenmaschinen drehen? Ich rege mich auf, warum rege ich mich denn auf? Muß ich mich verkaufen?«

»Ja!« sagt die Weberin.

Das Matratzenlager und die wenigen Möbelstücke waren weggeräumt, trotzdem wird es eng in dem großen Raum, man drängelt sich vor den Wänden, an denen die Bauzeichnungen hängen.

Lea hat sich einen korrekten weißen Kittel übergezogen und sieht aus, wie eine junge Technikerin aussehen sollte, den Zimmermannsstift hat sie sich in die roten Locken geschoben. Sie erläutert sachlich und konzentriert ihre Pläne, beantwortet die Fragen nach dem Baumaterial, der Fensterhöhe, den Fußbodenbelägen.

»Gibt es denn überhaupt keine rechten Winkel?«

»So wenig wie möglich.«

»Man muß doch Schränke stellen können!«

Lea weist auf die Schrankwände hin, die von beiden Seiten benutzbar sein werden. »Und die genaue Quadratmeterzahl?« - »Die Isolierung der Fenster?« - »Keine Unterkellerung?« - »Die Eingänge sind ebenerdig?« - »Ja - aber!« - »Kann man so einen Grundriß mitnehmen und zu Hause die Möbel nachmessen? Es muß doch auch alles passen!«

Bis zu diesem Augenblick hat Lea ihre Sache gut gemacht, aber jetzt nimmt sie die Fragestellerin fest in den Blick, taxiert sie von Kopf bis Fuß, unmißverständlich. Wer hier passen muß und nicht zu passen scheint, ist nicht das Projekt, sondern die Anwärterin. Bevor es zu einer Auseinandersetzung kommen kann, schlägt Hannah Pertes vor, daß die Architektin die Baupläne kopieren läßt, es sei genügend Zeit. Am Ende der heutigen Veranstaltung, nach dem Vortrag der Finanzsachverständigen, wird man allen Interessenten die Kopien aushändigen.

Professor Jonas legt den Arm um Leas Schulter und sagt, daß er von Häuserbau einiges verstehe und daß dies eine ebenso beachtliche wie brauchbare Arbeit sei. »Wenn du mir eine Freude machen willst, dann schenkst du mir eines dieser Aquarelle!« Den Umstehenden erklärt er, daß diese Architektin seine Nichte sei, aber nicht er habe sie hierher vermittelt, sondern sie ihn, damit kein falscher Eindruck entstehe. »Sie kennen mich vielleicht von unserer ersten Zusammenkunft. Benedikt Jonas, Chirurg, ich habe bis vor einigen Jahren eine Klinik geleitet. Und nun sollten wir der Architektin Beifall spenden!«

Lea sagt: »Onkel Benedikt! Du kannst das Blatt sogar kaufen, weil du es bist. Von den meisten Leuten mag ich kein Geld annehmen, aber deines mag ich, du darfst sogar großzügig sein.«

Es regnet noch immer, Rasen und Wege sind aufgeweicht, man begnügt sich damit, einen Blick aus den Fenstern zu werfen. Jemand erkundigt sich nach den Himmelsrichtungen, ein anderer fragt, ob man Verkehrsgeräusche hören würde. Dann sagt eine Stimme: »Morgens kann man barfuß über die betaute Wiese gehen.« Die Rosenfreundin! Hannah wirft ihr einen dankbaren Blick zu. »Wo sind überhaupt die Badezimmer? Dieser kleine abgeteilte Raum etwa?«

»Hier«, sagt Lea, »dieser Gang, der an der Hangseite vorbeiläuft, der verglast ist, mit einem sichtbaren Holzgerüst, über das sich Schlingpflanzen ranken werden und das Draußen und

Drinnen verbinden, Efeu und Knöterich und so etwas, das ist dann Ihre Sache, ich biete nur das Gerüst. Am Ende dieses Glasganges liegt das Badehaus! Es sind wenige Schritte. Wem es zu viele Schritte sind, der muß sich waschen, ein Waschbekken hat jeder. Im Badehaus gibt es eine Sauna und ein Tauchbecken und Duschen, von dem Ruheraum kann man unmittelbar ins Freie gehen, neben der Sauna befindet sich ein Raum mit Waschmaschinen, Platz zum Wäschetrocknen und Bügeln –«

Eine Frau drängt sich vor. »Seit Jahren gehe ich regelmäßig in eine Sauna, eine gemischte Sauna, aber es gibt keine Möglichkeit, an die frische Luft zu kommen. Hier kann man sich im Winter mit Schnee abreiben oder unbekleidet im Regen stehen, das härtet doch ab, das ist gut gegen Erkältungen und gut für den Kreislauf, auch für die Verdauung! Ich habe von meiner Großmutter zwei Dutzend Leintücher geerbt, sie sind noch nie benutzt worden, die könnte ich doch stiften –«

»Erst müssen wir mal die Wasserleitungen legen«, sagt Lea, aber Hannah Pertes fragt: »Sie sind Hilde Seitz? Sie hatten die Reinigung am Bebel-Platz?«

Ein Gesicht leuchtet auf, man hat sie wiedererkannt, hat ihren Namen gewußt. Das Leben hat sie nicht verwöhnt, ein Dienstleistungsberuf, sie hatte Annahmezettel ausgefüllt, sich die Namen ihrer Kunden gemerkt, Anzüge und Kostüme wiedererkannt, Zettel angeheftet, die Heftklammern entfernt, damit keiner sich die Fingernägel abbrechen mußte, hatte Drahtbügel gestapelt, Kleidungsstücke verpackt, die Tür geöffnet. Manchmal hatte jemand ›Danke, Fräulein‹ gesagt.

»Ja – aber! Wer nun die Sauna nicht benutzt, muß der genausoviel bezahlen? Er braucht doch weniger Wasser und Strom.«

»Wer ist eigentlich diese Frau Ja-aber?« fragt jemand. Einige lachen.

Eine Chemikerin meldet sich zu Wort, stellt sich vor: Hella Morten, von Physik verstehe sie nur das Nötigste, aber das könne sie erkennen: Bei diesem Badehaus und der Sauna wird ein Wärmeüberschuß entstehen, und wenn das Tauchbecken gekühlt wird, entsteht ebenfalls Wärme, die man in ein Treibhaus ableiten könnte. Die Glaskäfige an der Südseite lassen sich an der Westseite als Gewächshaus fortsetzen, dort könnte man biologisch einwandfreies Gemüse ziehen, natürlich auch Kräuter.

»Ganz recht!« Lea unterbricht. »Physikalisch ist das bereits berechnet, gezeichnet ist es auch, leider auch schon kalkuliert, und da sagt die Finanzexpertin: ›Es sind uns Schranken gesetzt.‹ Sie hat das Gewächshaus gestrichen.«

»Es soll hier doch gemeinsame Sache gemacht werden? Kann ich in die Kalkulation Einblick nehmen? An der Anlage eines Gewächshauses bin ich persönlich interessiert, das macht das ganze Unternehmen für mich erst diskutabel.« Sie wendet sich an Hannah Pertes, aber Hannah Pertes verkündet nun erst einmal die Kaffeepause.

Den Weg zur Küche kennt man schon. Als jemand von Selbstbedienung spricht, sagt ein anderer, daß man das leicht ändern könne, einer bedient den anderen, einer gießt dem anderen Kaffee ein, Milch, tut Zucker hinein –.

»Ja – aber! Wenn man nun Süßstoff haben will und den Kaffee ohne Milch trinkt?«

Bei ›Ja – aber‹ wird Unmut laut, auch Heiterkeit. Die Rosenfreundin nimmt Partei und sagt, daß diese Frau recht habe, einer müsse doch Einwände erheben, sonst ertrinke man in Enthusiasmus. »Mein Mann hat mir – aus lauter Liebe! – immer ein besonders großes Stück Fleisch auf den Teller gelegt, und ich habe es – aus lauter Liebe! – gegessen, und er sagte jedesmal: ›Damit du groß und stark wirst.‹ Ich heiße Starck, Josepha Starck, und ich habe es gar nicht gern, wenn man mir Milch in den Kaffee gießt.«

Die Weberin und Hannah Pertes füllen den Kaffee aus Thermoskannen in Pappbecher, und schon sagt jemand: »Das fängt ja gut an! Kaffee aus Einwegbechern, man will angeblich doch die Gewohnheiten der Wegwerfgesellschaft ablegen.«

Hannah Pertes entschuldigt sich, daß es bisher nicht ausreichend Geschirr gebe, woraufhin die Rosenfreundin sagt, daß sie dankbar für einen Schluck heißen Kaffee sei, und jetzt gehe es doch um Kaffee und nicht um Pappbecher. Man müsse doch das Wichtige vom Unwichtigen trennen.

»Das ist aber eine Grundsatzfrage!«

»Ich besitze ein Kaffeeservice für vierundzwanzig Personen, es ist vollständig, ich habe es immer geschont, ›Maria weiß‹, das würde ich gern zur Verfügung stellen, dann brauchte ich mich nicht davon zu trennen –«

Weiter kommt sie nicht. Immer neue Kaffeeservice tauchen im Gespräch auf, Porzellanmarken werden genannt, Geschirr, das man nur zu besonderen Anlässen benutzt habe, aber nun sei es wohl an der Zeit. – »Meine Meißner Tassen? Die sollen meine Kinder erben!« – »Dann geben Sie sie ihnen doch schon jetzt!« – »Ja – aber!«

Die Weberin macht darauf aufmerksam, daß dieser stillgelegte Landwirt fehle, daß ausgerechnet er abspringen werde, damit hatte weder sie noch Hannah Pertes gerechnet.

Professor Jonas schlägt vor, sich doch zu setzen. »Mein Knie spielt sich heute ein wenig auf.«

»Das sind Abnutzungserscheinungen, Herr Professor!«

»Danke, daß Sie mich darauf aufmerksam machen, aber den Professor lassen Sie doch bitte weg.«

»Haben Sie gestern abend den Vortrag gehört? Über die Bevölkerungsexplosion der Alten? Ich sitze immer ganz erschrocken und schuldbewußt da. Die Ärzte sind schuld, sonst würden wir doch alle gar nicht so alt.«

»Die meisten alten Menschen sind den Ärzten aber dankbar!«

»Meinen Sie, daß dieses Projekt Chancen hat? Für einen Mann hat es sicher Vorzüge. Aber alles aufgeben –«

Die Tür geht auf, herein kommt der stillgelegte Landwirt und hört das Wort ›aufgeben‹. »Aufgeben?« fragt er. »Jetzt soll es doch losgehen!« Er klopft die Regentropfen von der Joppe, wischt sich mit dem Taschentuch Gesicht und Haare trocken, zeigt auf seine Socken, sagt, daß er die Schuhe im Vorraum ausgezogen habe, der Boden ist lehmiger, als er angenommen habe. Er sei dem Kaffeegeruch nachgegangen. Er sei nicht untätig gewesen. Von Architektur verstehe er nichts, an Bauplänen sei er nicht interessiert. Hauptsache, ein Dach überm Kopf! Er hat Bodenproben entnommen, an zehn verschiedenen Stellen des Geländes, er wird den pH-Wert feststellen lassen.

»Was heißt das, pH?«

»Es handelt sich dabei um die Meßzahl für die Konzentration der Wasserstoffionen in einer Lösung«, erklärt die Chemikerin, woraufhin die Rosenfreundin »aha« sagt; einige lachen, der Landwirt sagt, daß man am pH-Wert erkenne, ob der Boden sauer ist. »Soweit ich sehen kann, hat man die Erde hier in Ruhe gelassen, das ist immer noch das Beste, was ihr passieren kann. Der Baumbestand ist in Ordnung, wenig Schäden. Nur die Blutbuche ist überaltert, die müßte eigentlich schon Knospen zeigen. Der Rhododendron hätte im Herbst gewässert werden müssen, da gibt es Schädlinge, die Rostlaus vermutlich.«

»Meinen Sie die rote Spinne, diese Spinnmilben?« Die Chemikerin mischt sich ein, aber jetzt wünscht er mit Hannah Pertes zu sprechen, über die Spinnmilbe kann man sich später noch verständigen. »Hören Sie«, sagt er, und Hannah Pertes sagt: »Ich höre!«

Er spricht laut, er scheint etwas schwerhörig zu sein. »In die Nordwestecke des Grundstücks ist wohl lange keiner vorgedrungen? Da gibt es einen verrotteten Komposthaufen und Gestrüpp und Gesträuch bis zum Stacheldraht. Also Stacheldraht! Das muß doch nicht sein. Eine natürliche Hecke ist der beste Schutz für ein Grundstück. Dornen! Brombeeren, Schlehdorn, Hagebutte, und dazwischen auch mal Holunder und Haselnuß, was meinen Sie, wie das im Frühling blüht! Nistplätze für Vögel, Unterschlupf für Kleintiere, und im Herbst kann man ernten, wenn man nicht alles den Vögeln überlassen will. So nach und nach können wir das ganze Grundstück mit einer Hecke umgeben.« Er blickt von einem zum anderen. »Nun – alle kommen dafür nicht in Frage.« Er trifft eine erste Auswahl, zeigt auf die Weberin, auf Hannah Pertes, die Chemikerin, die Frau aus dem Osten.

»Ja – aber!«

»Sie kommen nicht in Frage!« sagt er und spricht weiter: »Schätzungsweise sind das tausend Meter an jeder Seite, falls meine Schrittlänge sich nicht im Laufe der Jahre verkürzt hat.« Die Setzlinge kann man sich im Wald holen, er wird mit dem Förster reden, einiges kann man kaufen, kräftiger sind die Schößlinge aus dem Wald, und das Gelände, das er im Auge hat, würde für den Gemüseanbau zunächst einmal genügen. Überdüngt sei der Boden nicht, Pestizide seien nicht angewendet worden, man könne also nach ökologischen Gesichtspunkten Gemüse anbauen, wozu er auch Erdbeeren rechne. »Wenn man mir grünes Licht gibt, mache ich mich an die Arbeit, noch zwei Wochen, dann ist der Boden frostfrei. Ich habe mir hier in der Nähe ein Zimmer gemietet. Dieses halbe Jahr zwischen dem Alten und dem Neuen, dieses Interregnum, das gefällt mir, da kann ich mich von zu Hause lösen und hier schon mal vorsichtig binden. In die Quere komme ich keinem, während der Bauzeit wird sowieso Unruhe sein. Hohe Ansprüche an die Erträge kann man zunächst nicht stellen. Einige Jahre haben wir alle noch Zeit. Sie werden sich wundern, so ein Haselstrauch, geben Sie dem drei oder vier Jahre! Davon habe ich immer geträumt: für ein Stück Land zu sorgen und keinen Profit machen zu müssen. Das ist einer der Vorzüge des Alters, daß man nicht mehr profitabel sein muß. Genug Sonne wird es geben –«

»Bestimmt –?« fragt die Rosenfreundin. »Bald –?« Sie blickt aus dem Fenster, der Regen schlägt gegen die Scheiben, einige der Gäste lachen. Hannah Pertes benutzt die Pause, um zu sagen, daß man sich ins Kaminzimmer begeben möge, wo man nun Näheres über die Finanzierung des Projektes hören werde.

Eine weibliche Stimme sagt mit Nachdruck, daß man nun endlich zu der entscheidenden Frage käme.

»Entscheidend? Was ist letztlich denn entscheidend –?«

»Die Finanzierung!«

Der stillgelegte Landwirt weigert sich, bis zum Ende seiner Tage die Finanzierung eines Planes für die alleinseligmachende Frage zu halten. »Grundsätzlich –«

Hannah Pertes unterbricht ihn: »– grundsätzlich hat jetzt Frau Weber das Wort, Hannelore Weber, Finanz- und Steuersachverständige, auf deren Bilanzsicherheit wir uns verlassen können.«

Die beiden Frauen sitzen nebeneinander am Tisch, einige Akten liegen als Beweismittel bereit.

Die Sachverständige stellt sich vor, sie sei ›die Weberin‹: »So hat man mich mein Leben lang genannt, schon in der Schule, und später war ich ›die Weberin vom Finanzamt zwo‹. Ich bin alleinstehend, kein Anhang. Am ersten April werde ich in den Vorruhestand gehen, eine Vorstellung, die mich nicht mehr ängstigt, seit ich das Projekt Pertes kenne, bei dem ich mitmachen werde. Ich bin achtundfünfzig Jahre alt, vermutlich die Jüngste in diesem Kreis, was ich nicht für ein Verdienst halte. Wenn man mir Vertrauen entgegenbringt, was unerläßlich ist, werde ich das Geld – die Gelder – verwalten. Auf Wunsch können jene, die ernstlich interessiert sind, Einblick in die Pertesschen Vermögensverhältnisse nehmen. Die Finanzierung ist gesichert, zum vorhandenen Kapitalvermögen kommt der Grundbesitz, kommt dieses Gebäude, das von allen Beteiligten, oder sagen wir Pertesianern, benutzt werden wird. Es werden keine Kapitalanlagen erwartet. Es soll ein hohes Maß an Gleichheit erreicht werden. Ich habe mich oft gewundert, daß die meisten Menschen mit ihrem ersparten Geld nichts anfangen können, sie haben gearbeitet, sich wenig gegönnt und sich eingebildet, das Geld arbeite auch, aber mit dem Geld ist es wie mit dem Mist, es muß ausgestreut werden!«

Der stillgelegte Landwirt ruft dazwischen: »Vor Überdüngung bewahrt einen dann der Staat!«

Die Weberin fährt fort: »Jeder, der bei diesem Unternehmen mitmacht, wird die Hälfte seiner monatlichen Bezüge einzahlen, Veränderungen des Einkommens sollten ohne Aufforderung mitgeteilt werden. Für denjenigen, der eine kleine Rente bezieht, ist die Hälfte viel Geld, für den, der eine ansehnliche Altersversorgung besitzt, ist die Hälfte ebenfalls viel Geld. Mit diesen ›Hälften‹ wird die Instandsetzung der Gebäude, werden die Heiz- und Wasserkosten, Kanalgebühren, Müllabfuhr und so weiter finanziert. Es wird Eigenleistung erwartet, den jeweiligen Kräften entsprechend – der eine verfügt über körperliche Kräfte, der andere über geistige. Niemand soll sich ausgebeutet fühlen, niemand sich auf Kosten der anderen schonen. Es wird genügend sinnvolle Tätigkeiten geben. Es wird sich nicht um Freizeitgestaltung handeln; es soll keine Lebens-Zeit totgeschlagen werden. Wer sich zur Teilnahme an diesem Projekt entscheidet, soll die verbleibende Zeit bis zum Einzug, der aller Voraussicht nach im Oktober stattfinden kann, seine Vermögensverhältnisse geklärt haben, auch mit seinen Erben, den gesetzlichen und den ungesetzlichen Erben. Für die weitere Zukunft ist geplant, aus diesem Projekt Pertes, wie wir es in den Vorgesprächen genannt haben, eine Stiftung zu machen; ob sie den Namen des verstorbenen Atomphysikers tragen wird, bleibt vorerst offen, dem Konzept würde es entsprechen. Frau Pertes hat einmal von einem Teich gesprochen: der Teich als Lebensgemeinschaft. Jeder kennt jeden. Er muß nicht alle lieben, aber sollte sie doch anerkennen; seine Eigenheit sollte jeder wie einen kostbaren Besitz bewahren, das ist die Mitgift, die zählt. Man soll sich nicht ähnlich werden! In einem Teich sollte es keine Hechte geben, aber auch keine Karpfen, die fett werden. Jeder Mensch hat die gleiche Menge Zeit, vierundzwanzig Stunden am Tag, diese Zeit darf nicht für den einen mehr einbringen als für den anderen, Befriedigung ist wichtiger als Geld.

Einen Teil der Heizkosten wird man durch gute Isolierung einsparen, man wird die Sonneneinstrahlung nutzen, man wird nicht vier Räume heizen, wenn man sich nur in einem aufhält, die Hauptmahlzeit wird man gemeinsam einnehmen, die Abende oft zusammen verbringen. Wissen Sie, wie hoch der Stromverbrauch eines Fernsehgerätes ist? Müssen zehn oder zwölf Geräte eingeschaltet sein, wenn man zusammensitzen könnte, wenn Programmvorschläge gemacht werden und im Anschluß an die Sendung diskutiert werden kann, damit man nicht allein mit seinen Ängsten bleibt, nach diesen Weltuntergangsprophetien oder auch nach einem Krimi?«

»Man wird doch alleine Radio hören dürfen!?« - »Dürfen wir Zeitungen halten?« - Die Fragen sind zugleich Ausrufe.

»Dürfen -«, sagt Hannah Pertes. »Es wird keine Verbote geben, lediglich Appelle an die Vernunft und einige Spielregeln. Keiner, der in Notjahren nicht gelernt hätte, wie man mit wenig Gas, wenig Elektrizität auskommen kann und muß. Dieses Muß setzen wir uns selbst. Wir stellen möglichst wenig Abfall her.«

»Und der Rasen?«

»Wird eine Wiese, die zweimal im Laufe des Sommers gemäht wird.«

»Man kann doch nicht alles Unkraut wild wachsen lassen! Den Giersch zum Beispiel.« Keiner kennt Giersch. »Sie werden sich wundern«, sagt der stillgelegte Landwirt, und die Rosenfreundin sagt: »Wenn man mit Wundern fertig ist, kann man ihn doch ausstechen.«

»Und der Löwenzahn!«

»Kommt in den Salat, er muß nur früh genug gestochen werden, wir haben jahrelang Löwenzahn gestochen.«

Und Professor Jonas sagt, daß er jahrelang Brennesselsuppe gegessen habe in russischer Gefangenschaft.

»Wo waren Sie in Gefangenschaft?« Das Gespräch springt über, springt nach Minsk. »Welche Heeresgruppe?« - »Welche Einheit?«

»Und wer kontrolliert den Energieverbrauch?« - »Jeder sich selbst, keiner den anderen!« - »Soll man bei Adam und Eva wieder anfangen? Adam pflügt, und Eva spinnt? Zurück ins Paradies.« - »Warum nicht?« - »Und was ist mit der Liebe?« - »Es gibt so viele Arten von Liebe.«

Wer hat das gesagt? Hannah blickt von einem zum anderen, jemand sagt: »Der Baum der Erkenntnis trägt viele Früchte! Wer sollte uns vertreiben?«

»Die Verbraucherverbände!«

Es wird gelacht, und alle werden gewahr, daß dieses Unternehmen auch Spaß machen könnte.

Die Weberin blickt von Gesicht zu Gesicht, sieht Skepsis, Interesse, auch Erregung. »Ob diese Stiftung eines Tages als

›gemeinnützig‹ anerkannt wird, kann erst nach einigen Versuchsjahren entschieden werden. Es wird nicht mit Profit gearbeitet.« Sie nickt dem stillgelegten Landwirt zu. »Unser Unternehmen ist mit keinem der herkömmlichen ›Altenheime‹ oder einem ›Seniorenwohnsitz‹ zu vergleichen. Man kommt beim ersten Anzeichen des beginnenden Alters, nicht kurz vor dem letzten. Am Ende des Kalenderjahres wird eine Bilanz der eingezahlten und der verbrauchten Gelder vorgelegt. Überschüsse werden für Verbesserungen genutzt. Darunter würde der Bau eines Gewächshauses fallen, ein Vorschlag von Frau Morten; man sollte dieses Gewächshaus bereits jetzt in die Gesamtplanung einbeziehen. Ob solche Stiftungen und Beteiligungen eines Einzelnen sinnvoll sind, darüber muß geredet werden. Es sollen hier Wünsche, bisher unerfüllte Wünsche, erfüllt werden. Sie haben auf den Plänen der Architektin die Anlage eines Badehauses mit Sauna gesehen. Diese Idee geht ebenfalls auf die Anregung eines Bewerbers zurück, der bereits erklärt hat, daß er lebenslänglich mitmachen will, ausdrücklich ›lebenslänglich‹. Das sollte die Absicht sein, wenn man sich entschließt, in unser ›Utopia‹ einzutreten.«

Die Weberin macht eine Pause, in die hinein eine männliche Stimme, die sich bisher noch nicht zu Wort gemeldet hat, sagt: »Beim Prediger« - er meine den Prediger Salomo - »steht: ›Es ist besser, du gelobest nichts, denn daß du nicht hältst, was du gelobest.‹« Das möchte er doch zu bedenken geben. »Keine Gelübde! Man bleibt, wenn alles stimmt, oder man geht, wenn es nicht stimmt, dann nützen weder Gelübde noch Verträge. ›Denn wenn ein Mensch viele Jahre lebt, so sei er fröhlich in ihnen allen und gedenke der finsteren Tage.‹« Beim Prediger Salomo finde man gerade für das Alter viele weise Sprüche.

Jemand schreibt auf einen Zettel: »Wer ist dieser Prediger?«, schiebt ihn weiter, der nächste macht ein Fragezeichen, der übernächste ein weiteres Fragezeichen. Inzwischen hat die Weberin ihn freundlich unterbrochen. Noch ahnt keiner, daß man viele Sprüche zu hören bekommen wird; seinen Rufnamen bekommt dieser Mann jetzt, an diesem Nachmittag:

der Prediger. Als der Name ihn noch am selben Abend erreicht, erklärt er sich einverstanden.

»Ich wiederhole«, sagt die Weberin, »jeder zahlt seinen Einkünften entsprechend. Man wird sparsam wirtschaften, es wird nicht jeder ein Auto besitzen; wer meint, nicht auf den eigenen Wagen verzichten zu können, in dem er allein sitzt, gehört nicht in unsere Gemeinschaft. Die Wagenschlüssel und Wagenpapiere stehen allen zur Verfügung, man wird Abmachungen treffen, wer den Wagen benötigt, wer die Gelegenheit zur Mitfahrt nutzt. Ein beheiztes Schwimmbad ist mit öffentlichen Verkehrsmitteln zu erreichen, denkbar wäre aber auch, daß man zu viert oder fünft gemeinsam mit dem Auto zum Schwimmen fährt.«

»Ich schwimme vor dem Frühstück!« - »Um Gottes willen!« - »Wann frühstücken Sie?«

Hände werden hochgereckt, es wird dazwischengerufen. »Wessen Auto?« - »Wer trägt die Autokosten?« - Fragen über Fragen.

Hannah Pertes winkt ab. Das Autoproblem erscheint ihr zweitrangig, wenn jeder grundsätzlich erkennt, daß die meisten Umweltschäden durch Abgase entstehen und daß auf den Straßen potentielle Mörder und Selbstmörder unterwegs sind, daß die Lärmbelästigung groß ist –.

»Wenn man selbst im Auto sitzt, merkt man das alles nicht!«

Sollte man etwa auch über die Auto-Frage lachen können?

Dann kommt ein Einwand, der mit ›Ja – aber‹ beginnt: »Den Vorteil haben die, die eine kleine Rente haben!«

»Ganz recht!« Die Weberin bestätigt den Einwand. »Es soll allen, soweit es menschenmöglich ist, gleich gut gehen. Erinnern Sie sich an die Ausführungen von Doktor Britten? Das Menschenmögliche ist noch nie versucht worden. Man wird die Lebensumstände verbessern können, aber die körperlichen, geistigen, seelischen Voraussetzungen nicht. Dem Versuch sind also Grenzen gesetzt; ein mißtrauischer Mensch wird nicht von heute auf morgen vertrauensvoll. Die Entscheidung, ob er oder sie Mut und Anpassungsfähigkeit besitzt, kann nur der Einzelne treffen. Wer eine zu lange Bedenkzeit braucht, kommt nicht in Frage, wer unbedenklich ist, ebenfalls nicht. Unüberlegtheit wäre so falsch wie zu langes Zögern. Es wird keine Herrschaft ausgeübt werden, aber es wird Selbstbeherrschung erwartet. Großzügigkeit wird erwartet, im Nehmen und im Geben. Wer kleinlich denkt, paßt nicht in dieses großangelegte Projekt. Über Einzelheiten wird man bei einer späteren Gelegenheit sprechen, jetzt geht es ums Ganze.«

»Einspruch!« ruft der Prediger. »›Immer im einzelnen nur hab' ich das Ganze entdeckt.‹ Schiller. An den Einzelheiten scheitert man, dem einen ist der eigene Kühlschrank wichtig, dem anderen ein Bügeleisen.«

»Kein eigenes Bügeleisen?!«

Ausgerechnet am Bügeleisen erhitzen sich dann die Gemüter.

Wie steht es überhaupt mit elektrischen Geräten? Sind elektrische Rasierapparate von den Sparmaßnahmen betroffen? – »Sie können sich einen Bart stehen lassen!«

»Die meisten elektrischen Geräte sind zeitsparende Geräte, die man nicht braucht, wenn man genug Zeit hat. Wer Schlagsahne schlagen will –«

»– sollte sich lieber auf die Waage stellen und es lassen«, sagt die Weberin und beendet damit das Gespräch über die Einzelheiten. »Etwas anderes ist wichtiger: Was wird im Krankheitsfall?« Sie blickt von einem zum anderen, die Rosenfreundin fühlt sich angesprochen, erhebt ihre leichte Person und ihre leichte Stimme und sagt: »Noch sind wir doch alle gesund und machen Pläne. Wenn es soweit kommt, daß wir Hilfe brauchen, dann haben wir uns bereits liebgewonnen, dann wird einer dem anderen beistehen. Wir werden doch nicht alle auf einmal krank werden? Es wird doch keine Epidemie ausbrechen?« Sie blickt sich um, erkennt den Chirurgen und sagt vertrauensvoll: »Sie sind ja bei uns, Herr Professor!«

»Oh!« sagt der, wiederholt das ›Oh!‹, möchte diese vertrauensvolle kleine Person nicht enttäuschen. »Ich kann Ihnen versprechen, daß es zu keiner Epidemie kommen wird, aber alle werden altern, insofern ist es doch eine Epidemie, für die kein Serum gefunden ist, eine tödliche Epidemie. Eine andere Antwort kann Ihnen kein Arzt und auch kein Theologe geben, allenfalls ein Politiker; die Politiker sind der Ansicht, daß ein Ende der Alterspyramide nicht absehbar ist.«

Die Rosenfreundin hat sich wieder gesetzt, der Chirurg schweigt, alle schweigen. Eine sachliche Frage wurde unsachlich beantwortet; alle blicken auf Hannah Pertes, als ob sie eine Lösung der letzten Fragen wissen könne.

»Die Rosenfreundin hat ausgesprochen, was wir alle erhoffen: Wir werden miteinander das Alt- und Älterwerden erleben, wir werden die gleichen Sorgen und Ängste haben, können sie vielleicht auch abbauen. Der Tod wird nicht tabuisiert. Wir können darüber reden. Und was den realen Krankheitsfall angeht –« Sie blickt die Weberin an, und die Weberin sagt: »Wir sind nicht unvermögend! Im Ernstfall werden wir uns eine Pflegerin oder einen Pfleger leisten können; man kann vielleicht hier, in diesem Haus, eine kleine Krankenstation einrichten. In der Stadt gibt es gute Ärzte, gute Krankenhäuser, alle haben wir Krankenversicherungen abgeschlossen, und dann gehen wir doch davon aus, daß sich eine gesunde Lebensführung, wohltuende Lebensumstände auf unser körperliches und geistiges Befinden auswirken werden. Unser kleines Gemeinwesen ist nicht auf Rentabilität oder Fortschritt im gewohnten Sinne angelegt, sondern auf Vervollkommnung! Entwickeln sollen wir uns! Wir werden dieses kleine Stück der Erde etwas schöner machen, werden im Einklang mit der Natur leben, selbst ein Stück der Schöpfung sein –« Diese vernünftige Weberin, die über Finanzfragen sprechen sollte, versteigt sich in die Höhen des Idealismus: »Diese Kolonie, die wir planen, wird zu einem nachahmenswerten Beispiel, wie man Altersprobleme lösen kann!«

Hannah Pertes bringt mit einer Handbewegung die Weberin zum Schweigen. »Erwarten Sie nicht von der Weberin und mir, nur weil wir vorn sitzen, Antworten auf alle Lebensfragen. Man wird miteinander nach Antworten und Lösungen suchen müssen. Ich bin selbst ein ungelernter Single. Wie groß das

Pensum ist, das ich zu lernen habe, ist mir in den vergangenen Wochen klargeworden.«

Eine Hand hebt sich, senkt sich, hebt sich. Hannah Pertes ermuntert: »Bitte, sagen Sie doch, was Sie sagen möchten.«

»Es heißt aber, alte Bäume solle man nicht umpflanzen. Kinder darf man umtopfen, das tut ihnen sogar gut, wenn der Topf immer etwas größer wird; und jetzt kommen wir in immer kleinere Töpfe, kleinere Lebensräume, zuletzt das Pflegeheim – «

»Sind wir schon wieder bei den Särgen –?« fragt die Rosenfreundin. Diesmal klingt ihre Stimme energischer. Sie habe Rosenkataloge mitgebracht, und wenn es morgen früh nicht mehr regnet, dann wird sie sich ansehen, wo sie Rosen pflanzen kann, und dieser Herr, sie zeigt auf den Landwirt, der wird ihr seine pH-Werte mitteilen. »Wildrosen und Strauchrosen. Keine Rosenbeete, das paßt nicht in den Park.« Im Herbst wird sie mit dem Pflanzen beginnen.

»Bevor wir hier über Rosen reden, sind doch wohl noch eine Menge wichtigerer Fragen zu klären.« Mit dem Bauern habe er bereits gesprochen, die Sache mit den Kartoffeln gehe in Ordnung, Gemüse und Obst könne er auch liefern.

»Erst mal müssen die Bäume blühen!«

Jemand sagt halblaut: »Kann man den stillgelegten Landwirt nicht abstellen?«

Alle haben den Einwurf verstanden, nur der Betroffene fragt nach: »Was wollen Sie abstellen?« Gelächter als Antwort.

Hannah Pertes blickt hierhin, dahin, lehnt sich zurück, die Anspannung läßt nach, das Projekt verselbständigt sich, eine sanfte Enteignung findet statt.

Ein Herr, von dem man bisher nichts gehört hat, meldet sich: »Mit keinem Wort ist bisher erwähnt worden, daß es sich hier um einen Zusammenschluß von Atomgegnern handeln soll. Für mich ist das der entscheidende Punkt. Ich habe mehrmals in einer Kette von Atomgegnern gestanden. Ich habe zwei Tage und zwei Nächte vor einer Wiederaufbereitungsanlage auf einem Acker gesessen; an diese Form des Widerstandes glaube ich nicht mehr. Man muß anders vorgehen. Konsequente Verweigerung –«

»Keine Atomdebatte!« Hannah Pertes unterbricht, die kurze Wohltat der Entspannung ist bereits zu Ende. »Wir werden mehrere Ziele verfolgen. Das wird unsere Chance sein, es soll sich kein Fanatismus entwickeln können. Wir werden, wo es geht, auf Energie, die aus Atomkraft entstanden ist, verzichten, dem augenblicklichen Erkenntnisstand entsprechend. Es besteht die Möglichkeit, daß Sie uns Ihre Ansichten und Kenntnisse vermitteln, Herr –«

»Crispin, Christopher Crispin, Ingenieur. Was ich sagen will, ist, daß keine Kilowattstunde erzeugt werden kann, ohne daß Plutonium miterzeugt wird. Die Dosis Plutonium, die der Mensch ohne Schaden ertragen kann, ist so klein, daß sie nicht meßbar ist!«

»Ich weiß das«, sagt Hannah Pertes. »Wir machen einen Termin aus, es ist auch eine Chemikerin anwesend, vielleicht können Sie gemeinsam über diese Fragen sprechen.«

»Da wären mir Kartoffeln und Rosen als Thema lieber«, sagt jemand. – »Wenn man das alles schriftlich hätte und zu Hause überdenken könnte!« – »Das behält man ja nicht, das Gedächtnis läßt doch nach.«

»Müssen wir jetzt nach Hause oder in unser Hotel gehen?« fragt die Rosenfreundin.

In diesem Augenblick wird die Tür geöffnet, Lea tritt ein, die Kopien unter dem einen, das Kind auf dem anderen Arm. Die Baupläne werden verteilt. Lea hält das Kind hoch, stellt es vor: »Das ist Rebekka!« Sie erhält Beifall, und Rebekka klatscht ebenfalls in die Händchen.

»Onkel Benedikt! Wie findest du mein Erzeugnis? Habe ich das – für mein Alter – nicht gut hingekriegt?«

Er ist der erste, der sich erhebt. Er hat einen Vorschlag zu machen. Nach diesem anregenden und auch aufregenden Nachmittag sollte man sich doch nicht gleich wieder trennen. Er möchte die kleine Gesellschaft gern zu einem Abendessen einladen. Ein hübsches Lokal –.

Lea und Hannah sagen gleichzeitig: »›Bosco!‹« Man muß ein paar Tische bestellen. Hannah telefoniert, der stillgelegte

Landwirt erklärt, daß er sich um den Kamin kümmern wird, unbeaufsichtigt dürfe das Feuer nicht bleiben. »Wie viele sind wir denn? Kommen alle mit?« Einige zögern noch, man hört ein »Ja - aber«.

Der Prediger sagt: »›Den Willigen führt das Schicksal, den Unwilligen schleift es mit‹, Seneca im hundertsiebten Brief.«

»Mitschleifen lasse ich mich nicht!« sagt Herr Crispin, er sei durchaus willig, so allmählich habe sich sein Widerstand in Wärme verwandelt.

»Wieviel Ohm -?« fragt Hella Morten.

Die Lampen im Treppenhaus und im Kaminzimmer läßt man brennen, die wenigen Schritte kann man zu Fuß gehen, es wird sich doch ein Arm für den Professor finden? Mehrere Arme werden ihm angeboten. »Einer genügt«, sagt er, blickt nicht auf die Arme, sondern in die Gesichter, entscheidet sich für die Rosenfreundin, legt die Hand auf ihre Schulter. Sind genügend Schirme vorhanden? Wird denn das Kind auch nicht naß?

Als die Gruppe das Parktor erreicht hat, macht jemand den Vorschlag, sich in die Autos zu setzen und zu fahren. Der Regen sei doch eine triftige beziehungsweise triefende Entschuldigung. Wer fährt mit wem? Die Nässe beschleunigt die Entscheidung.

Salvatore hat eine große Tafel gedeckt und kommt ihnen entgegen. »Signora«, sagt er, »was für eine große Familie! Eine Kompanie - eine Compagnia, sagt man so auf deutsch?«

Ein Blick, und er hat erkannt, wer hier einlädt, wer die Rechnung übernehmen wird, schon steht er neben Professor Jonas, rückt den Stuhl zurecht. Er wird ein Menü vorschlagen, nicht à la carte! Es handelt sich um einen besonderen Anlaß? Einen Stuhl für die kleine Dame! Er winkt seinem Ober, der rollt einen Kinderstuhl herbei, Salvatore gibt der kleinen Dame einen Handkuß, und sie ruft: »Papa! Papa!« Wieder ein Anlaß für Gelächter.

Er schlägt einen trockenen Weißwein aus seiner Heimat vor. Zunächst müssen alle ein Glas in der Hand haben, er sieht die Gäste an, erkennt einige Wassertrinker unter ihnen. »Ein kleines Omelett mit frischem Spargel?« Es wird einen großen Salat geben. Kaltgeschlagenes Olivenöl! Löwenzahn aus Italien, frische Kresse, alles grün und frisch –.

Herr Crispin sagt: »Dann paßt es ja zu uns, frisch und grün.«

»Secondo –? Fleisch –? Oder einen Fisch?«

Das ›Ja – aber‹ wird mit Heiterkeit erwartet. Der nächste Einwurf kommt von einer Vegetarierin.

Jemand sagt: »Wer kein Fleisch ißt, ist darum noch kein besserer Mensch!« – »Einspruch! Auch kein schlechterer!«

Welche Erleichterung: Man kann über diese lebenswichtigen Fragen miteinander lachen!

Die Weberin beugt sich zu Hannah, sagt leise: »Ich glaube, da haben wir jemanden einfach rausgelacht. Diese Frau Ja-aber. Sie hat gemerkt, daß sie nicht paßt.« Eine Annahme, die sich zunächst als irrig erweisen wird.

Das Essen zieht sich hin, man betrachtet die Grundrisse der Wohnungen, man hat zu fragen und zu vermuten. Der stillgelegte Landwirt setzt der Weberin auseinander, daß er eine Produktionsaufgaberente beziehen wird, weil er sich bereit erklärt habe, Flächen stillzulegen; er habe sein Land nie als Fläche angesehen. »Die Höhe richtet sich nach der Anwartschaft auf Altersgeld und der Größe der Stillegungsfläche –«

Salvatore bringt den Käse, sein Blick bleibt an der Weberin hängen, er setzt die Platte hin, hebt beschwörend beide Hände: »Ist alles in Ordnung? Die Taxe, wie sagt man in Deutsch, es sind nicht an jedem Abend so viele Gäste im ›Bosco‹!«

Die Weberin hat ihn inzwischen ebenfalls erkannt, erklärt den anderen, daß dieses Lokal zu ihrem Bezirk gehöre, aber nicht mehr lange. Zu Salvatore sagt sie, daß sie in Rente gehe, bald!

»So jung? Sie wollen nicht mehr arbeiten? Und was wird aus mir und meinem Ristorante?«

Die kleine Rebekka hat inzwischen ihren Thron verlassen und sich wieder in ein Füchschen verwandelt, sie krabbelt zwischen den Tisch- und Menschenbeinen herum, richtet sich auf und ruft: »Käse –? Käse –?« Sie bekommt kleine Käsestücke wie Bonbons zugesteckt. Erlaubt das denn die Mutter? Die Mutter erlaubt es. »Hauptsache, das Kind kommt durch, notfalls wird es betteln. Es hat ja auch noch seinen Onkel Benedikt!«

Hannah hat mehr Wein getrunken, als sie gewohnt ist. Sie rückt vom Tisch ab, beteiligt sich nicht an der Unterhaltung, hört zu, hört nicht zu, achtet nicht mehr darauf, wer was zu wem sagt.

»Und wenn man scheitert, scheitert man wenigstens an einem großen Projekt!«

»Kleine Brötchen kann man auch alleine backen.«

»Es müßte einem geraten, nur die Tugenden mitzubringen und die schlechten Gewohnheiten und Fehler zurückzulassen.«

»Wie lange reichen denn gute Vorsätze?«

»Natürlich geht man sich auf die Nerven, der eine durch seine Untugenden und der andere durch seine Tugenden!«

»Die Vorstellung, daß jemand hinter mir hergeht und die Tür schließt, das Licht ausmacht und denkt, ich nähme mir das größte Stück Fleisch –«

»Wenn man das Licht selbst ausmacht und die Tür selbst schließt und sich nicht das größte Stück nimmt, kann das alles nicht passieren.«

»Das Zusammenleben muß sich einspielen.«

»Haben Sie spielen gelernt? Bisher mußte ich mich immer einarbeiten.«

»Man muß auch einmal fünf gerade sein lassen können.«

»Warum? Fünf ist nicht gerade!«

»Man kann auch etwas um des lieben Friedens willen tun oder nicht tun.«

»Das wird kein lieber Friede, das wird ein unguter Friede.«

»Keine unnötigen Sorgen, keine unnötige Betriebsamkeit, kein unnötiges Sparen. Überhaupt nichts Unnötiges!«

»Wer entscheidet, was nötig und was unnötig ist?«

»Alle sehen hier so gleichaltrig aus.«

»Diese Weberin ist noch nicht mal sechzig, und ich bin an die Siebzig, gleichaltrig stimmt nicht, aber altrig stimmt. Bejahrt sind wir alle.«

»Betagt! Wenn man es in Tagen ausrechnet, wird es noch schlimmer. Würden Sie mir noch einmal eingießen, Herr Crispin – ist Crispin richtig?«

»Es sollte hier keinerlei Konkurrenz entstehen: Ich bin der Älteste! Das ist kein Triumph, und der Jüngste zu sein ist keine Leistung. Gesundheit ist eher eine Gnade als ein Verdienst; was man dazu beitragen kann, wird man beitragen.«

»Man genießt doppelt, was man nicht ständig hat, also: Man duscht nicht an jedem Morgen, aber wenn man duscht, duscht man mit erhöhtem Vergnügen.«

»Wenn man sich morgens trocken bürstet und anschließend kalt abwäscht, ist das für die Haut besser und für die Beweglichkeit auch.«

»Mir kommt das vor wie eine Einsiedelei für viele. Einer findet sich zum anderen.«

»Man müßte lernen, ein Idealist zu werden. Materialist ist man ohne Zutun.«

»›Vertagt man sein Leben: Schon ist's vorüber.‹ Was von unserer Lebenszeit hinter uns liegt, gehört schon dem Tod.«

»Der Prediger! Vielleicht spielt noch jemand Tennis, da hätte man gleich einen Partner.«

»Oder Schach!« – »Oder Skat? Warum eigentlich nicht Skat?« – »Kartoffeln!« – »Strauchrosen!« – »Gewächshaus!« – »Sauna!« – »Zwei Dutzend Leintücher!« – »›Maria weiß‹ für vierundzwanzig Personen!«

»Auf Ihr Wohl, Frau Pertes!«

»Daß es ein gutes Ende mit uns nimmt!«

Aber Hannah Pertes reagiert nicht, alle greifen nach den Gläsern, die Weberin reicht Hannah ein Glas. »Wo warst du? Ist dir nicht gut? Du bist blaß!«

»Gib mir einen Schluck Wasser, ich muß ernüchtert werden.« Sie lacht, lacht ihr unverständliches Lachen, setzt die Brille, die sie ins Haar geschoben hatte, dorthin, wo sie hingehört, erkennt alle wieder: Lea, Onkel Benedikt, den stillgelegten Landwirt, die Chemikerin, den Prediger. Sie wird gefragt: »Sind Sie weitsichtig?«

»Nein, aber ich wäre es gern.«

Als man sich endlich zum Aufbruch entschließt, sagt Hella Morten, daß bei nächster Gelegenheit sie diese ganze Kumpanei einladen möchte, so einen interessanten und heiteren Abend habe sie lange nicht erlebt. Das Essen sei frisch und wohlschmeckend gewesen – ob es nun biologisch in Ordnung war? »Mein Vorurteil gegen italienische Weine habe ich jedenfalls abgebaut.«

Das Lokal hat sich geleert, Salvatore begleitet die Gäste zur Tür, reicht dem Professore eine Quittung, flüstert ihm zu, daß er Datum und Endsumme nicht ausgefüllt habe, wirft dabei einen besorgten Blick auf die Weberin vom Finanzamt zwo, aber Professor Jonas zerknüllt die Quittung, reicht sie zurück: Dieses Vergnügen möchte er nirgendwo absetzen.

Salvatore verbeugt sich vor Hannah Pertes und bestellt ›complimenti‹ an Marco Antonio.

Was hat sich alles verändert, seit sie diesen Satz zum ersten Mal gehört hat!

9

›Es sollen die in jedem Menschen ruhenden Möglichkeiten einer rechten Ordnung geweckt werden.‹

Martin Buber

Bevor noch die ersten Bagger aufziehen, wird das Bauschild mit den Namen jener Baufirmen aufgestellt, die an der Ausführung des Projekts Pertes beteiligt sind. ›Projekt Pertes‹, auf diese Bezeichnung hat man sich geeinigt. ›Künstlerischer Entwurf: LEA‹, auf ihren Nachnamen verzichtet sie. »Müller gibt es viele, Lea ist einmalig.« Daß die Entwürfe von einer Frau stammen, sieht doch jeder, behauptet sie. Von der Bauleitung bis zu den Holzarbeiten, elektrischen Installationen, Bodenbelägen. Mehrere Firmen geben ihr neuerwachtes Umweltbewußtsein mit dem Beiwort ›Bio‹ oder ›Natur‹ oder ›Öko‹ an. Die Weberin hat noch ein Foto gemacht: Lea unter dem Bauschild, den Zimmermannsstift zum letzten Mal ins Haar geschoben; ein zweites Foto, auf dem Bauherr und Architekt zu sehen sind, die eine den Arm einvernehmlich um die Schulter der anderen gelegt – für beide geht eine glückliche Zeit zu Ende.

Aber sie geht nicht glücklich zu Ende. Das Auto ist bepackt, das Füchschen sitzt bereits im Kindersitz, zum letzten Mal Leas ›Komm-Komm‹. Sie zieht Hannah mit zu der Anhöhe, auf der sie so oft gestanden und ihr Projekt besprochen haben.

»Ich reagiere auf Zuruf«, sagt Lea, »damals hast du gerufen, und ich bin gekommen. Ich muß aufpassen, daß ich diese Zurufe wahrnehme.«

»Wer hat diesmal gerufen?« fragt Hannah; obwohl sie es weiß, läßt sie es sich bestätigen.

»Babette! Sie erwartet ein Kind. Wir legen die Kinder zusammen, ich kann im Haus wohnen, beide sind wir berufstätig, eine von uns wird immer Zeit haben, für die Kinder zu sorgen, dann brauchen sie keine Geschwister.«

»Und der Vater? Hat Babette ihn geheiratet?«

»Liest du denn nur Bauzeitungen? In allen Illustrierten konnte man deine schöne Tochter bewundern. Anläßlich der Hochzeit. Und alle Kinder aus allen seinen Ehen waren anwesend! Nur die Mütter fehlten und die Schwiegermütter. Nimm es nicht tragisch! Er ist ein reicher Mann, und Reichtum muß erworben werden, er kommt nicht oft, er wird uns nicht stören, aber er gibt uns die Basis. Er tut, als ob er sich auf seinen Sohn freut, es wird ein Sohn, das ist bereits geklärt, das Füchschen bekommt einen Bruder! Es wird einen biologischen Wettkampf geben! Mit welcher Frau hat er die besten Söhne hergestellt?«

»Du bist zynisch.«

»Überhaupt nicht! Unser Plan ist realistisch, du hast doch eine Vorliebe für realistische Pläne; die Bedingungen, unter denen du auf deinem Wachstuchsofa aufgewachsen bist und unter denen Babette und ich aufgewachsen sind – waren die erfolgversprechender? Willst du dich nicht ein wenig um Babette kümmern? Es könnte doch sein, daß sie dich braucht.«

»Sie wird mich verbrauchen oder mißbrauchen, oder ich sie.«

»Und hier? Meinst du, hier wird man keinen Mißbrauch treiben? Hier wird auch einer vom anderen verbraucht werden.«

»Hier soll es anders werden, das weißt du. Ich kann nicht wieder in dieses Mutter-Tochter-Rollenspiel zurück.«

»Du bist hart, Hannah, weißt du das überhaupt?« Lea kneift in Hannahs Nacken. Als diese zusammenzuckt, sagt sie: »Deine ganze Schulterpartie ist verhärtet, innen und außen, was du brauchst, ist ein Weichspüler.«

»Weichspüler sind umweltschädlich«, sagt Hannah, versucht den leichten freundschaftlichen Ton der letzten Monate wiederaufzunehmen. »Zu dir war ich nicht hart - oder?«

»Oder! Immer hängst du so ein fragendes Oder an. Zu Babette bist du hart. Babette und ich, wir sind wie Schwestern, die ihre Mutter verloren haben. Irgendwer muß dir das sagen, du duldest doch keinen über dir, der dir mal was sagt, du läßt dich doch nur bewundern. Diese großzügige Hannah Pertes! Schwach darf hier doch keiner werden, und Fehler darf er auch nicht machen. So sehe ich es wenigstens. Elite!«

Sie gehen zum Auto, beide die Hände in die Taschen geschoben.

»Ich lasse dich doch nicht im Stich, Hannah, natürlich komme ich und sehe mir alles an, wenn keiner auf der Baustelle ist. Wenn ich niemandem reinreden kann. Der Bauleiter ist in Ordnung! Laß das Füchschen in Ruhe, wenn du es jetzt in den Arm nimmst, brüllt es die nächsten zweihundert Kilometer. Das war's dann!« Sie läuft zum Auto, steigt ein, hupt zweimal und fährt davon.

Am selben Abend ruft sie an: »Ich streite mich immer, bevor ich irgendwo weggehe, sonst schaffe ich das nicht. Hannah! Hörst du mich, Hannah? Hörst du das Füchschen? Es heult! Soll ich denn auch noch heulen?«

An einem Freitagmittag werden die Bagger, Baukräne und Baumaschinen angefahren. »Die verbringen hier erst mal das

Wochenende, um sich zu gewöhnen«, sagt der Bauführer. »So vornehm haben die es auch nicht immer.«

Wenige Stunden später geht dann Ludwig Siminski über die zukünftige Baustelle: Die Torflügel sind ausgehängt, er entdeckt sie in der Garage, schleppt sie hin, wo sie hingehören, hängt sie ein und schließt das Tor. Seine beiden Koffer hat er in der Garage abgestellt. Er sieht sich die Kräne und Baumaschinen an, erst dann macht er sich bemerkbar, sagt zu Frau Pertes, daß er nun für immer im Westen wäre, mit den Möbeln würde es noch dauern, solange könnte er bei der Tochter wohnen. »Hier werde ich von jetzt an nach dem Rechten sehen. Da kann doch nicht jeder rein- und rausgehen!« Morgens wird er das Tor aufmachen, und abends wird er es zuschließen. Auf einer ungesicherten Baustelle kann sich jeder, der eine Spitzhacke braucht, bedienen. »Ich kenne Baustellen! Die Maurer lassen doch alles stehen und liegen.«

»Herzlich willkommen, Ludi!« sagt Hannah Pertes.

»Ich habe Ihnen was mitgebracht.« Er zieht eine Flasche aus der Rocktasche. »Da genehmigen wir uns immer mal einen Schluck, das werden wir in den nächsten Monaten brauchen. Ein Klarer ist immer noch das Beste, hier trinkt man ihn eiskalt, aber besser schmeckt er, wenn er Körpertemperatur hat, und die hat er. Ich habe ein paar Veilchen gepflückt, die kommen sonst alle unter den Bagger, mein Lebtag habe ich keins gepflückt. An der Burg Giebichenstein blühen jetzt auch die Veilchen. Meine Trude sagte immer: ›Laß sie stehen, Ludi, die sind für alle da!‹ Dies sind Ihre, ich dachte, pflück sie, dann braucht die Frau Pertes sich nicht zu bücken, Sie sind das nicht gewöhnt. Früher habe ich mir einen Schrebergarten gewünscht, und jetzt kriege ich einen ganzen Park. Am Bach war ich auch schon, er rauscht wie ein Fluß, den hört man von weitem, der hat jetzt viel Wasser. Mein Angelgerät kommt mit den Möbeln. Leicht war das nicht, einfach so wegzufahren, und die Nachbarn und die Arbeitskollegen können nicht weg und wollen ja auch gar nicht alle. Wie soll ich denn jemandem klarmachen, daß ich wegen meiner Schwiegermutter zum Republikflüchtling geworden bin? ›Private Gründe‹, habe ich angegeben. Zuerst mußte ich an die Stadt Halle einen Brief schreiben, Abt. Inneres, an den für mich zuständigen Stadtbezirk, daß ich um die Genehmigung bitte, meinen Wohnsitz von der Deutschen Demokratischen Republik in die Bundesrepublik Deutschland zu verlegen. Als Begründung habe ich den Tod meiner Frau angegeben und daß meine Tochter ›drüben‹ verheiratet ist. Ich habe die Tochter als Zieladresse angegeben, ich habe geschrieben, daß ich meinen Lebensabend bei meinen Kindern verbringen möchte, und genau das will ich nicht. Mit Lügen bin ich drüben weg! Und dann mußte ich angeben, daß ich gegenüber natürlichen und juristischen Personen keine Verbindlichkeiten hätte und keine Grundstücke besitze oder verwalte. Mein Sohn in Dresden mußte bestätigen, daß er gegen meine Ausreise keine Einwände hat und von mir nicht wirtschaftlich abhängig ist. Unbedenklichkeitserklärungen! Was die alles wissen wollten! Vorher hatten sie sich nie für mich interessiert. Ich unterhalte jetzt ein Konto bei der Staatsbank der Deutschen Demokratischen Republik. Ich mußte getrennte Listen anfertigen; für Gegenstände, die vor '46 angeschafft wurden, und für die, die danach angeschafft worden sind. Als ob wir vor '46 was besessen hätten! Alles in sechsfacher Ausfertigung, pro Kiste. Für Westumzüge gibt es nur die eine Firma. Wann meine Sachen dran sind, weiß ich nicht, den Schlüssel haben die Nachbarn, bis zum 15. Mai muß alles geräumt sein. Am meisten Schwierigkeiten machte der Rollstuhl, ob er mein persönliches Eigentum wäre und wofür ich ihn verwenden wollte. Was die alles fragen.«

»Und was wollen Sie mit dem Rollstuhl, Ludi?«

»Den kann man hier doch gebrauchen. Das kann ganz schnell kommen. In der Garage ist Platz genug, oder ich stelle ihn in mein Zimmer, dann ist es ein bißchen wie zu Hause. Vier Wochen nach Antragstellung habe ich die Mitteilung bekommen, daß meinem Antrag auf Entlassung aus der Staatsbürgerschaft der Deutschen Demokratischen Republik stattgegeben würde. Die Tochter traut dem Frieden nicht, sie denkt, sie hätte mich jetzt am Hals, keine außergewöhnliche, sondern eine ganz gewöhnliche Belastung. So direkt hat sie das am Telefon nicht gesagt. Sie hat hier schon mal am Tor gestanden. ›Man sieht ja nichts‹, sagt sie, ›da soll gebaut werden?‹ Davon hätte man doch mal gehört, es ist doch dasselbe Viertel. Wo will sie denn was hören? Sie fährt zum Einkaufszentrum, hier gibt es doch gar keinen Platz, wo man mal was hört. Mein Lebtag habe ich Rückfahrkarten gekauft, wenn ich überhaupt mal weggefahren bin. Einmal Dresden und retour. Nichts mehr mit retour. Im Aufnahmelager Gießen war ich schon, das habe ich hinter mir. Alles ganz höflich, nicht direkt freundlich, aber höflich. Ich hatte mir das schlimmer vorgestellt, ich stelle mir immer alles schlimmer vor, und nachher ist es dann nur halb so schlimm. Man kriegt pro Tag und pro Nase fünfzehn D-Mark West. Pro Nase, ich habe ja nur die eine. Wenn alles geregelt ist, bekommt man den Aufnahmeschein und das Geld für die Fahrkarte, wenn man wo unterkriechen kann. ›Können Sie zunächst mal irgendwo unterkriechen?‹ hat der Beamte gefragt, und da habe ich an Sie gedacht, aber gesagt habe ich: ›Also unterkriechen kann ich da nicht, aber ich habe schon eine Wohnung.‹ Sonst hätte ich in ein Durchgangslager gemußt. Die Adresse hatte ich im Kopf. Vor Aufregung konnte ich nicht schlafen, da habe ich die Adresse immer halblaut vor mich hingesagt. Ich hatte überhaupt keine Angst. Wegschikken und Abschieben gibt es da nicht. Wenigstens nicht, wenn man von drüben kommt. Drüben sagt man drüben, und hier sagt man drüben, von drüben nach drüben, das ist eine Reise! Ich hätte fahren können, wohin ich wollte! Eigentlich habe ich nie ›wohin‹ fahren wollen, für die meisten ist das der Hauptgrund, in den Westen zu gehen. Was man in einem Lager so alles hört! Die Starthilfe habe ich mir in Zwanzigmarkscheinen auszahlen lassen, damit kann ich umgehen, davon hatte ich drüben auch immer ein paar. ›'ne Geige‹, sagt man bei uns, hier weiß man nicht mal, daß auf den Geldscheinen eine Geige abgebildet ist. Mit einer Geige kann man viel erreichen. Zehn Mark war zuwenig, fünfzig war zuviel, hatte man ja auch nicht, aber für ›'ne Geige‹ bekam man schon mal was, was es sonst nicht gibt.«

»Wenn Sie knapp sind, Ludi –«

»Schulden? Schulden hatte der Ludi noch nie. Bis ich die Rente bekomme, kann es noch dauern; bis dahin: Sozialhilfe. Paßt mir nicht, muß sein. Erst mal wohne ich bei der Tochter. ›Dann hört das mit dem Pakete-Schicken endlich auf‹, sagt sie, dann braucht sie kein schlechtes Gewissen mehr zu haben, dann können wir sonntags mal einen Ausflug machen, sagt sie.

Wenn ich was brauche, dann stell' ich mich vor Sie hin und tue so, als spielte ich Ihnen was vor, und dann wissen Sie Bescheid: Der Ludi braucht 'ne Geige. Die Papiere habe ich zusammen, am Montag gehe ich zum Sozialamt und zur Polizei und melde mich an: ›Siminski, Ludwig, bei Pertes.‹«

Er wird verbessert: »Nicht bei Pertes. Sie haben eine eigene Haustür, eine eigene Klingel, ein Namensschild bekommen Sie auch.«

»Ich hatte gedacht, ich wohne bei Ihnen, nur eine Etage drunter.«

Ludi steht jetzt dicht vor ihr, beim Reden ist er immer weiter auf sie zugegangen, und sie ist immer weiter zurückgewichen, und jetzt sagt sie: »Nicht zu nah, Ludi! Wir können hier nur zusammenleben, wenn wir den nötigen Abstand halten.«

»Ich dachte, das sollte hier so was wie eine große Familie werden –«

»Und was ist mit Ihrer Schwiegermutter in Leuna? Und mit der Tochter?«

»Da haben Sie auch wieder recht. Ich hab's verstanden, nicht nah, aber in der Nähe. ›Der nötige Abstand‹, wie groß ist der denn? Drei Meter?« Ludwig Siminski hat sich zurückgezogen, äußerlich, auch innerlich.

»Wollen wir zusammen Kaffee trinken, Ludi?«

Er schüttelt den Kopf, er muß das erst mal schlucken. Jetzt geht er zur Tochter, die kommt bald von der Arbeit, die hat er noch gar nicht gesehen, und irgendwie gehört er da ja doch hin. »Familie! Ohne geht's nicht, mit geht's nicht. Wenn Sie selber Kinder hätten –«

Hannah Pertes widerspricht nicht, wartet die Pause ab, er fährt fort: »Die Tochter meint, daß ich eine billige Hilfskraft für Sie abgebe. Sie sieht das alles auf ihre Weise, man darf ihr das nicht übelnehmen. Besser als ein Wachhund wäre ich auch, meint sie.«

»Das will ich doch hoffen, Ludi!«

»Ich habe einen leichten Schlaf. Wenn man eine kranke Frau neben sich liegen hat –. Die Tochter redet von Schwarzarbeit.«

»Sie sollen hier nicht arbeiten, bis Sie schwarz werden, und ob Sie eine billige oder eine willige Arbeitskraft sind, wird sich herausstellen. Sie tun nicht mehr, als Sie tun wollen. Sie haben keinen über sich und keinen unter sich. Sie sind Ihr eigener Herr.«

»Sie meinen selbständig? Das war ich noch nie, das wollte ich auch noch nie sein.«

»Haben Sie das Parktor selbständig aus der Garage geholt und wieder eingesetzt?«

»Dafür fühle ich mich verantwortlich.«

»Genau das ist gemeint, Ludi.«

Als seine Möbel dann eintreffen, wird auch der Rollstuhl abgeladen, der Packer fragt, wo der denn hin solle, und Ludi sagt: »In die Küche«, ruft: »Vorsicht, das Stück ist teuer!«

Der Packer ruft: »Für einen Rollstuhlfahrer sind Sie aber gut zu Fuß.«

Ludi Siminski behält seinen Rollstuhlblick. Während der Bauzeit betrachtet er die Zufahrten, die Schwellen der Gartenwege: Kann man hier mit einem Rollstuhl fahren oder nicht?

Als er mit der Einrichtung seiner Wohnung fertig ist, erkundigt sich Hannah Pertes, was mit der Werkstatt werden solle, ob er eine Werkbank brauche.

»Nicht von Ihnen!« sagt er. »Ihnen gehört hier sowieso alles.«

»Dafür kann ich nichts, Ludi.«

»Da haben Sie auch wieder recht. Ich muß hier noch viel lernen, aber ein Ziel brauche ich, das wissen Sie doch am besten.«

»Das weiß ich«, sagt sie, »meines ist ein wenig zu groß geraten.«

Es wird kein Grundstein mit der Formel für Atomspaltung gelegt; dem Rausch der Planung ist Ernüchterung gefolgt.

Morgens schließt Ludi das Parktor auf, läßt die Arbeiter herein, abends, wenn der letzte gegangen ist, schließt er wieder ab; er hält sich in der Nähe, schickt Schaulustige fort, beantwortet aber auch Fragen, wer hier eigentlich baue und für wen und ob alle Häuser schon vergeben seien. Eigentumswohnungen? Ludi verneint, das nicht. Ein Altenwohnheim? Nein, das nicht. Hannah Pertes wird von keinem angesprochen und folglich auch nicht gefragt, aber den Ludi fragt man, er sagt: »Das ist ein tolles Ding, da wird man sich noch umgucken. Alles Natur«, sagt er. »Für Menschen, die natürlich leben wollen. Allen gehört hier alles!« Seine Auskünfte richten mehr Verwirrung als Klarheit an. »Ein Millionending!« sagt er.

Er sorgt für Bier und Mineralwasser. Keine Einwegflaschen, das hat er rasch verstanden; er nimmt Aufträge entgegen, besorgt Brötchen, Zigaretten, rechnet ab. Am Feierabend räumt er das herumliegende Werkzeug zusammen und macht es sauber. »Das kostet doch alles Geld«, sagt er, ›Westgeld‹ sagt er noch immer. Er sammelt die herumliegenden Bierflaschen ein, ebenso die Flaschenverschlüsse. Als er einen Arbeiter am Bach stehen sieht, geht er hin. »Tu das nicht wieder! Die Fische mögen deine Pisse nicht!«

»Meinst du, die möchten Kuhpisse lieber? Das geht doch alles den Bach runter.«

»Die Kühe kenne ich nicht, aber dich kenne ich, da oben steht euer Häuschen.«

Der Bauführer fragt: »Wer macht denn hier eigentlich die Aufsicht?« Ludi nennt seinen Namen, er geht der Chefin zur Hand, eine Dame kann so was doch nicht.

Der stillgelegte Landwirt hat inzwischen mit seinem Vorhaben begonnen, er rodet und gräbt; nur selten taucht er an der Baustelle auf, noch seltener im Haupthaus, wo die notwendigen Umbauten begonnen haben.

Ludi geht ihm aus dem Weg, die Männer grenzen ihre Reviere ab, bis dann eines Abends, als die Baustelle versorgt und das Parktor geschlossen ist, Ludi mit einer Greipe über der Schulter am künftigen Gemüsegarten erscheint und erklärt, daß er sich zutraue, ein Stück Land umzugraben. »Ich –«

Bevor er in Schwung gekommen ist, wird er unterbrochen. Reinreden läßt sich dieser stillgelegte Landwirt nicht, schon gar nicht von einem Stadtmenschen.

»Halle! Ich komme von drüben. Ich rede nun mal gern«, sagt Ludi, aber ›reinreden‹, das hätte ihm noch keiner nachgesagt. Er nimmt seine Greipe und zieht ab.

Als Jobst Lorenz ein paar Tage später anfragt, ob er eine Hilfskraft bekommen könne, lehnt Ludi dieses Ansinnen ab, freiwillig, ja, aber abkommandieren, nein. Die Weberin sagt: »Wo ist der Schnaps? Vielleicht kann man das Problem mit einem Schnaps lösen?«

Das Eßzimmer muß um den Wintergarten vergrößert werden, die Halle muß verkleinert werden, um einen Vorratsraum neben der Küche zu gewinnen. Am Kaminzimmer läßt sich nicht viel ändern, das große Arbeitszimmer kann man als Musikzimmer oder Bibliothek einrichten; vorerst sitzt die Weberin nachmittags dort am Schreibtisch und rechnet, kontrolliert, schreibt Überweisungen aus, Hannah Pertes hat ihr Prokura erteilt. Bei den Mehrkosten, die durch die Wärmedämmung entstehen, handelt es sich um Sparmaßnahmen, die vom Staat unterstützt werden. Sie stellt Anträge, auch in der korrekten Anfertigung von Anträgen kennt sie sich aus. Mit Genugtuung schreibt sie auf den Umschlag: Finanzamt II.

Leas Zeichnungen und Aquarelle hängen noch an den Wänden. Der Chef einer Installationsfirma geht von Bild zu Bild, sagt: »Verrückt! Völlig verrückt! Aber schön!« und fragt, ob man so ein Blatt käuflich erwerben könne. Die Weberin sagt: »Die Künstlerin ist nicht billig.« – Am Geld soll es nicht liegen, aber so ein Traumhaus, das man sich ansehen könnte, während man mit einem Kunden über eine Autowaschstraße verhandele, schließlich verdanke er diesen Auftrag doch seiner Sachbearbeiterin beim Finanzamt zwo.

Die Weberin verbessert: »Gewesene Sachbearbeiterin! Warum haben Sie den Auftrag wohl bekommen? Weil die

Steuerprüfung bei Ihnen nur die kleinen eingebauten Fehler erbracht hat. Ihr Laden ist in Ordnung.«

»Das ist auch so was«, sagt er, »da zahlt sich das Reelle wahrhaftig auch noch aus, das glaubt einem doch keiner.«

Fünf Bilder verkauft die Weberin, eines teurer als das andere. »So geht es ja auch nicht, Lea ist vierzig, Mutterschutz und Sozialamt, wenn man so begabt und fleißig ist. Sie muß Rechnen lernen!«

Lea ruft durchs Telefon: »Phantastisch, Weberin, Sie sind phantastisch! Vielleicht höre ich auf zu bauen und male lieber, lauter Traumhäuser für Materialisten. Sagen Sie Hannah, daß die Fensterrahmen und Türen am Haupthaus grün gestrichen werden müssen! Blau wäre gut gegen die bösen Geister, aber bei Grün kommt noch Gesinnung dazu, es paßt zu Klinker. Wenn die Außenfarbe ein bißchen giftig ist, macht das nichts. Es leckt doch keiner dran. Wie weit seid ihr überhaupt? Kann man schon was sehen? Wann soll das Richtfest sein? Nein, ich will nicht mit ihr sprechen! Ich verstehe kein Wort, Weberin! Was ist das für ein Lärm?«

»Es wird hier gerade eine Zwischenwand entfernt, mit Preßluftbohrern, phantastisch!«

Und Britten? Er läßt sich nur selten sehen, gibt ein paar Sentenzen über ›das Leben als Baustelle‹ von sich; er schließe gerade eine größere Arbeit ab, und Hannah sagt: »Dann lassen Sie sich nicht stören!«

»Sehen Sie mich nicht an, als ob ich das alles veranlaßt hätte!«

»Aber Sie haben es, Britten!«

»Auf eine gewisse theoretische Weise. Aber in den Auswirkungen –«

»Haben Sie es sich so nicht vorgestellt? Ich auch nicht.«

»Wir könnten einmal wieder zusammen im ›Bosco‹ essen.«

»Ludis Küche ist noch in Betrieb, er kocht für die Weberin und manchmal auch für mich. Wenn Sie wollen, kocht er auch für Doktor Britten und seinen Hund.«

Britten greift ihr ins Haar, zieht die Brille herunter. »Vor

Ihnen steht ein Freund, Hannah mit den zwei h! Sie wollen doch etwas aufbauen, nichts zerschlagen. Wissen Sie, was Ihnen fehlt?«

»Ein Weichspüler, meint Lea, und was meinen Sie?«

»Sie müssen sich ein paar Aggressionen ablaufen. Soll ich Mark Anton hierlassen, und Sie gehen mit ihm ein Stück über die Felder?«

»Dem Hund würde es auch guttun - oder?«

»Hier ist die Leine, rufen Sie an, dann hole ich ihn wieder ab.«

10

›Man soll nie vergessen, daß die Gesellschaft lieber unterhalten als unterrichtet sein will.‹

Knigge

Das Richtfest. Der Bauleiter hat erklärt, es sei Tradition, ein Richtfest müsse sein, darauf hätten alle Anspruch, die am Bau mitgearbeitet haben. Am besten sei ein Freitagmittag, die Baukräne und Bagger könne man vorher bereits auf die nächste Baustelle fahren; er werde ein paar Sätze sagen, der Polier, der Bauherr natürlich, dann werde der Richtkranz aufgezogen. »Das Ganze dauert nicht länger als eine Stunde, die Leute wollen ins Wochenende, schließlich ist Sommer. Falls es so heiß bleibt, nicht zu viele Getränke, die Leute müssen noch fahren. Ich hätte übrigens nicht gedacht, daß die Konstruktion des Baues in diesem Stadium so klar zu erkennen sein würde. Das fügt sich gut ins Gelände. Läßt sich diese geheimnisvolle Lea wenigstens zum Richtfest sehen?«

»Kaum«, sagt Hannah Pertes.

Das Richtfest dauerte für einige der Teilnehmer eine Stunde, für die anderen bis zum Sonnenuntergang. Die Weberin hatte vorgeschlagen, alle einzuladen, die sich bereits für das Projekt Pertes entschieden hatten. Ein paar Unentschiedene würden sicher ebenfalls kommen. Der Kreis war dann kleiner als erwartet. Wo war dieser Dr. Britten? Wo war dieser Chirurg? Wo blieb Lea? Nicht alle, die fehlten, wurden auch vermißt.

Die ersten Ausrufe: »Das Haus hat keine festen Wände!« – »Das sind ja Lauben, die aneinanderhängen!«

Gläser werden verteilt, Flaschen bereitgestellt. Dann schlägt der Bauleiter bereits an eine Glocke, man versammelt sich. Der Polier steht breitbeinig und freihändig auf einem Balken, in einer Hand ein zerknittertes Blatt Papier, in der anderen das Glas, er deklamiert: »›Das neue Haus ist aufgericht't,/Gedeckt, gemauert ist es nicht;/Noch können Regen und Sonnenschein/Von oben und überall herein . . .‹«

Uhland! Das ist doch von Uhland! Er hat recht, von oben und allen Seiten scheint die Mittagssonne herein. Die kleine Gesellschaft drängt sich im Schatten einer Plane zusammen, die Ludi vorsorglich von einem Balken zum anderen aufgespannt hat. Der Polier wünscht nun – mit Uhland – für die Kornböden und Stuben und Küche und Stall das Beste; jede weitere Aufzählung erheitert die künftigen Bewohner: Kornböden – Ställe – Küchen!

Er kommt zum Schluß: »›Und daß aus dieser neuen Tür/ Bald springen fromme Kindlein für./Nun, Maurer, decket und mauert aus!/Der Segen Gottes ist im Haus!‹«

Selten hat er soviel heiteren Beifall für dieses Gedicht bekommen, das er bei jedem Richtfest aufsagt; selten hat das Gedicht so schlecht gepaßt. Er leert sein Glas, und unter Hurra-Rufen wirft er es gegen eine Mauer; der leitende Ingenieur ergreift Glas und Wort, begnügt sich, des Wochenendes wegen, mit den letzten Zeilen eines Richtspruchs: »›So werf' ich nach alter Sitte/Das Glas hinab in eure Mitte;/Des Glases Scherben, der funkelnde Wein,/Sie sollen des Glückes Unterpfand sein!‹« Er leert das Glas in einem Zug, eine Leistung, die mit Hurra-Rufen belohnt wird.

Nun ist der Bauherr an der Reihe. Also doch eine Bauherrin, eine Baufrau!

Hannah Pertes lehnt ab, reden wird sie nicht. Aber einer

muß doch reden! Der Prediger! Man reicht ihm ein gefülltes Glas, er tritt einen Schritt vor. Eine Zeile, mehr wird er nicht sagen, sie steht in den ›Sprüchen‹, das hat man erwartet, schon wird gelacht. »›Durch weise Weiber wird das Haus erbaut -‹« Auch er leert das Glas, ohne es abzusetzen, aber erst, nachdem er es hochgehalten und Hannah Pertes so lange angesehen hat, bis sie die Brille ins Haar schiebt.

Und plötzlich wünscht sie dann doch etwas zu sagen. Der stillgelegte Landwirt verschafft ihr Gehör, indem er in seine kräftigen Hände klatscht. Sie hebt ihr Glas. »Das Menschenmögliche ist noch nie versucht worden.«

Einige erinnern sich und verstehen, was sie damit sagen will, andere nicht, ein Anlaß zum Trinken ist es für alle.

Die Arbeiter verabschieden sich mit Handschlag von Hannah Pertes, auch von Ludi, den sie für zuständig halten, und begeben sich zum Parktor und zu ihren Autos, für sie ist das Projekt Pertes erledigt.

Die Weberin fotografiert den bebänderten Richtkranz, findet ein paar wirkungsvolle Motive, es fehlt auch nicht an einer weißen dekorativen Sommerwolke. Die künftigen Bewohner gehen auf Holzplanken durch die künftigen Räume. Sind das wirklich sechzig Quadratmeter Wohnfläche? Das wirkt doch sehr klein! Einer der Herren hat einen Zollstock mitgebracht, er leiht ihn aus, man mißt nach, wahrhaftig sechs mal zehn Meter, das muß doch genügen; als man mit der Familie zusammenlebte, hatte doch keiner sechzig Quadratmeter für sich allein. Sind die Zwischenwände nicht zu dünn? Wird man den Nachbarn hören, wenn er nun schnarcht? Vielleicht hört er schwer und stellt den Fernseher zu laut ein? Wenn er nun einen chronischen Bronchialkatarrh hat?

Lauter ›Wenns‹ und natürlich auch die unvermeidlichen ›Jabers‹.

Der stillgelegte Landwirt fragt, ob man dieser Frau Ja-aber nicht ein frisches Bier bringen könne, dann sähe sich alles gleich besser an, auch für sie.

»Ich heiße Liebig!«

»Das sieht man Ihnen nicht an, daß Sie so heißen. Sind Sie sicher? Liebig? Liebichnicht!«

Die Weberin sagt, daß er das auch nicht müsse, aber leiser müsse er sprechen. Frau Ja-aber fragt, ob sie etwas Komisches gesagt habe, weil gelacht werde.

»Leider nein«, sagt der Prediger. »Wir würden gern einmal mit Ihnen lachen.«

»Wer soll denn die Glaswände sauberhalten?« - »Die Vögel werden gegen die Scheiben fliegen und tot liegenbleiben.« - »Wie sollen die Wohneinheiten überhaupt verteilt werden? Mit wem wird man denn Wand an Wand schlafen? Nur zwei Backsteinbreiten dazwischen!« - »Und der Hohlraum!«

Die Rosenfreundin betrachtet den stillgelegten Landwirt: So ein großer Mann und so nah. Eine andere Frau schlägt vor, daß sie neben ihm wohnen könne, sie sei kräftiger. Hätte man das erste Glas Sekt nicht so rasch trinken sollen, wird der Ton nicht ein wenig frivol?

»Wie war Ihr Name?«

»Hella Morten!«

»Dann sind Sie die Chemikerin!«

»Und Sie sind der Prediger, und Ihren richtigen Namen habe ich auch nicht behalten.«

»Wir haben zum Kennenlernen noch viel Zeit.«

»Wenn ich nicht schlafen kann, schiebe ich meine Möbel auf den sechzig Quadratmetern hin und her und her und hin.«

»Sie sollten vorm Schlafengehen Wechselfußbäder machen.«

Man lehnt an den Holzpfosten des späteren Glasganges, der die Hauseingänge miteinander verbinden soll: »Wenn diese Pfosten nicht mit Naturfarbe gestrichen werden, wächst hier nicht einmal Knöterich.« Man hat sich den Gang breiter vorgestellt; die Weberin sagt, daß man ein paar Korbmöbel aufstellen könne und mit dem einen oder anderen eine Tasse Tee trinken.

»Wenn ich der eine sein dürfte?«

»Trinken Sie Tee?«

»Mit Kandis und einem Löffel Rahm.«

Der Prediger kommt dazu, er hat etwas von Tee mit Kandis

und Rahm gehört, erkundigt sich nach dem Zeitpunkt. Mitte November?

»Man wird auch bei Regenwetter im Freien sitzen können!« – »Ob es im Sommer unter dem Glasdach nicht zu heiß werden wird?« – »Im nächsten Sommer!« – »An heißen Tagen kann man im Schatten der Bäume sitzen!« – »Dann gehen wir ins Detail!«

Inzwischen hat man sich in das künftige Badehaus begeben, das nun begutachtet wird. Man steht im Kreis um ein ummauertes Loch herum. »Das geht doch mindestens eineinhalb Meter in die Tiefe.« – »Ein Brunnen?« – »Das wird das Tauchbecken für die Sauna!«

»Darin gehe ich ja unter!« sagt die Rosenfreundin.

»Wir werden Sie retten«, sagt einer der Herren.

»Wer sind Sie eigentlich?«

»Christopher Crispin.«

»Ein Jungbrunnen! Man wird untertauchen und erfrischt wieder auftauchen.« – »Wird man gemeinsam die Sauna besuchen?« – »Was soll denn dabei passieren?« – »Und wo sollen die Waschmaschinen stehen?« – »Und wo kann man bügeln?« – »Müssen wir denn bei diesem festlichen Anlaß über Waschmaschinen reden?« – »Man wird sich im Waschhaus treffen wie im Mittelalter am Brunnen.« – »Und was soll aus der Waschmaschine werden, die man besitzt?« – »Bei mir ist alles schon verteilt, ich habe mehr Neffen und Nichten, als ich überhaupt ahnte. Der Elektroherd – weg! Der Spülautomat – weg! Eine Haushaltsauflösung zu Lebzeiten, und alle strahlen.«

Der Prediger sagt, daß er sich zwar zutraue, eine Waschmaschine mit Hilfe einer guten Gebrauchsanweisung zu bedienen, aber bügeln, Hemden bügeln?

»Wenn ich das übernehmen dürfte?«

»Sie dürfen! Sie sind doch Frau Seitz?«

Sie strahlt, sie bekommt Kundschaft, sie wird nicht unterbeschäftigt sein. »Sie können auch Hilde zu mir sagen.«

Sollten denn die anfallenden Arbeiten nicht von allen erledigt werden? Wird man hier tun, was man immer getan hat?

Ludi erscheint und verkündet: »Es kann losgehen!«

Er hat die Windrichtung geprüft, bevor er den Gartengrill aufgestellt hat, er hat die Holzkohle fachkundig und rechtzeitig angezündet, darauf versteht er sich; ›drüben‹ hat er bei allen Betriebsfeiern das Grillen übernommen, da ist eigens ein Firmenwagen gekommen und hat seine Frau abgeholt, damit sie mitfeiern konnte. Das Betriebsklima sei drüben besser, das sagen alle, aber nach seiner Meinung sei das Klima hier in Ordnung. Er könne nicht klagen.

»Achtundzwanzig Grad, im Schatten!«

Die Sitzplätze reichen nicht für alle, im nächsten Sommer wird das anders sein, heute werden einige sich auf Decken lagern müssen. Es stellt sich heraus, daß niemand auf den Stühlen sitzen möchte, so alt ist man schließlich noch nicht, daß man an einem Sommermittag nicht im Gras lagern könnte. Der Schatten reicht für alle. »Darf man die Jacketts ablegen?«

Ludi hat die Bierkästen in den Bach gestellt, das Bier hat die richtige Temperatur, nicht zu kalt, nicht zu warm.

»Ja – aber, gegrilltes Fleisch soll doch gar nicht gesund sein!«

»In Jugoslawien grillt man Fleisch und Fisch, und dort werden die Menschen uralt.«

»Das liegt am Joghurt! Das Fleisch und den Fisch essen die Touristen!«

»Dann sind wir heute Touristen, man feiert nur einmal ein Richtfest!«

Man ißt Koteletts und Würstchen, spült die Hände im Bach ab. Die Weberin macht ein paar Aufnahmen.

Ein verspäteter Gast kommt über den Rasen, man erkennt ihn am schleppenden Gang. Der Prediger hebt sein Glas und ruft ihm entgegen: »›Gelobt sei, der da kommt –‹, Benediktus!«

Professor Jonas wird nie wieder anders genannt werden als: Benediktus. Man begrüßt ihn freudig, und er erkundigt sich, welche Rede er versäumt habe. »›Das neue Haus ist aufgericht't‹?«

Man stimmt lachend zu, genau das! Er blickt sich um und fragt, ob dies nun all die frommen Kindlein seien. Man füllt ihm ein Glas, Ludi serviert das Kotelett auf einer Scheibe Brot, Benediktus nimmt auf einem Stuhl Platz, des schönen Anblicks wegen, wie er sagt.

»Ein Bild wie von Manet, ›Das Frühstück im Freien‹. Der Bach, die Bäume, die Herren und Damen; die Damen allerdings alle bekleidet.«

»Es ist ja auch Nachmittag inzwischen, und alle sind inzwischen ein wenig älter geworden.«

Die Weberin sagt, daß sie bereits ein Foto zum Vergleich mit dem Manet-Bild gemacht habe. Sie wird es allen Teilnehmern des Richtfestes zuschicken.

Jemand stellt fest: Hier wird man nun wohnhaft sein. Ein anderer unterbricht: »Haft? Wieso denn Haft?« – »Wir werden alle im Glashaus sitzen!« – »Das ist alles so einsichtig.«

»Sie sollen einsichtig sein, nicht das Haus, meine Liebe!«

»Hella Morten!« sagt die Chemikerin.

»Kein Schornstein? Woher kommt denn die Wärme?« – »Soll ich bei der Bauherrin nachfragen?« – »Lieber nicht!« – »Wir werden uns abhärten!« – »Kalt schlafen ist ebenso ungesund wie warm schlafen!« – »Wer bei geöffnetem Fenster schläft, ist deshalb noch kein besserer Mensch!«

Hella Morten steht, wo ihr Treibhaus stehen sollte. Was ist passiert? Was ist nicht passiert? Sie hat die veranschlagte Summe doch bereits überwiesen, man hat ihr die Bauzeichnung zugeschickt. Sie wird beruhigt. Auch das Treibhaus wird im Herbst fertig sein. »Das Gewächshaus!« Ein Ausgang ins Freie, eine Tür zum Glasgang. Das Gewächshaus wird ein Glasdach haben, genau wie die Glasveranden an der Südseite.

»Sie stehen mittendrin«, sagt die Weberin.

»Ich kann es mir nicht vorstellen.«

Der stillgelegte Landwirt erhebt sich und fragt, ob sich niemand das Gartengelände ansehen wolle, das er in den letzten Monaten im Schweiße seines Angesichts –.

Die Weberin unterbricht ihn und stellt richtig: »Im Schweiße von Ludis Angesicht!«

»– kultiviert habe.« Und Ludi erklärt, daß er leicht in

Schweiß gerate, was alle an seinem geröteten Gesicht erkennen können.

»Kultiviert«, wiederholt der stillgelegte Landwirt, »künftiges Gartenland.«

Einige sind bereit, sich das Gelände anzusehen.

Die ersten Frühkartoffeln sind bereits aufgegangen. Rechtzeitig wird er Feldsalat für den Winter säen, Spinat, Rosenkohl, alles zu seiner Zeit.

»Und alles in Reih und Glied?« fragt die Weberin.

»Was ist das?« Jobst Lorenz betrachtet die Kartoffelreihen. »Wie kommt das Zeug hierhin? Das werden doch Sonnenblumen!« Er zeigt auf die kleinen Pflänzlinge, zeigt auf die Weberin. »Das waren Sie! Sie wollen für Ordnung in den Finanzen sorgen? Und hier machen Sie Unordnung?«

»Irgendwo muß ich doch mein Bedürfnis nach Unordnung befriedigen. Meinen Sie nicht, daß sich Sonnenblumen mit Kartoffelstauden vertragen werden?«

»Und wo gedenken Sie Ihre Staudenbeete anzulegen, Verehrteste? Es könnte nämlich sein, daß sich in Zukunft mal ein Rosenkohl oder ein Blumenkohl in Ihre Beete verirrt.«

Die künftigen Kämpfe zwischen dem Schönen und dem Nützlichen sind absehbar.

Die Rosenfreundin sucht nach geeigneten Plätzen für ihre Strauchrosen, ihr helles Kleid taucht mal hier, mal dort auf, ein honiggelber Farbtupfer im Grünen.

»Darf hier denn jeder machen, was er will?«

»Wenn er andere nicht behindert.«

Britten kommt mit seinem Hund, jemand ruft: »Rettet die Würste!« Ludi spendiert dem Hund eine Wurst, nachdem die Weberin erklärt hat: »Wenn wir Koteletts und Würste bekommen, bekommt der Hund auch eine Wurst! Soviel Fleisch wird es nie wieder geben, oder täusche ich mich?«

»Sie täuschen sich nicht«, sagt Hella Morten. »Wir werden hier naturbewußt leben, weitgehend vegetarisch!«

»Gibt es kein frisches Glas mehr für Doktor Britten?«

»Der Hund hat auch Durst!« Britten macht ihn von der Leine los, der Hund springt ins Wasser, kommt prustend heraus, schüttelt sich, daß die Tropfen sprühen, was die einen erfrischt, die anderen zu Pfui-Rufen veranlaßt. Die Chemikerin erklärt, daß der Urin von Rüden schädlich für Bäume und Sträucher sei, woraufhin der Hund einen der Holzpfosten markiert. Hannah Pertes sieht Britten an und sagt: »›There is not a nobler dog than –‹«

Noch gibt es keine Wege, die zum Parktor, zum Haupthaus, zum Bach führen; im Laufe der Bauzeit werden sich Trampelpfade ergeben, die erst im Herbst, am Ende der Bauzeit, befestigt werden sollen. Womit? Sie müssen bei Regen rutschfest sein und bei Glatteis.

Ludi sagt, daß man auch daran denken müsse, daß man im Rollstuhl auf den Wegen fahren kann. Soll man eines möglichen Rollstuhlfahrers wegen –? Wäre es nicht besser, wenn der Betreffende dann auszöge –? Darüber muß man reden!

Darüber wird dann auch geredet. Ein stufenloses Leben für alle? Backsteinwege! Roter Ziegel durchs grüne Gras? Oder doch besser Asphalt? »Mit Asphalt machen wir uns unglaubwürdig.«

»Wir asphaltieren die Welt zu, innen und außen!« sagt der Prediger.

»Müssen wir an diesem schönen Nachmittag über innere Asphaltierung reden? Wir lockern den Boden doch gerade erst auf!« sagt die Rosenfreundin.

»Meinen Sie das symbolisch, meine Liebe?«

Der Hund schlägt an, zerrt an der Leine. Hannah Pertes steht auf und sagt, daß sie nachsehen werde.

Lea! Sie ist allein, kommt ohne das Kind. Sie wartet, bis Hannah bei ihr ist, fällt ihr um den Hals.

»Sieh dir alles zunächst alleine an, und dann setzt du dich zu uns, Lea. Du hättest dabeisein sollen, als der Richtkranz aufgezogen wurde, die Arbeiter haben damit gerechnet.«

»Laß mich nicht allein, Hannah! Was sagen denn deine Leute? Die Häuser umarmen den Hügel, hat das überhaupt schon jemand gesehen? Umarmen – was sage ich denn, ich muß verrückt sein. Es ist eine halbe Umarmung! Ich rege mich jedesmal auf, mir ist übel. Weißt du, was fehlt, Hannah? Man hätte oben in das Gebälk Luftschaukeln hängen sollen, nur für diesen einen Tag, etwas ganz Phantastisches. In wenigen Tagen deckt man alles mit Ziegeln zu und verglast, und die Luft kann nicht mehr rein und raus.«

Sie wirft einen Blick auf die kleine Gesellschaft, die nun nicht mehr im Schatten der Schwarzerlen sitzt, sondern in der Sonne. »Vielleicht sind es nicht die richtigen Jahrgänge für Luftschaukeln. Onkel Benedikt!« ruft sie, kniet sich neben ihn ins Gras: »Sag, daß du zufrieden bist!«

»Ich bin nicht zufrieden, Lea, ich habe vielmehr den Eindruck, als könnte ich mich hier wohl fühlen.« Er sieht nicht Lea an, sondern Hannah Pertes.

»Habt ihr keinen Kaffee?« fragt Lea. Bloß keine kalten Bratwürste, auch kein Brot, sie braucht einen Kaffee.

»Die Küche ist nicht benutzbar, im Haus ist kaum noch etwas benutzbar, ich lebe in einer Baustelle, sieh es dir nachher an, du kannst dort nicht schlafen.«

Die Weberin sagt, daß für Kaffee gesorgt sei, drei Thermoskannen habe sie mitgebracht. Diesmal hat keiner etwas gegen Pappbecher einzuwenden, die Umsicht der Weberin wird gelobt, kann sie alles so gut kochen wie Kaffee?

»Das wird sich herausstellen.«

Lea, in blauen Leinenhosen und mit blauer Leinenbluse, sieht aus wie ein provençalischer Landarbeiter, zumindest behauptet das ihr Onkel Benedikt.

»Hebt mir Kaffee auf, ich muß etwas kontrollieren.« Nach wenigen Minuten kommt sie zurück. »Okay!« sagt sie. »Man kann über die Häuser hinwegsehen. Ich hatte Angst, daß ich euch allen die Aussicht vom Hügel aus verbaut hätte.«

Die Weberin blickt Hannah Pertes an, die beiden lächeln sich zu. Warum sollte man Lea enttäuschen: Der Winkel der Pultdächer wurde ein wenig verändert, den Proportionen hat das nicht geschadet.

Lea trinkt den Kaffee im Stehen, geht noch einmal durch die Baustelle, erklärt dann, daß sie nun wieder zurückfahre. »Ich habe mich hier sehen lassen, das genügt doch! Wenn alles fertig ist, komme ich wieder. Bringst du mich zum Auto, Hannah? Könntest du vielleicht einmal den Arm um mich legen? Das hast du doch früher manchmal getan.«

»Ist alles in Ordnung, Lea?«

»Hast du je erlebt, daß alles in Ordnung ist?«

»Nein.«

»Siehst du!«

»Und das Füchschen?«

»Das bleibt so ein kleines Ding, das verkriecht sich. Sorg dich nicht! Wir haben es ja gut getroffen. Du mußt dir nichts anhören, Hannah, komm, komm! Ich erwarte doch gar nichts von dir. Weißt du eigentlich, wie abweisend du manchmal sein kannst?«

»Du sagst es mir gerade!«

»Man wird dich doch in die Arme nehmen dürfen!« Und schon sitzt sie am Steuer, hupt zweimal und fährt davon.

»Wann ist es soweit?« – »Wann kann man damit rechnen, daß die Häuser bezugsfertig sind?« Vorsichtshalber wird der erste November genannt; wenn alles termingerecht weitergeht wie bisher. Eine Rekordzeit! Wenn man bedenkt, wann mit der Planung begonnen wurde. Das klingt wie im Märchen!

»Ist es ja auch«, sagt der Prediger, »und wenn sie alle gestorben sind –«

11

›. . .je erhabener man sich anderen zu präsentieren sucht, um so tiefer sinkt man in ihrer Meinung.‹

Tolstoi

Die Entscheidungen sind gefallen. Man trifft sich noch ein letztes Mal zu vorbereitenden Gesprächen; wenn man das nächste Mal kommt, kommt man für immer. Keiner soll mitmachen, der nicht der Überzeugung ist, daß er für immer kommt.

Die Umbauten an dem Pertesschen Haus sind inzwischen abgeschlossen. Von der großen Eingangshalle hat sich ein Büro für die Weberin abteilen lassen; an zwei Tagen der Woche wird sie nachmittags für finanzielle Beratungen zur Verfügung stehen. Man hat sich geeinigt, daß das Bankgeheimnis gewahrt bleibt, aber die Regel ›Jeder die Hälfte‹ bleibt bindend. Der Eßraum ist um den großen hellen Wintergarten erweitert worden. Im sogenannten Musikzimmer steht vorerst nur der Flügel, ob man einen weiteren, kleineren Raum für gemeinsame Veranstaltungen brauchen wird, muß sich erweisen, einen Raum, in dem Bridge oder Schach gespielt werden könnte.

Ein Blick in die Küche besagt: Sie ist noch nicht in Betrieb. Die Vorratsräume sind noch leer. Schade! Eine Trockensitzung also, der gesellige Teil ist doch jedesmal eine Gewähr für das Gelingen späterer Zusammenkünfte.

Keiner erkundigt sich, wo denn nun Hannah Pertes eine kleine Mahlzeit für sich herstellen könne.

Noch wirken die Räume kühl und abweisend. Hannah Pertes sagt erklärend, daß Vorhänge, Kissen, Tischwäsche erst im Laufe der nächsten Wochen geliefert werden, sie hat eine Innenarchitektin mit der Ausstattung der Räume beauftragt, auch mit der Auswahl von Geschirr und Küchengeräten.

»Man möchte an diesem Nest doch mitbauen!« sagt eine weibliche Stimme, worauf eine männliche Stimme sagt: »Brüten will hier doch keiner!« Diese kräftige Stimme kennen nun schon alle, aber wer hat da von ›Nest‹ gesprochen?

Die arme Hilde Seitz! Da steht sie nun, das Gesicht vor Verlegenheit gerötet. »Ich kann mich nicht so ausdrücken, man sagt doch immer ›ein Nest‹, wenn man sich wohl fühlen möchte.« Sie habe immer in der Stadt gelebt, in der Natur wisse sie nicht so gut Bescheid.

Bei diesem letzten Zusammentreffen vor dem Einzug soll jeder ein wenig aus seinem Leben berichten und über seine persönlichen Erwartungen sprechen. Hannah Pertes fordert Hilde Seitz auf, doch gleich den Anfang zu machen, man wird ins Kaminzimmer gehen, dort reichen die Sitzplätze aus.

»Wenn Sie nicht gern vorn stehen möchten, setzen Sie sich, wir müssen uns alle möglichst kurz fassen, sonst wird es Mitternacht darüber.«

»Ich bleibe lieber stehen«, erklärt Hilde Seitz, »ich habe immer gestanden, man steht doch auf, wenn jemand in den Laden kommt, da bleibt man doch nicht sitzen. Ich habe eine Filiale geleitet, aber das wissen Sie schon. Wenn keine Kunden da waren, habe ich gestickt, Bilder nach berühmten Vorlagen. ›Der fröhliche Zecher‹ und ›Die blauen Pferde‹. Im Sommer brennt der Kamin doch nicht, ich möchte einen Vorhang sticken. Ich habe schon nach einem Motiv gesucht. ›Das Haus in der Sonne‹ von Carl Larsson, ein Bild mit einer weißen Holzbrücke! Die Öffnung muß ich noch ausmessen.«

Ein Seufzer wird hörbar, auch ein halblautes ›um Himmels willen‹. Hilde Seitz blickt ins Publikum, dann auf die leeren Wände, dann in das Feuerungsloch des Kamins, ihre Begeisterung fällt zusammen. »Vielleicht paßt es gar nicht so gut hierher?«

»Wir reden noch darüber«, sagt Hannah Pertes.

»Meine Familienverhältnisse sind so: Meine Eltern liegen beide hier auf dem Hauptfriedhof, meine Schwestern schreiben mir zu Weihnachten Grußkarten, mehr ist da nicht. Im Krieg war ich verlobt, wir wollten keine Kriegstrauung und schon gar keine Ferntrauung, wir wollten richtig heiraten. Mein Verlobter ist gefallen. Es gab später noch einmal eine Gelegenheit zum Heiraten, darüber möchte ich nicht reden. Das Beste an mir sind meine Hände, das werden Sie alle noch merken. Hier brauche ich ja nicht auf Kunden zu warten und zu sticken. Ich sticke überhaupt nicht gerne.«

Man klatscht Beifall, einige Klatschen vermutlich wegen des Versprechens, keine weiteren Bilder zu sticken.

»Wie ist das mit Ihnen, Frau Pecher?« fragt Hannah Pertes. »Von Ihnen wissen wir noch wenig.«

»Ich möchte lieber sitzen bleiben. Mein Name ist Eva Pecher, nach der Scheidung habe ich meinen Mädchennamen wieder angenommen.«

Da sie nicht weiterspricht, fragt die Rosenfreundin: »Wie hießen Sie denn zwischendurch?«

Und weil die Pause andauert, sagt jemand: »Pech, pecher, am pechsten, das ist doch auch nicht das Gelbe vom Ei.«

»Hat sie nicht ein Stiefmütterchengesicht?« fragt die Rosenfreundin. »Die altmodische braun-gelbe Sorte, die so freundlich aus den Beeten blicken?«

Alle betrachten das flache, runde Gesicht mit den engstehenden Augen, der kleinen Nase, dem kleinen Mund und der bräunlichen Haut, sie versuchen, darin ein Stiefmütterchen zu erkennen, und dann sagt Eva Pecher: »Ich bin von einer Stiefmutter erzogen worden, und dann bin ich selbst eine Stiefmutter geworden und habe es nicht besser gemacht als meine Stiefmutter. Ich hätte gern eigene Kinder gehabt, aber mein Mann fand, daß drei genug seien. Seine Kinder verlangten die Scheidung. Das Leben ist stiefmütterlich mit mir umgegangen.« Ihre Stimme zittert ein wenig, als sie sagt: »Das wollte ich doch gar nicht erzählen! Ich bin geprüfte Hauswirtschaftsleiterin, ich habe Kochkurse gegeben, ich dachte, hier sei vielleicht ein Wirkungsfeld für mich. Ich beschäftige mich schon lange mit biologisch-dynamischer Ernährungsweise. Seit ich mich anders ernähre, habe ich keine Gallenbeschwerden mehr. Es ist mir viel schiefgegangen im Leben, darum möchte ich noch einmal ganz neu anfangen. Ich möchte hier einen Kräutergarten anlegen, ich liebe Blumen, meine Rente –«

»Über Ihre finanzielle Lage sprechen Sie mit Frau Weber unter vier Augen«, sagt Hannah Pertes, blickt von einem zum anderen und sagt: »Es bürgern sich hier Spitznamen ein: ›der stillgelegte Landwirt‹, ›die Rosenfreundin‹, ›der Prediger‹ – nun wollen wir aber zu Frau Pecher nicht ›Stiefmütterchen‹ sagen. Ich fürchte, Professor Jonas, daß Sie sich mit dem Namen ›Benediktus‹ anfreunden müssen.«

»Keine Einwände. ›Herr Professor‹ würde ich weniger gern hören, wie ein Chefarzt werde ich mich hoffentlich nicht aufführen. Ich bin übrigens ein Liebhaberkoch, ob meine Künste für große Töpfe zu verwerten sind, wird sich herausstellen. Ich gedenke eine Stiftung zu machen. Ich bin der glückliche Besitzer eines angeheirateten Neffen, der ein Weingut im Markgräflerland bewirtschaftet. Durch Eigenverbrauch habe ich ihn nie ausreichend unterstützen können, aber hier wird sich der eine oder andere ›fröhliche Zecher‹ finden. Den Weinkeller, liebe Hannah, möchte ich gern füllen und betreuen, die erste Bestellung werde ich aufgeben, wenn ich den Keller besichtigt habe.«

Er erhält Beifall, aber auch Kritik. Zwei Antialkoholiker! Für sie wird mit den besten Traubensäften gesorgt werden, allerdings nur, wenn sie die Weintrinker nicht bei jedem Glas belehren wollen. Das Leergut wird abgeholt, da sieht er keine Probleme, keine Umweltprobleme. »Ich habe ein gestörtes Verhältnis zu Besitz und Besitzvermehrung, meine Söhne haben das nicht. Ich möchte in Zukunft nicht nur ein Konsument sein, mit anderen Worten: Ich will anders leben als bisher, das Unternehmen Pertes hat meine volle Zustimmung. Daß ich hinke, werden Sie bemerkt haben, ich bin nur begrenzt verwendbar. Genügt das?«

Der nächste? Die nächste? Eine Frau aus dem Osten, eine von der tüchtigen Art, da genügt ein Blick; sie ist schweigsam, beginnt mit Schweigen, wartet, daß die Gespräche über Markgräfler Wein verstummen, nennt dann ihren Namen: »Annemarie Engel. Ein Engel bin ich erst durch Heirat geworden«, sagt sie, ernsthaft, trotzdem wird gelacht.

»Nicht jede Ehe macht aus einer Frau einen Engel.« - Ein anderer sagt: »Ach du ahnungsloser Engel!« - »Ein Engel hat Anspruch darauf, ahnungslos zu sein.« - »Ein blauer Engel? Ist das nicht das Gütezeichen für umweltfreundlich, umweltverträglich, lärmschonend, asbestfrei?« - »Wer verleiht den blauen Engel?«

Fragen gehen hin und her, bis dann die Weberin feststellt: »Also umweltfreundlich sieht dieser Engel doch aus.« - Beifall. - »Sie wird unser Gütezeichen!«

»Soll ich weiterreden?« fragt Annemarie Engel. »Mein Mann ist in den letzten Kriegstagen gefallen, ich bin mit den Kindern getreckt, ich habe alle drei durchgebracht, ich habe sie auch etwas lernen lassen. Ich habe den Deckhengst gerettet, er hat uns alle ernährt; wir haben in der Nähe eines Gestüts gelebt, der Hengst hatte mehr Lebensraum als wir. Jetzt sind die Kinder erwachsen, ich habe meine Mutter bis zum Tod betreut, meine Rente ist klein, ich habe mit Rheuma zu tun, das liegt in der Familie. Meine Tochter und meine Schwiegertöchter sind berufstätig, wenn ich mal alt und pflegebedürftig bin, sind sie selber schon alt. In ein Pflegeheim will ich nicht.«

»Drei Kinder?« - »Noch im Krieg?« - »Da sind Sie ja älter!«

»Älter als -?« fragt sie zurück.

»Als die meisten von uns.«

»In meiner Familie wird man sehr alt.«

»Dem Dialekt nach sind Sie aus Ostpreußen?«

»Westpreußen!«

»Und woher -?«

Die Weberin unterbricht: »Könnten Sie das später klären?«

»Ein Ersatz für ein Altenwohnheim wollen wir nicht sein. Wir suchen nach einer Alternative, wir wollen lernen, zusammen alt zu werden und selbständig zu bleiben«, erklärt Hannah Pertes.

»Das will ich doch auch. Ich kann das nicht so ausdrücken, ich bin brauchbar, ich passe mich an, ich kann auch zupacken. Leute, die diskutieren wollen, gibt es hier genug.« Und wen sieht sie an: den Prediger. »Vermutlich wissen hier nicht einmal alle, wieviel Teigwaren man für fünfzehn Personen braucht und wieviel Liter Suppe.«

»Das ist ein einfacher Dreisatz!« - »Ein Kapitel Mengenlehre!« - »Hundert Gramm für eine Person, für achtzehn Personen wieviel?«

Das Wesentliche hat dieser blaue Engel nicht gesagt, man hätte sie ausreden lassen müssen, man hätte dann von ihren alten Idealen erfahren, denen sie nachtrauert. ›Glaube und Schönheit‹ und ›Kraft durch Freude‹. Die Rosenfreundin sagt leise zu Benediktus: »Sieht sie nicht aus wie eine ehemalige BDM-Führerin?« Er sagt ebenso leise: »Davon gibt es hier sicher mehrere.«

Weder nach der Konfession noch nach der vergangenen oder gegenwärtigen politischen Einstellung wird gefragt.

Der nächste? Die nächste?

Hella Morten bleibt sitzen, ganz so rasch wird es in ihrem Falle nicht abgehen. »Ich stamme aus einer Leserzuschrift zu ökologischen Fragen, es ist nicht uninteressant, wo Frau Pertes jeden Einzelnen von uns entdeckt hat. Am 30. September habe ich den Beruf an den Nagel gehängt, vorzeitiger Ruhestand, es gibt genügend Anwärter auf meinen Posten.« Sie hält ein Manuskript hoch. »Hier ist der Vortrag über eine sanfte Chemie, den ich ausgearbeitet habe und auch zu halten gedenke. Zunächst aber: kein familiärer Anhang, ein gelernter Single, eine ansehnliche Rente, eine gesunde Konstitution. Eine langwierige Zahnbehandlung wird vor dem Einzug in Ordnung gebracht. Meine Lebensdevise lautet: ›Wenn ich nichts mitnehmen kann, so will ich doch etwas hinterlassen.‹ Sie soll nicht auf meinem Grabstein stehen. Ich will ein Gewächshaus hinterlassen. Wenn der Zeitplan eingehalten wird, ist das Gewächshaus bereits im kommenden Winter in Betrieb.«

»Wird der Zeitplan denn wirklich eingehalten?«

Man blickt von Hannah Pertes zur Weberin. Der genaue Zeitpunkt muß vereinbart werden, damit nicht alle an einem Tag und möglichst auch nicht innerhalb einer Woche einziehen.

»Das klingt wie im Märchen: Baufirmen halten die Termine ein. Was müssen das für Firmen und für Handwerker sein! Lauter biologisch-dynamische Naturkräfte!« – »Man wird unsere Häuser für die Werbung nutzen wollen!« – »Warum nicht?« – »Gibt es inzwischen neuere Fotos, die man den Angehörigen zeigen könnte?«

Jemand fragt halblaut, wo eigentlich diese Frau Ja-aber geblieben sei.

»Wir haben sie mit Erfolg rausgelacht«, sagt die Weberin. »Sie hat uns schriftlich mitgeteilt, daß wir nicht für sie in Frage kommen. Nicht etwa umgekehrt.«

»Frau Morten! Können wir Ihren Vortrag zurückstellen und zunächst noch einige Biographien hören?«

Der Prediger erhebt sich und geht nach vorn. »Ich bin gewohnt, vorn zu stehen, also tue ich es auch hier, aber ich bin nicht gewohnt, mich kurz zu fassen, andererseits auch nicht gewohnt, über mich zu sprechen. Auf mein schwaches Rückgrat muß ich nicht aufmerksam machen. Breitschultrig war ich nie, von kleinen Behinderungen abgesehen, fühle ich mich wohl. Die dunkle Haarfarbe täuscht, ich nähere mich den Siebzig. Ich war zeit meines Lebens ein Lehrer, meine Fächer waren Deutsch und Geschichte, mein Interessengebiet die jüngste deutsche Geschichte. Ich war verheiratet, lange, und immer mit derselben Frau, keine Kinder. Ich war der Ansicht, daß ich genügend mit Erziehung und Belehrung der nächsten Generation zu tun habe, meine Frau war nicht der Meinung. Auf diesem Gebiet gab es eheliche Schwierigkeiten. Sie hat wieder gearbeitet, hat sich überarbeitet. Ich habe sie in einer Klinik sterben lassen, unter unwürdigen Umständen, ich war nicht bei ihr; als man mich verständigt hat, war ich mitten in einer Unterrichtsstunde, die ich noch zu Ende geben wollte. Wissen Sie, ich kam immer zu spät, ein Leben lang habe ich gegen dieses Zuspätkommen angekämpft. An jedem zweiten Morgen mußte ich mich telefonisch wegen des überstürzten und gereizten Aufbruchs bei meiner Frau entschuldigen, konnte dann allerdings noch ein paar verspätete Schüler ins Schulgebäude einlassen; alle Mängel haben ihre gute Kehrseite. Sie werden mit meiner Unpünktlichkeit rechnen müssen.«

»Warum? Gibt es einen Grund, daß Sie bei einer Veränderung des Tagesplans nicht pünktlich sein könnten?« – »Wollen Sie einen Lehrer erziehen?«

»Felix Eisenlohr, falls sich doch jemand für meinen Namen interessieren sollte. Unser ganzes Leben ist ein Prozeß der Erziehung zum Menschsein unter Menschen. An guten Vorsätzen, die wir ja alle mitbringen, festzuhalten ist anstrengender, als diese Vorsätze zu fassen. Ich habe mir vorgenommen, hier und heute einige Gedanken auszuführen, die mir während der langen Bahnfahrt gekommen sind; meinen Wagen habe ich bereits abgeschafft. Hier sind meine Ausführungen«, er zieht ein Blatt aus der Tasche, »im Auto hätte ich mir keine Notizen machen können. Reduktion, über dieses Wort habe ich nachgedacht. Reduzieren, das bedeutet herabsetzen, vermindern, einschränken. Das Wort wird im Zusammenhang mit Reduktionskost häufig gebraucht. Ich möchte diesen Begriff auf unsere gesamte Lebensform erweitern. Eine Reduktionskleidung. Eine Reduktionswohnung. Eine Reduktion der Kraftfahrzeuge. Von allem weniger, aber was bleibt, sollte besser und schöner sein, nicht nur umweltfreundlicher und gesünder.« Inzwischen hat er sich in Bewegung gesetzt und spricht im Gehen, acht Schritte hin, acht Schritte zurück, er läßt keine Pause eintreten, in der man ihn unterbrechen könnte. »Der Begriff Reduktion stammt aus der Chemie. Wir haben eine Chemikerin unter uns, sollte ich wesentliche Fehler machen –«

»Bisher nicht.«

»Danke! Bei der Reduktion wird Sauerstoff entzogen, und da Sauerstoff das wichtigste Lebenselement ist, muß man bei einer Einschränkung behutsam vorgehen. Sauerstoffentzug? Wenn man das bildlich, gleichnishaft nimmt, kommt man zu der Erkenntnis, daß der Sauerstoff im Leben des modernen Menschen das Geld ist. Das wichtigste Lebenselement, für das man alles einzusetzen bereit ist: Gesundheit, Glück – ich muß das nicht weiter ausführen. Wir sind beim Kern unseres Vorhabens. Hier soll anders gewertet werden, nicht das Haben, der Besitz, gibt den Ausschlag, sondern das Sein. Das Buch mit dem entsprechenden Titel von Erich Fromm beschäftigt sich mit diesem Thema, es hat viele Leser gefunden, aber: Was hat es bewirkt? Ich – und dieses Ich möchte ich gern zu einem Wir umgewandelt sehen – halte das Wort ›Sein‹ für statisch, wir sollten statt dessen ›Werden‹ sagen, das gibt uns die Möglichkeit der Entwicklung. Ich halte die Weiterentwicklung des Menschen nicht nur für unerläßlich, sondern auch für möglich. Die Motive des Einzelnen sind unterschiedlich, das haben wir bei der kurzen Selbstdarstellung gemerkt, aber die Absicht, ein sinnvolleres, uneigennützigeres, auch liebevolleres Leben zu führen, muß uns allen gemeinsam sein. Martin Buber sagt: ›Dieses Leben ohne allzuviel Traurigkeit ertragen, indem wir unsere Pflicht tun. Helfen wir einander, rufen wir einander im Dunkeln an –‹«

Als er soweit gekommen ist, unterbricht ihn die Weberin, die auf eine passende Gelegenheit bereits wartet: »Rufen Sie mich nie im Dunkeln an, ich warne Sie! Ich falle tot um, ich bin schreckhaft! Aber in allem übrigen haben Sie, was das Geld als Lebenselement angeht, recht.«

»Sind hier denn eigentlich alle gescheitert?« fragt die Rosenfreundin. »Wenn mein jüngster Sohn uns hier sitzen sähe, würde er sagen: ›Kaputte Truppe!‹«

»Ohne gescheitert zu sein«, erklärt der Prediger, der noch vorn steht und wartet, daß man ihn weiterreden läßt, »wäre man nicht hier, dann hätte man im alten Trott weitergemacht. Keiner von uns will die Gesellschaft verändern, aber uns und unsere Lebensweise, die können wir verändern.«

»Es haben sich noch nicht alle vorgestellt!«

»Sollten wir den Prediger nicht ausreden lassen?« schlägt Herr Crispin vor. »Wir werden oft Gelegenheit haben, Lebenserinnerungen auszutauschen, aber jetzt geht es um das Grundsätzliche, und darüber hat er mehr nachgedacht als wir, wir sind mit der Auflösung unseres Haushaltes beschäftigt, machen uns Sorgen, ob wir einen guten Zahnarzt bekommen werden ...«

Dieser Abend wird der Abend des Predigers. Er zieht eine Kladde aus der Tasche; er habe eine ganze Reihe solcher Kladden, er möchte seine Fundstücke gern anderen zukommen lassen, nichts sonst habe er angesammelt, keine alten Stiche, keine Münzen, nur Worte, nur Gedanken, er wolle sie gern verstreuen, finden muß sie dann jeder selbst. Er blättert, sucht nach einem Zitat.

»Sie können ja nicht genug sehen, ich werde das Deckenlicht einschalten«, sagt Herr Crispin und tut es. Die Rosenfreundin blickt sich um und sagt: »Diese Beleuchtung ist aber gar nicht vorteilhaft.«

»Wissen Sie, Herr Eisenlohr, daß auf unserem Gelände bereits ein Baum der Erkenntnis steht?« fragt Hannah Pertes. »Eine Linde. Unter dieser Linde ist mir, im Gespräch mit Doktor Britten, der Gedanke gekommen, den wir jetzt zusammen verwirklichen. Könnten Sie Ihre Botschaften nicht an die Zweige hängen? Wer vorüberkommt, pflückt sich ein

Blatt, liest es, ärgert sich oder läßt es hängen für den nächsten.«

»Wo ist dieser Doktor Britten? Warum läßt er sich nicht sehen?«

»Er lebt in Klausur, er schreibt ein Buch zu Ende.«

Der Prediger sagt: »Ich bin nicht sicher, ob ich eine Linde von einer Buche unterscheiden kann.«

»Das werden wir Ihnen beibringen!«

»Tun Sie das, Gnädigste! Aus den Maximen und Reflexionen. Goethe. ›Alt werden heißt, selbst ein neues Geschäft antreten, alle Verhältnisse ändern sich, und man muß entweder zu handeln ganz aufhören oder mit Willen und Bewußtsein das neue Rollenfach übernehmen.‹ Ich halte für wichtig, daß wir genauere Vorstellungen über unseren späteren Tagesablauf mit nach Hause nehmen. Wir haben vermutlich alle Verdruß mit dem Gedächtnis, dagegen sollte man gemeinsam etwas tun. Mein Vorschlag ist: Einer oder mehrere sehen die Abendnachrichten, das müssen nicht alle tun, weil wir sonst in die alten Gewohnheiten zurückfallen. Ratsam wäre es, wenn am nächsten Tag über die Nachrichten des Vortags berichtet würde, was wichtig war, was das Gedächtnis für wichtig gehalten hat. Dann wird man aufmerksamer zuhören; das könnte auch ein Film sein, dessen Inhalt man am nächsten Tag den anderen erzählt. Einer ergänzt den Bericht des anderen, das Gedächtnis belebt sich, man widerspricht, kommt aus der Zuschauer- und Konsumentenrolle heraus, man hat einen neutralen Gesprächsstoff, gerät nicht in Gefahr, über die Banalitäten des Alltags zu reden, ob nun Margarine oder Butter –«

»Hören Sie! Das sind und bleiben lebenswichtige Fragen!« ruft die Chemikerin.

»Gut, ich bin da an einen neuralgischen Punkt geraten, es geht mir aber um Gedächtnisschulung. Wer an der Reihe ist, mag sich Stichworte machen, ein paar Notizen, damit es für die Zuhörer eine angenehme Unterhaltung wird.«

»Hausaufgaben?« – »Warum nicht?« – »Ich war nie ein guter Erzähler.« – »Dann werden Sie es jetzt!« – »Lieber spüle ich die Töpfe!«

Gelächter.

»Hauptsache, die Töpfe werden gespült, die Geschichten erzählt, das wird sich einspielen. Bei Unstimmigkeiten wird man abstimmen.«

»Einspruch! Wir sollten Einstimmigkeit herstellen. Abstimmung löst bei den einen Triumph, bei den anderen Verärgerung aus und ist ein Zeichen dafür, daß etwas nicht stimmt. Abstimmen, das Wort kommt doch von stimmen.«

»Zustimmung!«

Die Weberin macht die Mitteilung, daß sie inzwischen eine kleine Statistik aufgestellt habe; das Ergebnis sei vermutlich für alle interessant. »Wir haben drei Tennisspieler! Tennisplätze sind, ohne umzusteigen, bequem mit dem Bus zu erreichen.

»Zwei Bridgespieler - soviel ich weiß, ist das zuwenig.«

Eine Hand hebt sich, eine Frau, von der man bisher nichts gehört hat, sagt, daß sie ebenfalls Bridge spiele, sie nehme an Turnieren teil. Jetzt sind es bereits drei, wie viele Spieler sind nötig? Bridge kann man doch lernen!

»Jahre! Dazu braucht man Jahre!«

»Was habe ich sonst noch? Die Musik! Das ist noch dürftig. Eine Gitarre, gespielt von unserer Rosenfreundin. Ich singe im Kirchenchor mit, seit Jahrzehnten, zuerst Sopran, die Stimme sackt ab, eines Tages singe ich Baß. Leider spielt keiner Klavier, ein guter Flügel ist vorhanden.«

»Was ist mit dieser Jelena? Diese Königin aus dem Morgenland! Hat sie nicht geschrieben, daß sie ihr Klavier vermissen würde?«

Benediktus sagt, daß er in jungen Jahren in einem Ärzteorchester mitgespielt habe, erste Geige. »Alles werden wir hier nicht selber machen können.«

Herr Crispin besitzt eine große Schallplattensammlung, die er gern allen zugänglich machen möchte. Ob es an der Zeit sei, daß er sich ebenfalls vorstelle?

»Genügen Ihnen zehn Minuten? Von Ihnen wüßten wir alle gern etwas mehr«, sagt Hannah Pertes, nicht ahnend, daß es sich bei diesem Kandidaten wieder um ein Kapitel für sich handelt.

»Ich habe in der Regel vorn gestanden, ich wollte immer in die erste Reihe, bereits als Schüler. Im Krieg bin ich dann auch gleich in die vorderste Linie geraten, neun kleinere Verwundungen. Hätte ich damals schon meine heutige Breitseite gehabt, wären es vierzehn, wenn nicht mehr. Sollte ich hier wieder in die erste Reihe streben, versuchen Sie, mich daran zu hindern. Mein Hauptproblem erkennen Sie? Meinen Sie, daß Sie sich an den Anblick eines beleibten Mannes gewöhnen könnten? Zweimal im Jahr gehe ich zur Inspektion, jedesmal erklärt mir der Arzt, daß ich zu viele Kilo auf die Waage bringe; weitere Mängel - obwohl es sich nicht um Mängel handelt, sondern um ein Zuviel - entdeckt er bisher nicht. Nun muß ich Ihnen sagen, daß ich bereits hundertfünfzig Kilo abgenommen habe.« Er wartet die Wirkung dieser Angabe ab, fügt dann hinzu, daß es die Gewichtsabnahme von vielen Jahren sei. Die Addition. Er habe abgenommen und zugenommen. »Meine Frau verglich mich mit dem Mond, mein zunehmender Mann, mein abnehmender Mann. Seit ich allein bin, nehme ich nur noch zu.« Er habe sich natürlich darüber Gedanken gemacht, wie er dieser Gemeinschaft nützen könne. Er sei einer jener Kandidaten, die von Hannah Pertes unter ›Bekanntschaften‹ entdeckt worden seien. »Auf diesem ungewöhnlichen Wege! Die Handschrift, die Telefonstimme, unsere ersten Begegnungen haben mich überzeugt, ich erkannte eigene Ideen wieder. In den beiden letzten Jahren meiner Tätigkeit als leitender Ingenieur habe ich mich mehr und mehr als leidender Ingenieur gefühlt. Um es kurz zu machen -«

»Warum?« fragt die Weberin. »Warum wollen Sie die wichtigsten Fragen ›kurz‹ behandeln?«

»Wir werden noch oft Arbeitsgespräche führen. Aber einen Vorschlag unterbreite ich Ihnen bereits jetzt. Es hat keinen Sinn, unsere Gesellschaft immer wieder als Wegwerfgesellschaft zu bezeichnen und es bei der Feststellung zu belassen. Ich werde mich intensiv mit allem befassen, was mit Recycling, also mit Wiederverwendung, zu tun hat. Zum Beispiel ein Schild über den Briefkästen: ›Keine Postwurfsendungen‹. Abfallbeseitigung sollte in erster Linie in Abfallvermeidung bestehen; nichts erwerben, was man bald wegwerfen muß. Ich frage: Muß jeder eine eigene Zeitung lesen? Wäre ein Lesezimmer denkbar?«

»Ein Frühstück ohne Morgenzeitung?« - »Ein Zweitleser bin ich nicht!« - »Welche Zeitung?« - »Könnte man die Zeitungen im Glasgang, allen zugänglich, aufhängen?«

»Keiner ist bettlägerig, wer Zeitung lesen will, soll zur Zeitung gehen, ebenso wie man zum Duschen gehen wird. Man wird keine Einwegflaschen benutzen, die Trennung der Abfälle besorge ich. Der Komposthaufen ist viel zu weit vom Haus entfernt, die biologischen Abfälle müßten zu weit getragen werden.«

»Dann wird es Ungeziefer geben! Igel und womöglich Ratten!«

»In der Natur gibt es weder Ungeziefer noch Unkraut!«

»So -?« fragt der stillgelegte Landwirt. »Kennt in dieser unsachkundigen Gesellschaft vielleicht jemand Giersch? Wer Giersch nicht kennt, wird beim Jäten lernen, daß es sich um Unkraut handelt. Giersch gehört nicht auf den Kompost, als Landwirt fühle ich mich für den Kompost zuständig!«

»Aber Eierschalen!« - Bevor man weiß, woher der Einwurf kommt, kommt der Widerspruch: »Der alternde Mensch sollte wenig Eier essen.« - »Es kommt doch ganz auf die Blutwerte an.« - »Man muß das Körpergewicht berücksichtigen.« - »Auch magere Menschen haben oft zu hohen Blutdruck, Herr Prispin!«

»Crispin, Christopher Crispin.« Er wiederholt seinen Namen und nimmt das Gespräch wieder an sich. »Als Junge wurde ich ›Stoffel‹ genannt, was eine gewisse Berechtigung hatte; den Namen habe ich abgelegt, als ich die Schule verließ. Von meinen Kollegen wurde ich ›C-C‹ genannt, was ein wenig nach Stechmücken klingt, Tsetse-Fliegen, sie kommen in Afrika vor und sind im Gegensatz zu mir gefährlich. Ich halte mich für friedfertig.« Man könne den Namen übernehmen, könne ihn auch ›Crispin‹ nennen, das würde sich im Laufe der Zeit ergeben. Um nun seine Vorstellungen etwas auszuführen:

»Man kauft in Körben ein, nicht in Plastiktüten, und man wird nicht aus Dosen leben, sondern Frischgemüse essen, wird die Marmelade selber kochen, in der Erdbeerzeit Erdbeermarmelade – «

Schon wieder wird er unterbrochen, besser wäre doch wohl, man äße statt süßer Marmelade Honig. – »Bienen!« Ob man nicht Bienen anschaffen könne, es blühe hier doch sicher allerlei, und wenn erst die Hecke angepflanzt ist –.

Frau Pecher sagt mit erregter Stimme, daß man den Vögeln und Bienen die Nahrung wegnähme, die sie im Winter für ihre eigene Versorgung brauchten.

»Immer nimmt man jemandem etwas weg«, sagt die Rosenfreundin. »Die Kühe produzieren die Milch ja auch nicht für den Menschen, sondern für ihr Kälbchen.«

›Nehme ich auch niemandem etwas weg?‹ Keiner beachtet diesen Satz, aber es ist der Standardsatz von Frau Pecher, der jetzt zum ersten Mal fällt.

»Wenn wir so grundsätzlich leben wollen, werden wir verhungern«, erklärt die Weberin.

»Könnten wir die Tierhaltung noch ein wenig zurückstellen?« fragt Herr Crispin. »Man wird in der Nähe einen Imker finden, den Honig in großen Gläsern einkaufen, die man nachfüllen kann. Aber alles Organische, das ja täglich anfallen wird, kommt auf den Kompost.«

»Es ist doch ausgeschlossen, daß ein leitender oder leidender Ingenieur für den Kompost zuständig ist!«

»Was organisch ist und was anorganisch ist, habe ich in der Schule gelernt«, sagt der versöhnliche Tsetse. »Und das Umsetzen, oder wie man das nennt, überlasse ich gern dem Fachmann.«

Dieser Komposthaufen wird noch häufig Anlaß zu Streitigkeiten geben.

»Sehen Sie mich als einen Demiurgen an!«

»Was ist ein Demiurg?«

Der Prediger wirft ein, daß bei Platon der Demiurg mit dem göttlichen Schöpfer gleichgesetzt sei.

»Göttlich, das nicht«, sagt Tsetse, aber im Rahmen des

Menschlichen, des Menschenmöglichen, wolle er für Ordnung sorgen, entsorgen wolle er.

Auch die Fragen der Entsorgung können nicht alle an diesem Abend gestellt und beantwortet werden, man wird einen Ausschuß bilden müssen; die sanfte Chemikerin, der stillgelegte Landwirt und der Demiurg, der abschließend erklärt, daß man die Ziele weit ins Utopia stecken müsse. »Immer muß man über das Ziel hinausschießen!«

»Muß denn überhaupt geschossen werden?« fragt die Rosenfreundin.

Die Weberin bittet um Gehör. »Ich habe hier noch eine weitere Statistik: ein erhöhter Cholesterinspiegel, drei Rheumatismen - ist die Mehrzahl richtig? -, zwei Schlafstörungen, einmal Gicht, zwei lädierte Wirbelsäulen, einmal Arthrose, oder war es Arthritis? Ich verwechsele das immer -«

»Dann seien Sie froh! Wenn Sie erst einmal eines von beiden haben, verwechseln Sie nichts mehr. Bei Arthrose handelt es sich um eine nichtentzündliche -«

Hannah Pertes greift zur Klingel, zu läuten braucht sie nicht, man erhebt sich, es ist spät geworden. Im ganzen ist auch dieser Abend anregend verlaufen, einige Namen und Gesichter haben sich eingeprägt, Interessengemeinschaften zeichnen sich ab, erste Sympathien; man wird mit jemandem über seine Beschwerden sprechen können, man muß nicht ständig tun, als ob man sich wohl fühlt. Ein Streit ist möglich, Gelächter auch.

Die Weberin schlägt vor, daß sich alle jene, die am nächsten Morgen den Vortrag von Frau Morten anhören wollen, um zehn Uhr wiedertreffen. Man könne sich dann auch die Häuser bei Tage ansehen.

Man verabschiedet sich, alle stehen noch in der Eingangshalle, da sagt jemand: »Was sind wir doch für ein zusammengewürfelter Haufen.« Gedacht haben das alle schon einmal, ausgesprochen hat es keiner. Der Prediger, der noch auf dem Treppenabsatz steht, sagt: »Wer hat gewürfelt?« Und weil vielleicht nicht alle die Bedeutung der Frage verstanden haben, fragt er ein zweites Mal: »Wer hat uns zusammengewürfelt?«

12

›Alle unsere Einsichten sind nachträglich.‹
R.M. Rilke

Der nächste Morgen ist sonnig, die Laubbäume färben sich bereits: schönster Altweibersommer! Die Wege sind etwas schmutzig, aber man kann sich die Schuhe im Gras säubern, kein Problem, immer wieder heißt es: kein Problem! Jetzt erst sieht man deutlich, daß in die angebauten Glaskästen die Morgen-, Mittag-, Abendsonne scheinen wird, jetzt erst sieht man deutlich, daß die Häuser sich um den Hügel herum auffächern; wenn man eintritt, weitet sich der Wohnraum, öffnet sich zur Landschaft. Die Innenräume sind dank der Pultdächer hell und belüftet. Keine rechten Winkel? Kein Problem! Wird es von den vielen Glaswänden her nicht ziehen? Kein Problem, wir haben Thermopanescheiben. So sehen Korkfliesen aus? Man sollte sie noch nicht betreten, sie müssen erst mit Bienenwachs behandelt werden. - »Von wem?« - »Wird es denn Hilfskräfte geben?« - Kein Problem!

Man ist vollzählig, keiner möchte etwas versäumen.

Tsetse inspiziert die Häuser von außen, die Westseite vor allem, man hat hier Nordwestwetter, aber vor die Nordwestwinde stellt sich schützend das Treibhaus. Wer hat etwas von Treibhaus-Effekt gesagt? Es handelt sich um ein Gewächshaus! Tsetse inspiziert die Isolierung der Fußböden und kehrt zufrieden von seinem Rundgang zurück. Es wird keine aufsteigende Feuchtigkeit geben, die Häuser werden fußwarm sein. Man wird den Thermostat auf zwanzig Grad einstellen, das genügt; für ihn sei das sogar reichlich warm. Die Rosenfreundin fragt, ob er ihr vielleicht zwei Wärmegrade schenken könne.

»Kein Problem! Mit Vergnügen!«

Die Rosenfreundin und der Prediger steigen auf den Hügel, um den Gesamteindruck zu genießen, die Einzelheiten kann man sich später ansehen; sie zeigt ihm die Linde, den ›Baum der Erkenntnis‹, er sucht in seinen Taschen, ausgerechnet heute hat er keinerlei Botschaften dabei. Sie steigen lachend die kleine Anhöhe hinunter, er greift unter ihren Ellenbogen, hält sie ein wenig, was ja nicht nötig wäre. »Ich leide unter Antriebsschwäche, wenn Sie mich hie und da ein wenig anstoßen würden?«

»Kein Problem, der eine stützt, der andere schiebt!«

Benediktus macht den Vorschlag, den Vortrag im Freien anzuhören. Das Wetter wird sich bald ändern, sein Knie stellt sichere Prognosen. Er sieht sich nach Ludi um, und der sagt denn auch gleich, kein Problem, ein paar Gartenstühle gibt es und Bretter, die man von einem Stuhl zum anderen legen kann. Man hat schon bequemer gesessen, aber auch schon unbequemer, so alt, daß man eine Lehne brauche, ist man noch nicht.

Die Rosenfreundin nimmt Platz und erklärt, daß nun alle bereit seien, sich um die Welt- und Umweltprobleme zu kümmern.

»Ich glaube, daß Sie die Dinge nicht ernst genug nehmen, meine Liebe!« Hella Morten, ihr Manuskript in der Hand, blickt von einem zum anderen: »Sie nehmen das alles nicht ernst genug! Seit einer halben Stunde höre ich nur noch: kein Problem. Es gibt aber Probleme!« Sie wird ihren Vortrag nicht ausfallen lassen, nur weil die Herbstsonne scheint und die Blätter sich färben. »Der Vorgang ist chemisch einfach, aber weitgehend unbekannt: Das Chlorophyll zieht sich im Herbst aus den Blättern zurück in Äste und Stämme, daher die Verfärbung, das Welken. Kein Grund zur Sentimentalität. Wir lassen uns von unseren Augen täuschen. Ich habe meinen Vortrag kopieren lassen, für jeden ein Exemplar, jetzt werde ich im allgemeinen Interesse eine Kurzfassung geben.«

Diese Mitteilung verschafft ihr anhaltenden Applaus.

»Es geht um nichts Geringeres als den Zerfall des Ökosystems der Erde! Das Ozonloch! Den Raubbau an Rohstoffvorkommen! Wir betreiben biologischen Selbstmord. Der Verbrauch an fossilen Brennstoffen muß eingedämmt werden, damit der Kohlendioxydausstoß radikal gesenkt wird.«

Jemand sagt halblaut: »Kein Problem.«

Hella Morten nimmt die Brille ab, blickt von einem aufmerksamen Gesicht ins andere, setzt die Brille wieder auf und fährt fort: »Die Fluorkohlenwasserstoffe sind ein Problem für sich. Eine Verminderung von neunzig Prozent wäre sofort möglich, wenn die Wirtschaft, also die Industrie, mitmachte und Spraydosen, Kühlmittel, Kunststoffschäume verboten würden! Das Grundwasser, unsere Lebensgrundlage, wird durch Nitrate systematisch verseucht. Aber, und das geht uns alle unmittelbar an: Es gibt keine Möglichkeit, Energie zu erzeugen, ohne die Umwelt zu schädigen oder zu gefährden. Energiesparen bedeutet einen Verlust an Lebensqualität, wenn man unter Lebensqualität rasche Autos und Whirlpools versteht. Mit jedem Reinigungsmittel, das wir benutzen, verunreinigen wir die Luft oder die Gewässer.« Sie blickt eindringlich von einem zum anderen, und jene, die sie länger anblickt, fühlt sich sofort schuldbewußt, sagt: »Ich habe kräftiges, dichtes Haar, ich benutze gar kein Spray!«

Hatte man das nicht alles schon bis zum Überdruß in Leitartikeln gelesen, in Fernsehberichten gesehen? Hatte der ›Club of Rome‹ das nicht schon vor Jahren prophezeit? Dieser schöne Spätsommermorgen! Mußte man denn auf harten Brettern sitzen und sich die Schreckensrufe einer frustrierten Chemikerin anhören? Einige hörten denn auch weg und beobachteten die Stare, die in Scharen auf dem Rasen herumliefen und pickten, ihr Gefieder glänzte im Sonnenlicht; waren die Zugvögel denn nicht längst unterwegs? Blieben die Stare den Winter über im Lande? Waren das nicht wichtigere Fragen als die Vergiftung des Grundwassers durch Nitrate, wo man doch nichts verhindern konnte?

»Meine geschätzten Weghörer«, sagt Hella Morten, »wir müssen aussteigen, zum Beispiel aus den Autos, ganz wortwörtlich. Daß es möglich ist, beweist Doktor Britten; wie schwer es ist, beweist Hannah Pertes, den Versuch haben wir alle noch vor uns. Wenn von uns in Zukunft ein Auto benutzt werden muß, wird es bleifrei gefahren, das versteht sich. Ich habe ursprünglich Lebensmittelchemie studiert, und wo bin ich gelandet – in der Waschmittelindustrie! Ich habe mit Phosphaten gegen den Grauschleier der Wäsche angekämpft, jetzt arbeitet dieselbe Firma am Abbau der Phosphate, zum Schutz der Gewässer; die Industrie ist dabei, den Umweltschutz als einen lukrativen Markt zu erkennen. Es wird eines Tages eine sanfte Chemie geben. Ich bin zu alt, um das abzuwarten, ich möchte hier einige meiner theoretischen Erkenntnisse in die Praxis umsetzen. Ich werde vermutlich ein unbequemes Mitglied dieser Gesellschaft sein.

Es gibt heute Waschmaschinen mit einem Aqua-Sparsystem, die wesentlich weniger Strom, Wasser und Waschmittel verbrauchen, diese Maschinen arbeiten mit einem Dusch-System; ich bitte mir aus, daß ich bei der Einrichtung des Waschhauses hinzugezogen werde. Guter Wille allein nützt nichts! Enthusiasmus der Erde gegenüber ist rührend.« Wieder nimmt sie die Brille ab, sieht die Rosenfreundin eindringlich an. »Warum stehe ich denn hier? Man braucht Kenntnisse! Amalgam in Zahnplomben ist schädlich, das muß man wissen, damit man mit seinem Zahnarzt darüber reden kann. In der Erdnußbutter, die man lange Zeit für besonders gesund gehalten hat, befinden sich Aflatoxine; wenn man das weiß, verzichtet man auf den Genuß von Erdnußbutter. Was Aflatoxine sind, kann ich Ihnen jetzt nicht erklären, Sie werden sich auf meine Angaben verlassen müssen. Basilikum! Das Kraut wird hierzulande kultiviert wie eine Heilpflanze, aber es enthält Estragol!«

Die Rosenfreundin wirft ein, daß Basilikum gut gegen die Melancholie sei, sie habe immer eine Schale mit frischem Basilikum in der Küche stehen gehabt.

»Dann denken Sie gelegentlich an mich, Gnädigste«, sagt Benediktus und gibt der Rednerin das Wort zurück.

»Wir haben hier eine Reihe von Gartenliebhabern. Ist Ihnen Eukalyptus gunni bekannt? Nein? Er hat hübsche silbergrüne Blätter, wichtiger aber ist, daß sein Geruch Mücken und Fliegen vertreibt. Man muß wissen, wie man mit schädlichen Schnecken umzugehen hat, ohne Gifte anzuwenden, und nun kommen Sie mir bitte nicht mit Bier, das man in Näpfen hinstellt! Man wird in der Schädlingsbekämpfung an Obstbäumen auf Leimringe zurückkommen. Ich nehme an, daß hier Obstbäume gepflanzt werden sollen.«

»Worauf Sie sich verlassen können«, sagt der stillgelegte Landwirt, »noch in diesem Herbst, für Steinobst ist es genau der richtige Boden.«

»Und nun will ich noch etwas Grundsätzliches sagen: Nicht die Schadstoffe sind es, die wir wissentlich oder unwissentlich aufnehmen, sondern das, was wir zuviel essen. Das Übergewicht schadet uns weit mehr.«

Alle Augen richten sich auf Tsetse, der denn auch fragt, ob die Ansprache sich an ihn persönlich richte. »Niemand sonst scheint in Frage zu kommen. Ich sorge dafür, daß wir hier ein leidlich normales Durchschnittsgewicht erreichen. Ich habe Anzüge für die mageren und Anzüge für die fetten Jahre. Die Arbeitsessen werden wegfallen, man wird mir hier Zucker und tierische Fette weitgehend entziehen.« – »Aber sein Naturell dürfen wir nicht verändern!« – »Hier werden doch keine Radikalkuren gemacht!« – »Wie wäre es mit etwas körperlicher Betätigung? Sie kommen doch vom Schreibtisch. Laub harken! Demnächst werden die Bäume ihr Laub abwerfen, auf dem Rasen sollte es nicht liegenbleiben, wohl aber unter den Büschen, dort kann es den Kleintieren als Unterschlupf dienen.«

»Kann ich –«, fragt Hella Morten, aber es redet wieder jemand dazwischen und fragt: »Ob es hier Igel gibt?«

Wer fragt da? Alle Köpfe wenden sich der schweigsamen freundlichen Frau zu, die sich nun vorstellt, sie heiße Cordula Heck, und weil die Frage noch nicht beantwortet ist, sagt Hannah Pertes, daß Doktor Brittens Hund in der Dämmerung manchmal einen Igel anbelle.

»Ich liebe Tiere!« sagt diese Cordula Heck, als sei damit genug und alles gesagt; daß sie eine Tiernärrin ist, erfährt man erst später. Sie wird im Winter den Krähen Fleischstücke auf die Pfosten der Zäune legen, sie wird die Igel in ihre Wohnung holen und ihnen aus alten Kartons Häuser bauen, sie wird ihre Katze mitbringen und nachts heimlich mit ihr spazierengehen, was natürlich herauskommen wird, alles wird herauskommen, die Igel im Haus und die Katze. Warum macht sie kein Tierheim auf, wenn sie soviel lieber mit Tieren umgeht als mit Menschen? Mit der Katze und den Igeln unterhält sie sich. Benediktus wird bei Tisch fragen: Mit wem reden Sie eigentlich immer, oder stellen Sie das Radio laut ein? - Dann wird sie mit ihrer Katze nur noch flüstern. Wen stört es eigentlich, wenn sie sich Igel ins Haus holt? Kein unangenehmer Geruch dringt durch die Tür, Gäste lädt sie nicht ein. Hatte man nicht ein hohes Maß an Freiraum zugesagt? Sie wird sich Käseabfall aus der Küche holen, um die Igel zu füttern, sie wird Meisenringe in die Bäume hängen. Auf ihre Weise wird sie sich sogar wohl fühlen; unter allgemeiner Anteilnahme wird sie im nächsten Mai sieben Igel ins Freie bringen, die ohne ihre Fürsorge vermutlich nicht durch den Winter gekommen wären. Der stillgelegte Landwirt wird sich über die Futterstellen, die sie im Gebüsch anlegt, lustig machen, Mark Anton wird sie leerfressen . . .

Jeder macht seine privaten Pläne, einige teilen sie öffentlich mit, andere behalten sie zunächst für sich. Eine Frau meldet sich zu Wort. Was für ein angenehmes Äußeres, was für eine angenehme Stimme, alle Blicke wenden sich ihr zu.

»Dies soll doch eine Oase der Ruhe werden, wo jeder seinen Neigungen nachgehen kann. Von sinnvoller Tätigkeit war die Rede. Ich komme, um hier zu studieren, ich werde Kunstwissenschaft studieren.«

»Diese Dame will also Kunst studieren?« fragt der stillgelegte Landwirt. »Dann wollen wir aber alle gut für sie sorgen, damit sie das in dieser Oase in Ruhe auch tun kann.«

»Natürlich werde ich alle Arbeiten, die mir zugewiesen werden, ausführen.«

»Und wenn Sie mal Rosenkohl von den Gemüsefeldern holen müssen, und es ist Dezember, und es liegt nasser Schnee, was wird dann aus Ihrer Frisur und Ihren Fingernägeln, meine Dame?«

»Das kann ich doch machen«, sagt Ludi, »das ist doch nichts für Damen.«

»Ich werde mir Handschuhe anziehen, Herr Lorenz. Ich heiße übrigens Ulla Schicht.«

»Aha, eine Schicht-Arbeiterin!«

Darüber ließ sich lachen, aber es wurde deutlich, daß hier

zwei Streithähne aneinandergerieten, zum ersten, aber gewiß nicht letzten Mal.

Die Stare hatten sich gelagert, »wie die Kühe«, sagt Jobst Lorenz. »Starenkästen sollte man anbringen! Ludi hat doch eine Werkstatt, das beste wäre, wenn er die Kästen bald baute.«

Ob die Vögel die Nistkästen im Frühling annehmen würden, war nicht sicher, aber daß man Ludi mit diesem ersten Auftrag an seine Werkbank eine Freude bereitete, darüber bestand kein Zweifel.

»Wenn nur keiner eine Katze mitbringt!«

Dieser besorgte Satz wird von jener, die er angeht, nicht gehört, vielleicht auch überhört.

Der Prediger erklärt, daß er unmöglich morgens auf die heiße Dusche verzichten könne, nur so ließen sich die üblen Nachtgedanken abspülen.

»Ab in die Kläranlage?«

»Man muß nicht die Speisen mit elektrischer Energie kochen und mit elektrischer Energie einfrieren, um sie dann wiederum mit elektrischer Energie aufzutauen. Solche Vorgänge muß man sich klarmachen. Ich kenne da keine Nachsicht«, erklärt die Chemikerin.

»Einspruch!« sagt Ulla Schicht, von der man bisher wenig mehr als den erfreulichen Anblick wahrgenommen hatte. »Nachsicht muß man üben! Ich habe eine Reihe Kinder erzogen; nur wer nachsichtig ist, kann mit Nachsicht rechnen, und ich denke, daß wir alle viel Nachsicht brauchen werden.«

»Wir haben ja eine richtige Dame unter uns«, flüstert der stillgelegte Landwirt mit kräftiger Stimme. »Für die Frisur braucht sie jeden Morgen eine halbe Stunde.«

»Fünf Minuten, Herr Lorenz, ich bitte um Nachsicht, wenn Ihnen meine Frisur nicht gefällt.«

»Gefällt Ihnen denn meine?« Er streicht sich die restlichen graublonden Strähnen fester an den Kopf. Man lacht.

Hella Morten macht dem Geplänkel ein Ende. »Ich verteile jetzt meinen Vortrag. Auf der letzten Seite finden Sie eine Aufstellung jener Zusätze in unseren Lebensmitteln, die unschädlich, verdächtig oder schädlich sind. Ich werde auch in Zukunft die einschlägige Literatur sorgfältig durchsehen und im Vorratsraum und in der Küche eine Liste aufhängen, aus der ersichtlich ist, welche Lebensmittel zu viele Nitrate enthalten oder verstrahlt sind. Beim Einkauf wird man sich danach richten müssen.«

Diese Listen werden von ihr gewissenhaft geführt werden, immer längere und immer unübersichtlichere Listen. Bei einem der Rundgespräche, die man wöchentlich durchführen wird, schlägt dann jemand vor, lieber eine Liste mit den zur Zeit ungefährlichen Lebensmitteln aufzuhängen, weil sie wesentlich kürzer sei.

»Es kommt mir hier vor wie im Kindergarten, nur für Alte -«

»Für junge Alte!« - »Fehlt nur noch der Sandkasten und die Schaukel.«

»Gegen eine Schaukel wäre gar nichts einzuwenden«, sagt die Rosenfreundin, »ich habe kaum eine Schaukel ausgelassen, ich besitze eine Hängematte, man könnte sie zwischen zwei Kiefern aufspannen.«

»Ich habe noch nie in einer Hängematte gelegen!« sagt die Weberin.

Beide Hände beschwörend in die Luft gestreckt, steht Hella Morten noch immer vor ihrer Zuhörerschaft. »Ich will Sie doch alle nur ermutigen und auch mich selbst! Die Angst vor der Umweltbedrohung breitet sich mehr und mehr aus, schadet uns zusätzlich, sogar mehr als die nachweislichen Umweltschäden. Gegen diese Angst kann man durch Kenntnisse und durch eine entsprechende Lebensweise angehen. Enthusiasmus ist wichtig, aber genauso wichtig ist die Vernunft, und für die Vernunft will ich in unserer künftigen Lebensgemeinschaft eintreten. Nicht nur heute! An allen Tagen, das soll meine letzte Lebensaufgabe sein, und ich verspreche Ihnen, daß ich mich nicht scheue, auch einmal unbequem zu werden.«

Im Publikum entsteht Unruhe, es wird geflüstert, jemand sagt: »Sieht sie nicht aus wie ein ganzes Kraftwerk?« - »Spannung erzeugt sie auch.« - »Wieviel Volt sie wohl hat?«

Als jemand Beifall klatscht, sagt sie: »Diese Energie können Sie sparen, tun Sie mit Ihren Händen etwas Vernünftigeres!«

Es wird trotzdem weitergeklatscht. Es dauert eine Weile, bis diese unsanfte Chemikerin wahrnimmt, daß der Beifall nicht ihrer Rede gilt, sondern den Personen, die mit Körben beladen über den Rasen kommen; nicht einmal das freudige Hundegebell lenkt ihre Aufmerksamkeit in Richtung Parktor.

Was für ein guter Einfall! Keiner hätte ihn diesem Dr. Britten zugetraut; auch Hannah Pertes nicht, darum hatte sie ihm rechtzeitig einen Wink gegeben: »Lassen Sie sich doch einmal sehen! Sie müssen sich ja nicht alles anhören, kommen Sie als Überraschung, bringen Sie einen Imbiß mit. Nach den bisherigen Erfahrungen beruhigt gemeinsames Essen und Trinken die Gemüter. Wir müssen jetzt alle bei Laune bleiben. Es wird ernst. Haushalte werden aufgelöst, Testamente werden geändert, Auseinandersetzungen mit den Angehörigen finden statt . . .«

Mit dem guten Einfall wäre es nicht getan gewesen, wenn Salvatore ihn nicht persönlich in die Tat umgesetzt hätte. Eine gute Pizza kann man zu allen Tageszeiten essen, warum also nicht am späten Vormittag? Drei Sorten hat er backen lassen, eine nur mit Gemüse für die »vegetariari‹. »Alles verdura, verdura!« ruft er und packt aus und schneidet auf. Mark Anton hat bereits im ›Bosco‹ gefressen, er muß jetzt nur noch gestreichelt werden. Ein frischer Frascati, frisch wie dieser Morgen, Mineralwasser hat er ebenfalls mitgebracht, er weiß Bescheid! Er bedauert, daß er an diesem Picknick nicht teilnehmen kann. Was für ein Park! Was für schöne extraordinäre Häuser! In einer halben Stunde muß er sein Restaurant öffnen, er wird das Geschirr am Nachmittag abholen lassen, er wünscht, wohl zu speisen: »Es wäre mir ein Vergnügen und eine Ehre, wenn ich alle diese netten Menschen einmal wieder im ›Bosco‹ würde begrüßen können!«

Mit Spannung hat man verfolgt, ob Salvatore diesen komplizierten Satz mit dem richtigen Verb zu Ende bringen wird. Er schafft es, er bekommt Beifall und verschwindet. Wo hat er sein Deutsch gelernt?

Dr. Britten als Gastgeber schenkt den Wein aus; nichts fehlt, auch die Papierservietten nicht. Hella Morten erklärt, daß man keine farbigen Papierservietten benutzen solle, weil die Farbstoffe –.

Die Weberin unterbricht und sagt, daß beim nächsten gemeinsamen Essen jeder seine eigene Stoffserviette benutzen werde. »Das wird sich alles einspielen.«

»Einspielen, Spielregeln.« Dr. Britten sagt, daß er diese Worte mit Vergnügen höre, seine Befürchtungen seien demnach unnötig gewesen, keine Hausordnungen und Grundregeln. »Hat die Rollenverteilung bereits stattgefunden? Wenn ich mich umblicke, dann ist dies doch ein ganz ansehnliches Konsortium –«

»Darf ich einmal unterbrechen?« fragt die Weberin. »Soviel ich weiß, ist ein Konsortium der vorübergehende Zusammenschluß mehrerer Personen zur gemeinsamen Durchführung mit großem Kapitaleinsatz verbundener Geschäfte.«

»So schlecht finde ich die Bezeichnung ›Konsortium‹ für unsere namenlose Gesellschaft nicht«, gibt Benediktus zu bedenken, »vorübergehend im metaphysischen Sinne wird der Zusammenschluß sein, einen erheblichen Kapitaleinsatz gibt es auch. Ich schlage vor, daß wir zunächst einmal auf die Präsidentin des Konsortiums trinken!«

Britten und Hannah stehen sich gegenüber, sehen sich an, leise sagt er: »Auf Ihr Unternehmen ohne Beispiel, Hannah mit den beiden h«, fügt dann für alle verständlich hinzu: »Das Finanzministerium an die Weberin? Wer ist für die Umweltfragen zuständig?«

Man zeigt auf Hella Morten, Tsetse erklärt, daß er auf diesem Gebiet ebenfalls mitzuwirken gedenke. Recycling! Man wird in einer Wiederaufbereitungsanlage leben.

Hella Morten ist die einzige, die noch mißmutig aussieht. »Man kann diese Probleme doch nicht einfach herunterspülen!«

»Gnädigste!« sagt Benediktus. »In manchen Fällen ist es das Beste, was man mit Problemen tun kann«, und, zu Dr. Britten gewandt: »Ich habe mich hier als ein Bruder Kellermeister eingeführt, und diese Dame hier, Eva Pecher mit Namen, wird für unsere gesunde Ernährung zuständig sein.«

»Wenn man mich nicht daran hindert, wie heute zum Beispiel.«

Britten sagt, daß das Landwirtschaftsressort gut besetzt sei, er habe sich kürzlich die Gemüsefelder angesehen und sich auch an den Ringelblumen erfreut. Er trinkt dem stillgelegten Landwirt und auch der Weberin zu, die auf Hilde Seitz zeigt und sagt, daß dort die Ministerin für Sauberkeit und Frische sitze. »Die Rosenfreundin wird unsere Schönheitsministerin sein, eine Studentin haben wir ebenfalls unter uns, für Kunst und Wissenschaft ist gesorgt.«

»Und was ist mit dem Prediger?«

Der Prediger antwortet selbst: »Ich werde mich um die inneren Angelegenheiten kümmern.«

»Gibt es hier auch ausführende Organe?«

Man hat doch Ludi! ›Ludi, mein Wasserhahn tropft‹; ›Ludi, die Tür klemmt‹; Ludi hier, Ludi da, und schon wird er mit seinem Werkzeugkasten kommen. Ludis Anwesenheit ist bereits jetzt eine Beruhigung für alle. Kein Problem.

»Diese Pizza ist ganz vorzüglich!«

»Mein Großvater soll regelmäßig zum Frühschoppen gegangen sein und im Ratskeller mit den Honoratioren der Stadt Dinge von allgemeinem Interesse besprochen haben.« – »Das werden wir auch tun!« – »Gesund ist das aber nicht!« – »Es ist eine Ausnahme!« – »Trinken wir auf die schönen Ausnahmen!« – »Ob alle so heiter verlaufen werden?« – »Kein Problem!«

Als man sich voneinander verabschiedet, wendet sich der Prediger an Dr. Britten: »Darf man fragen, wie weit Sie mit Ihrem Buch gekommen sind?«

»Ich habe mir ein wenig zuviel vorgenommen«, antwortet Britten.

»Kann man das überhaupt?« fragt der Prediger. »Kann man sich zuviel vornehmen?«

13

›. . .möchte mir von iu ein kleines fröidelin geschehen!‹
Walther von der Vogelweide

Jeder war ein Kapitel für sich, zumindest hatte Hannah Pertes das behauptet, kurze und lange, spannende und langatmige Kapitel. Für dieses neue ›liebevolle Beieinander‹, das erlernt werden sollte, gab es Begabte und weniger Begabte, die Ungeeigneten waren durchs Sieb gefallen, wie Lea es prophezeit hatte.

Die Rosenfreundin war ein Glücksfall. Als sie sich vorgestellt und ihren Namen genannt hatte, Josepha Starck, hatte sie hinzugefügt, daß sie Starck heiße, aber nicht stark sei, und damit für Heiterkeit gesorgt; diese zierliche, gerüschte Person, an der alles leicht zu sein schien, die Bewegungen, die Stimme, das gelockte Haar. Was für ein schönes Profil, wie eine Gemme. Sie hatte ihre Absichten bereits am ersten Abend mitgeteilt, ein Rosarium wollte sie anlegen, das sei ihr Lebenstraum. Alte Gartenrosen und Wildrosen, die verschwenderisch blühen, die robust sind und kräftig duften. Sie berichtete von ihren ›Asiatinnen‹ und ihren ›Amerikanerinnen‹, als handelte es sich um Schulfreundinnen. Rosa altissima americana! Pimpinelle folie! Wenn wieder ein Rosenkatalog eingetroffen war, zeigte sie ihre Lieblinge vor. Es waren nicht die Königinnen, die sie liebte, sie liebte die Stubenmädchen unter den Rosen, die Rosa centifolia, prall und ein wenig derb. »Sie riecht nach Seife!«

Warum pflanzt sie keine Polyanta-Rosen, die monatelang blühen? Das ist doch praktischer.

Sie blickt den stillgelegten Landwirt, der diesen Vorschlag gemacht hat, erschrocken an. »Blühen ist etwas Besonderes, das bereitet sich langsam vor und hört allmählich auf. Meine Rosen werden nacheinander blühen, hier ein Strauch, dann dort.«

Und was wird sie gegen Läuse und Mehltau unternehmen, wenn hier nicht mit Ungeziefermitteln gespritzt werden soll?

Sie wird Lavendelstöcke unter die Rosen pflanzen, Lavendel schützt die Rosen.

»Sehr gut«, sagt Hella Morten, die dabei ist, ihr Gewächshaus einzurichten, »pflanzen Sie Lavendel, im nächsten Sommer ernte ich ihn und stelle Lavendelöl her. Ich überlege, ob ich einen Kursus mitmachen sollte, um Hautpflegemittel aus natürlichen Stoffen herzustellen. Im Gewächshaus wäre dafür Platz.« Die Pläne springen von einem zum anderen über.

Noch bevor sie ihre Wohnung eingerichtet hat, macht sich diese Josepha Starck ans Pflanzen der Rosen, die vor Einbruch des Winters in die Erde müssen; sie selbst hat Zeit, ein Plätzchen zum Schlafen wird sich finden. Und wenn es irgendwo nach Kaffee duftet, dann wird man ihr doch eine Tasse Kaffee anbieten? Gegen soviel zuversichtliches Vertrauen sind alle wehrlos, zumindest in der ersten Zeit des Eingewöhnens. Dem Durcheinander der Einzugswochen entgeht sie, indem sie sich um ihre Rosenkinder kümmert. Ludi begleitet sie mit Schaufel und Eimer, gräbt die Pflanzlöcher, streut Hornspäne hinein, alles nach ihren Anweisungen. »Sie müssen soviel laufen und schleppen für meine Rosen«, sagt sie, und er versichert, daß er es nicht nur für die Rosen tue, er würde noch viel mehr tragen.

»Wirklich? Würden Sie das tun, Ludi? Dann holen Sie doch Wasser vom Bach. Warum soll das Wasser vorbeifließen, es gehört uns doch allen.« Und Ludi zieht die Eimer durch den Bach, trägt an beiden Armen und sagt, daß er ein Joch haben müsse. Die Rosenfreundin kürzt die Saugwurzeln mit der Rebschere, häufelt Erde um die Rosenstöcke, klopft sie fest. »Und nun brauchen wir noch Zweige zum Abdecken. Vielleicht könnten wir die unteren Zweige von den Fichten abbrechen, ohne daß man uns erwischt?«

»Wir warten, bis es dunkel ist, die anderen sind alle noch mit Einrichten beschäftigt«, sagt Ludi, im Klauen habe er Erfahrung. »Was meinen Sie, was ich nach dem Krieg alles geklaut habe: Kartoffeln, Holunder, Koks, Holz. Kein Feldhüter und keine Bahnpolizei hat mich erwischt.«

Noch hat keine Amsel gesungen, da geht sie schon in ihren Rosenkindergarten, zählt die Augen, muß bei manchen Rosenstöcken lange warten, bis sich ein paar Augen auftun; sie kniet sich ins braune Wintergras, holt Schaufel und Hacke aus ihrem Korb, schneidet hier einen Schößling zurück, bindet einen anderen hoch; man beobachtet sie von fern. Sie hat ein weißblühendes Rosengehege angelegt, eines, das rosa blühen wird, und eines in Rot, prophezeit sie, und man glaubt ihr, daß die Rosen schon im ersten Sommer blühen werden, ein wenig. Sie hat Hölzchen an jeden Rosenstock gebunden, mit Namen und Daten versehen. Im Laufe des Winters wird sie einen Katalog anlegen mit Beschreibungen und Zeichnungen, die sie ein wenig koloriert. Wer möchte sie stören? Könnte nicht ein anderer die Einkäufe machen, zu denen sie in dieser Woche eingeteilt ist? Könnte in der nächsten Woche nicht ein anderer die großen Töpfe reinigen, wozu sie auf eine Fußbank steigen muß?

»Die Kleinen«, sagt Hella Morten, »die Kleinen haben es gut!«

»Eine Seidenrose!« sagt Josepha Starck, die man inzwischen mit Seffi anredet. »Wenn man einer Seidenrose Zeit läßt, ein paar Jahre, oder ein Jahrzehnt, dann wird sie bis zu vier Metern hoch! Sie hat Stacheln wie Flügelchen, die Blüten sind weiß wie Salz.«

Mindestens drei ihrer Zuhörer überlegen nun, wo man eine Seidenrose für Seffi beschaffen könnte. Sie trägt keine Handschuhe bei der Rosenpflege; wie ist es möglich, daß sie von den Dornen nicht verletzt wird? Nie sieht man einen Kratzer auf ihren Händen.

Benediktus versichert ihr, daß er sich auf die ersten Knospen freue, gleich die erste wird er abbrechen und sich ins Knopfloch schieben.

»Das verbiete ich Ihnen!«

Diese Knospe hätte zwei volle Wochen blühen können, Tag und Nacht. Sie blickt zu ihm auf, und er sagt, daß er verstanden habe.

»›Noch sind die Tage der Rosen‹, Gnädigste!« Er fügt hinzu, daß er immer eine Vorliebe für Knospen gehabt habe, er müsse nun wohl umlernen.

»Knospen duften nicht, Benediktus! Wissen Sie das nicht? Wissen Sie denn auch nicht, daß unser Geruchssinn die rascheste Botschaft an unser Gedächtnis ausstrahlt?«

»Ich werde darauf achten, Gnädigste, aber ich war früher ein starker Raucher, das Gedächtnis meiner Nase hat gelitten.«

Sie nimmt ihre Tätigkeit wieder auf, und er sieht ihr zu. »Ich hätte Sie trotzdem gern als Knospe gesehen, den Wunsch habe ich bei den anderen noch nie verspürt.«

Sie legt den Kopf in den Nacken und sagt, daß er die Knospe vermutlich nicht wahrgenommen hätte. »Die Knospe war ein dürftiges BDM-Mädchen, hat im letzten Kriegsjahr an einem Flak-Gerät herumgestanden und sich gefürchtet, war danach eine schwächliche Trümmerfrau, eigentlich noch ein Trümmerfräulein, hat keinen ordentlichen Beruf erlernt, und jetzt kann sie ohne Hilfe nicht hochkommen.« Sie reicht ihm die erdige Hand, aber er faßt unter den Ellenbogen, zieht sie nicht hoch, sondern hebt sie hoch, aus Sorge, daß sie zerbrechlich sei, zumindest behauptet er das, wahrscheinlicher ist, daß er seine Chirurgenhände schont. Vom Abwasch der Töpfe hat er sich suspendieren lassen, ein begabter Koch gehört an den Herd. Jetzt steht die Rosenfreundin neben ihm, bedankt sich für seine Hilfe, sagt, daß sie sich vorerst noch zu ihren Rosenkindern hinunterbeugen müsse, aber später werden sich die Rosenzweige ihr zuneigen. Sie spricht von ›Zuneigung‹. Gemeinsam gehen sie den Hang hinunter, er trägt ihr den Korb, und wieder sagt Hella Morten: »Die Kleinen! Die Kleinen werden immer verwöhnt!«

Wird diese Rosenfreundin nicht von Tag zu Tag schöner? »Eine Herbstschönheit«, sagt die Weberin, »es muß am Umgang mit den Rosen liegen. Ich hätte mit Rosen umgehen sollen und nicht mit Steuergeldern. Ob das genutzt hätte? Locken sich davon die Haare?« Sie fährt sich durch das strähnige, farblose Haar, lacht, und schon versichert ihr jemand, daß es für alle besser sei, wenn sie sich weiterhin um Geld kümmere.

»Alle eure Geldsorgen werfet auf die Weberin, sie wird's wohl machen.« Ist der Prediger nicht doch manchmal etwas blasphemisch? »Mein Herr versteht mich schon«, sagt er. »Er wird froh sein, wenn man nicht alle Sorgen auf ihn wirft, Geldsorgen sind ihm vielleicht weniger wichtig.«

Noch ist nicht der erste Schnee auf die frischgepflanzten Rosenstöcke gefallen, da gibt es den ersten kleinen Rosenkrieg. »Die Hagebutten und Rosenäpfel sind für die Vögel da!« Zumindest behauptet das Eva Pecher. Die sanfte Seffi widerspricht, Rosenstöcke seien keine Obstbäume.

»Die Vögel machen da keine Unterschiede!« Eva Pecher steht auf der Seite der Vögel, läßt ihre Wellensittiche frei herumfliegen, keiner hat Zutritt zu ihrer Wohnung, damit die Vögel nicht unbemerkt davonfliegen. Cordula Heck mischt sich ins Gespräch, ihrer Katze wegen, die sie für den wichtigsten Teil der Schöpfung hält. In diesem ungleichen Kampf siegt die Schwächste. Während die anderen noch diskutieren, kehrt sie zu ihren Rosen zurück und zeichnet und malt aufgeblühte Königinnen und Stubenmädchen in der Knospe. Im Sommer, wenn das Blühen und Verblühen erst einmal begonnen hat, wird sie in den frühen Morgenstunden durch den Park gehen und die verblühten Rosen abschneiden, in einen Korb legen und den Korb zum Kompost tragen und die Blütenblätter verstreuen. Was für ein schöner Hügel! So einen Grabhügel wünscht sie sich, aber sie teilt diesen Wunsch niemandem mit.

Keine drei Jahre, dann wird ihr ›Rosarium‹ schon von anderen Rosenfreunden besucht werden, dann wird man ihr Ausleger bringen, wird Ausleger mitnehmen, weitere Kataloge schicken. Meterlange Triebe! Ludi wird sie nach ihren Angaben zurückschneiden müssen. Wie das alles heranwächst! Staunen und Bewundern. »Das wächst mir doch alles über den Kopf! Werde ich denn immer kleiner?«

Im Herbst fährt Jobst Lorenz mehrere Schubkarren voll Pferdemist zu ihren Revieren, wie er das nennt. »Tadelloser Dung! Bei meinem Bauern stehen die Tiere nicht auf dem blanken Beton, sondern auf Stroh. Pferdemist ist gut für Rosen, besser als Rindermist, Stroh ist genug drin, das hält die Wurzeln warm, da erfriert Ihnen nichts!«

»Ist das so?« fragt die Rosenfreundin. »Der viele gute Mist!« Noch nie hat sie mit Mist zu tun gehabt. Tsetse wird gekränkt sein, wenn er seinen zweimal gesiebten Kompost nicht zu ihren Rosen bringen kann.

»Was machen wir denn nun?« fragt Ludi.

»Wir sagen, daß wir ausprobieren werden, welche Rosensträucher besser gedeihen, die mit Kompost oder die mit Mist. Einer wird dann gekränkt sein, wir müssen uns etwas einfallen lassen, Ludi!«

»Soll ich trotzdem noch die Holzasche aus dem Kamin zu den Rosenstöcken tragen?«

»Wenn Sie es gern tun, dann streuen Sie!«

»Für Sie tue ich alles gern«, sagt Ludi. »Sie sagen immer genau, was ich machen soll. Frau Pertes sagt: ›Sehen Sie sich doch um, Ludi!‹ Aber das meiste sehe ich gar nicht, man hätte mich noch mal umschulen müssen, auf Selbständiger.«

Abends zieht sie sich früh zurück, sie ermüdet so leicht. Man meint, sie schon lange zu kennen, aber man weiß wenig von ihr, bis dann jemand nachfragt: »Woher stammen Sie denn eigentlich, Seffi?«

Man erwartet einen freundlichen Lebenslauf. Sie erzählt leise und fragend, am Ende eines Satzes hebt sie die Stimme, als bleibe alles offen. Sie wäre gern Tänzerin geworden, aber das war nicht möglich, nicht einmal eine Ballettschule hat sie besuchen können. Alle vermuten, daß es an den Zeiten gelegen hat, die meisten haben ihre Berufswünsche nicht erfüllen können. »Man kann sich seine Wünsche aber auch durch Heirat erfüllen«, sagt sie. »Ich habe einen Tanzmeister geheiratet, er hatte auch nichts gelernt, war Berufsoffizier gewesen und fast unversehrt, als er aus der Gefangenschaft kam. Damals wollten alle wieder tanzen und tanzen lernen, und gutes Benehmen war auch wieder wichtig. Oft hatten wir acht und zehn Kurse, zuletzt nur noch Kurse für Senioren. Nach dem Tod meines Mannes hat unsere jüngste Tochter mit ihrem Mann die Tanzschule übernommen; ich habe meine Mutter bis zu ihrem Tod versorgt, sie ist sehr alt geworden. Wenn ich mit meinen Kindern telefoniere, fragen sie: ›Wie geht es dir denn?‹ Ich höre ihre Sorge heraus, daß ich auch so alt werden könnte. Wer soll mich denn pflegen?« Sie blickt von einem zum anderen und sagt: »Jetzt haben Sie auch alle Angst!«

Ein Augenblick des Schweigens, dann sagt eine weibliche Stimme: »Ich werde das nicht erleben.« Ein Satz, der nichts verbessert, nichts klärt. Wer hat das gesagt?

Die Rosenfreundin berichtet, daß sie im vergangenen Sommer alle Kinder noch einmal besucht und ihnen von dem Vorhaben erzählt habe. »›Mach das, Mutter!‹ Sie waren erleichtert, und ihre Erleichterung hat mir den Entschluß auch erleichtert. Meinen Nachbarn habe ich einen Brief geschrieben. Ich mußte mich doch verabschieden und mich bedanken und ihnen mitteilen, daß sie sich nicht sorgen müssen. Am Abend habe ich die Briefe eingeworfen, am nächsten Morgen stand der Möbelwagen vor der Tür. Ich bin unbekannt verzogen. Jetzt habe ich neue Menschen um mich.« Sie macht eine Pause, sagt: »Es wird doch gutgehen mit uns?«

Das fragen sich alle. Eine Antwort weiß keiner.

Josepha Starck, die gern eine Tänzerin geworden wäre, hat einen kleinen Buckel, darum die Rüschen und Fältchen an den weiten Kleidern, die um sie herumwehen. »Nun wissen Sie, warum ich nicht mit in die Sauna kommen wollte«, sagt sie zur Weberin, »es ist keine altersbedingte Verkrümmung der Wirbelsäule. Ich bin so geboren. Meine Mutter hat sich für mich geschämt, aber ich hatte eine Tante, die hat immer an dem Buckel gekratzt und gesagt: ›Darin stecken deine Flügel, Seffi.‹ Ich wäre gern ein schöner Anblick!«

»Das wären wir wohl alle.«

Man mußte über viele Schäden und Beschädigungen hinwegsehen.

Die Rosenfreundin hat sich für ihren ersten Saunabesuch die Fußnägel rot lackiert, sie hat hübsche Füße, warum sich nicht verschönern, warum ausgerechnet dann damit aufhören, wenn man Verschönerung besonders nötig hat? »Man muß die Aufmerksamkeit auf das lenken, was noch ansehnlich ist«, sagt sie, sagt aber auch: »Wir wollen nicht so genau hinsehen. Die Brillen lassen wir draußen.«

»Wer bestimmt denn, was schön ist? Wollen wir immer noch durch unser Äußeres beeindrucken?«

»Sie haben gewiß eine schöne Milz, meine Liebe!«

»Sehen Sie mich nur in aller Ruhe an«, sagt die Weberin. »So sieht man aus, wenn man sein Leben hinterm Schreibtisch verbracht hat. Ich gehöre zur weißen Rasse, richtig braun werde ich nicht einmal in der Karibik. Mit den Körperfreuden war es nicht viel, aber wenn ich diesem Herrn hier einen Kübel kaltes Wasser über den Rücken gieße, dann ist mir das ein großes Vergnügen. Und dann haben wir ja auch noch die schönen barmherzigen Leintücher unserer Hilde Seitz!« Man könnte diese Seffi zweimal hineinwickeln, bei anderen reicht es knapp einmal, reicht bis zu den Knien, reicht zu den Knöcheln, macht aber doch alle einander ähnlich, alterslos, geschlechtslos. Wenn sie durch ihr geräumiges, dämmriges Badehaus schreiten, sehen sie aus wie Römer und Römerinnen.

Man hat die leichten Holzliegen zu kleinen Gruppen zusammengeschoben. Hannah Pertes, Benediktus, die Rosenfreundin liegen nah beieinander, blicken durchs Glasdach in die Baumkronen; man hört das Rauschen der Duschen, hört Gelächter. Hella Morten planscht im Tauchbecken, stößt Schreckensschreie aus, wickelt sich in ihr Leintuch, zieht eine weitere Liege herbei, streckt sich aus, dehnt sich, sieht ein Lächeln auf Seffis Gesicht: »Woran denken Sie denn?«

»In der vergangenen Nacht habe ich wieder lange im Wald gearbeitet; es war schon Herbst, die Luft war voller bunter Laubvögel, ich hörte Stimmen, so wie jetzt, ich hörte Lachen, aber ich hörte auch Musik. Ich schob die Zweige der Büsche auseinander, da sah ich viele Menschen, ich kannte aber keinen, sie tranken und lachten, saßen an Tischen, einer stand auf, kam auf mich zu. Ich begrüßte ihn verwirrt, und erst als er vor mir stand, ganz nah, erkannte ich ihn. ›Du hast einen neuen Anzug an‹, sagte ich. Er lächelte und fragte, ob er mir gefiele. Der Anzug war hellbraun und aus Samt, und die Ärmel waren gekraust, er hatte gar keine Knöpfe, man konnte ihn nicht an- und ausziehen, und während ich ihn betrachtete und um ihn herumging, stand ein anderer Mann neben ihm, er trug den gleichen Anzug, es war unser Sohn. Ich sagte: ›Ihr könnt mir in diesen schönen Anzügen aber nicht helfen, es ist soviel im Garten zu tun.‹ Da führte mein Mann mich zu einer Bank, setzte sich neben mich, legte den Arm um meine Schultern und sagte, daß ich mich ausruhen solle. Und ich dachte, was für ein schöner Traum, und legte den Kopf auf seine Schulter. Dabei erwachte ich und lag ganz allein.«

»Was für Träume«, sagt Benediktus, »beneidenswert!«

Und Hella Morten sagt: »Das haben Sie sich doch ausgedacht, so etwas träumt man doch nicht.«

Und Hannah Pertes sagt: »Vielleicht sollten Sie sich wirklich mehr ausruhen, Seffi? Sie arbeiten viele Stunden im Garten!«

»Aber ich muß doch für meine Rosen sorgen, solange sie so klein sind; wenn sie größer sind, werden sie selbständiger, dann brauchen sie weniger Pflege, dann wird sich ein anderer oder eine andere darum kümmern, hier kann man doch alles stehen- und liegenlassen und davongehen, man muß sich um nichts sorgen.«

»Werden Sie doch bitte sehr alt, Seffi!« sagt Hannah, und Seffi lächelt mit geschlossenen Augen.

Die langen Auseinandersetzungen, ob das Parktor verschlossen bleiben müsse, ob die Sprechanlage eingeschaltet werden soll, wie man Unbefugten den Zutritt untersagen könne, ob jeder einen Schlüssel haben soll, wurden von der Rosenfreundin beendet.

»Ich habe das Schild, das zu Hause an unserem Gartentor hing, aufgehoben und mitgebracht. Wer das Schild liest, respektiert es. Darf ich dazu eine kleine Geschichte erzählen? Wir waren auf unserer Insel und wollten über einen schmalen Holzsteg gehen, der bei Flut übers Wasser führt; dort war ein Schild angebracht, auf dem stand: ›Die Vernünftigen fahren hier nicht Rad, und den Unvernünftigen ist es verboten.‹ Ein ähnliches Schild haben wir anfertigen lassen: ›Die Vernünftigen betreten dieses Privatgrundstück nicht, den Unvernünftigen ist es verboten.‹«

Was für ein vielfach anwendbarer Satz, aber er löste das

Parktor-Problem nicht ein für allemal. Die Frage nach der Insel, auf der man solche Schilder aufstellte, ging im Für und Wider des Gespräches unter.

Sie wechselt Briefe und Kataloge mit ihren Rosenfreunden, begibt sich manchmal auf Reisen. Wenn sie zurückkommt, geht sie ins Gewächshaus und erbittet sich einen kleinen Platz für den neuen Steckling, liest seinen prächtigen Namen vor, topft ein, stülpt ein Glas darüber. Im Frühling wird sie die neuen Rosen ins Rosarium bringen, falls sie den Winter gut überstehen. Und nach einer Pause fügt sie hinzu: »Wenn wir den Winter gut überstehen, meine Rosen und ich.«

14

›Das Leben geht Hand in Hand mit dem Tod.‹
Else Lasker-Schüler

Eines der Häuser stand noch eine Weile leer, aber in kurzen Abständen trafen Botschaften von Jelena Koenig aus Jerusalem ein: sie habe noch manches zu regeln, sie werde nur mit wenigen Koffern kommen, ob man ihr ein paar Möbel in ihr Zimmer stellen könne, sie sei nicht verwöhnt. Und schon hat der eine einen Sessel übrig und der andere einen Schrank und jener einen Tisch; man hat viel zuviel Möbel mitgebracht. Der helle, schöne Raum füllt sich mit überflüssigen Möbelstücken, eines macht das andere noch häßlicher. Sperrgut. Will man diese Jelena Koenig darin wohnen lassen? Man blickt die Weberin an, und sie sagt, daß es Schranken gebe, vorgesehen sei die Möblierung eines Hauses nicht.

»Wiedergutmachung«, sagt jemand. – »Das kann man nicht«, sagt ein anderer. – »Aber gut machen könnten wir es doch«, sagt Ulla Schicht, die sich selten in ein Gespräch mischt; sie würde gern die Einrichtung des Hauses übernehmen, eine altersgerechte Wohnung, die Sessel in der richtigen

Höhe, die Lehnen armgerecht. Sie kennt einen Designer, der mit einem Orthopäden zusammenarbeitet.

»Handelt es sich denn um einen Pflegefall?«

»Wenn man sich in diesem Alter neu einrichtet, muß man die späteren Bedürfnisse berücksichtigen.«

Was für ein schön eingerichtetes Haus, in das man diese Jelena bald darauf geleitete! Man ließ sie rücksichtsvoll mit ihren Koffern allein, das Aus- und Einräumen sollte sie selbst übernehmen, sie war noch ein wenig verwirrt von der Reise.

»Sie sieht gar nicht aus wie eine Jüdin!« - »Aber sie hat etwas Morgenländisches«, sagte die Rosenfreundin, so stelle sie sich die altgewordene Suleika vor.

»Man denkt, sie sieht etwas Wunderbares, und wenn man sich umdreht, ist alles wie immer. Ob sie uns für besondere Menschen hält?« - »Dann müssen wir uns aber sehr anstrengen!« - »Sie hat schon ganz weißes Haar.« - »Und die dunklen Augen und der schöne Teint!« Jelena Koenig war die Schönste im ganzen Land.

An den folgenden Tagen brachte man ihr praktische und unpraktische Gaben, und sie sagte: »Ich staune!« Und die anderen stellten fest, daß sie selber verlernt hatten zu staunen. Der Zauber, der von Jelena Koenig ausging, lag in dieser Fähigkeit zu staunen. Immer war sie freudig überrascht, und wenn sie nicht freudig überrascht war, sagte sie trotzdem »oh!«, manchmal mit drei o und einem angehängten h, dann wurden alle hellhörig, dann war etwas nicht in Ordnung.

»Ich kann nur staunen«, sagt sie. »Alle sind so reich und so gesund. Ich dachte, ich müßte unter alten und leidenden Menschen leben. Leidet hier keiner? Ich habe noch nie ein Zimmer für mich gehabt, und nun ein ganzes Haus!« Sie ist an einem grauen Wintertag mit der Bahn angereist. »Die Landschaft war früher schöner, oder ich war weniger verwöhnt.«

Jemand erkundigt sich, ob sie denn auch gesund sei, woraufhin der stillgelegte Landwirt erklärt, daß in so einer kleinen Person doch gar kein Platz für Krankheiten sei, die Großen und Dicken würden viel häufiger krank.

Man müßte leichte Tätigkeiten für sie suchen.

Lange suchen muß man nicht, sie bietet sich an, eine Bibliothek einzurichten.

»Jeder, der ein Buch ausgelesen hat, stellt es der Bibliothek zur Verfügung, Bücher müssen gelesen werden.« Und zu Hannah Pertes sagt sie: »Wie glücklich müssen Sie sein, Sie haben das alles noch nicht gelesen? Wenn man ein Buch ein zweites oder drittes Mal liest, ist es nie wie beim ersten Mal. Manchmal kann das richtige Buch einen richtigen Menschen ersetzen, vor allem aber einen falschen Menschen.«

»Womit soll ich anfangen?« fragt Hannah Pertes.

Benediktus ist der erste, der einen Stoß Bücher abliefert.

»Sie spielen Geige?« fragt ihn Jelena.

»Ich besitze noch eine Geige, ich habe sie lange nicht gespielt.«

»Legen Sie sie auf den Flügel, dann gewöhnen sich die beiden aneinander.«

»Das wäre zu überlegen.«

»Ooh - wenn Sie erst überlegen müssen, dann tun Sie es einfach nicht.«

Es ist Sonntagmorgen, Jelena geht von einer Tür zur anderen, klopft und fragt: »Geht hier keiner zur Kirche?« Man klärt sie auf, der Sabbat sei doch vorbei. »Oooh«, sagt sie, »bin ich hier wieder eine Jüdin? Als Kind, damals in Deutschland, war ich auch eine Jüdin, dabei war ich doch christlich getauft, meine Eltern waren auch getauft, und dann kam ich nach Palästina und stimmte wieder nicht, weil ich doch Christin bin. Ich stimme nirgends. Ich möchte in die Kirche gehen, ich habe mir den Stadtplan angesehen, es ist nicht weit. Zehn Minuten Kirchgang! In Jerusalem ging ich in die Annenkirche, dort mußte ich auch allein gehen. Ich dachte, ich wäre nun wieder in einem christlichen Land -« Das alles sagt sie nicht vor einem Publikum, sondern zur Rosenfreundin, die dann auch bereit ist mitzukommen.

Abends sitzt Jelena lange im Dunkeln, schaltet das Licht nicht an; als man sie fragt, sagt sie, daß man warten müsse, bis drei Sterne am Himmel stehen. »Eigentlich soll man das nur am Sabbat tun, aber ich habe mir angewöhnt, an jedem Abend zu warten. Es gibt hier so wenig Abende, an denen Sterne zu sehen sind. Wenn es zu lange dauert, mache ich dort einen Besuch, wo schon Licht brennt.«

Sie hat viele Eigentümlichkeiten, diese Jelena aus dem Morgenland. Sie geht herum, blickt sich um und sagt: »Oh - wie grün das ist!« und: »Oh - wie kühl das ist!« und: »Oh - wie groß die Häuser sind.« Sie hüllt sich in leichte Wolltücher, entschuldigt sich, es sei ihr ein wenig kühl, sagt: »Ooh, warum ist das so, daß ich jetzt entbehre, worunter ich so lange gelitten habe? Ich habe mich nach Schatten gesehnt, nach grünem Schatten, und nun ist überall Schatten, und ich sehne mich nach Wärme und Licht, nach einem himmlischen Jerusalem, das ganz anders aussehen wird als die Stadt, in der ich so lange gelebt habe.«

»Kommen Sie in die Sauna, dort ist es heiß wie in der Wüste.« - »Nur feuchter!« - »Palmen haben wir allerdings nicht!«

»Muß ich mich dort ganz ausziehen, alles?«

»Alles!«

»Das kann doch bei Ihnen gar nicht so schlimm werden«, sagt Tsetse. »Sie bekommen ein Leintuch, das wickeln Sie ein paarmal um sich herum. Es ist dämmrig.«

»Hat es nicht auch seine Vorzüge, daß man nicht mit jungen, makellosen Körpern konfrontiert wird?«

Tsetse sagt, daß gegen junge, makellose Körper nichts einzuwenden sei.

Inzwischen ging man unbefangen miteinander um, es wurde geplanscht, es wurde gelacht. An milden Tagen stellte man sich in den Regen, alternde Haut war durstig; Jelena sagte, daß ihre Haut Sonne noch nötiger brauche als Wasser. Man achtete mehr auf die Bedürfnisse und Freuden des eigenen Körpers als auf die Körper der anderen.

An einem Morgen liegt frischer Schnee, man reibt sich mit Schnee ab, wirft ein paar Schneebälle. Diese Sauna, dieses Badehaus, was für ein guter Einfall! Man braucht nur den

Bademantel überzuziehen, kann sich auf dem eigenen Bett ausruhen.

Ulla Schicht, ein Tuch zum Turban ums Haar gebunden und in ihr Laken gehüllt, kommt in den Liegeraum und sagt: »Ich bin erleichtert um neunhundert Gramm, ein Teil davon müssen die Sorgen sein, die so langsam von mir abfallen.« Die Schweigsamen werden gesprächiger, die Gesprächigen stiller.

Eines Tages taucht dann Lea unangemeldet auf. Sie hat gerufen, auch geklingelt, ist dem Geräusch und dem Sandelholzgeruch nachgegangen und findet dann die ganze Gesellschaft in den Saunaräumen versammelt, streift die Jeans ab, zieht den Pullover über den Kopf, viel mehr hat sie nicht auszuziehen. »Handtücher gibt es?« Man wirft ihr ein Laken zu, sie ruft: »Hallo, da bin ich, falls Sie mich in diesem Zustand noch nicht kennen, ich bin Lea.«

Natürlich war sie hier jünger als anderswo, aber man betrachtete sie auch kritischer: So jung und so schön war ihr Körper auch nicht mehr, oben zuwenig, unten zuviel. Sie konnte einem leid tun: Auch sie würde altern, rasch vermutlich, sie ging achtlos mit ihrem Körper um, man müßte sie warnen, damit sie sich gut mit ihm stellte, sie wird noch viele Jahrzehnte auf seine Funktionen angewiesen sein.

Als sie von der oberen Bank des Schwitzraums hinuntersteigt, zur Tür springt, ruft sie: »Und jetzt in den Jungbrunnen!«

Die Rosenfreundin sagt: »Ich bin recht froh, daß ich das alles hinter mir habe.« ›Das alles‹, was meint sie? Jeder meint etwas anderes oder denkt dasselbe: Nicht noch einmal das ganze Leben, aber wenn es ist, wie es jetzt ist, könnte es noch eine Weile dauern.

Lea reißt die Tür zum Schwitzraum wieder auf und ruft: »Wo ist eigentlich Hannah?«

»Tür zu!« ruft jemand aus dem Halbdunkel.

Lea, die sich nicht abgeseift hat; Lea, die schweißüberströmt ins Tauchbecken springt und kreischt, das nächstbeste Laken ergreift, sich flüchtig abtrocknet, wieder in die Jeans steigt. »Wo sind die anderen?« Und noch einmal fragt: »Wo ist Hannah?« Sie ruft in den Ruheraum: »Funktioniert hier auch alles?«

»Menschlich oder technisch?«

Tsetse sagt: »Technik ist ein Idealzustand. Wir haben Ludi!«

»Sie sollten sich ausruhen, Lea!«

»Nein«, ruft Lea, »ich kann mich hier nicht ausruhen, nirgends kann ich mich ausruhen. Wie alt muß man eigentlich sein, um hier aufgenommen zu werden? Gibt es ein Mindestalter?« Sie verschwindet in ihrem großen Pullover, nimmt die Schuhe in die Hand, und weg ist sie.

Man ist froh, daß wieder Ruhe herrscht. »Sie erinnert mich irgendwie an meine Tochter!« - »Mich auch!«

Hätte man der Architektin sagen sollen, daß der Regen aufs Glasdach trommelt, Tag und Nacht? War eine Architektin für Regen zuständig? »Im Grunde ja!« - »Wenn die Sonne durchs Dach scheinen soll, müssen wir den Regen hinnehmen, ist das logisch?« fragt die Weberin. - »Logisch ja, aber störend.«

Man hätte ihr sagen sollen, daß die Wege nicht rutschfest sind. Was soll man denn streuen? Man kann doch nicht immer neben den Wegen hergehen, dafür sind Wege nicht da. Man hätte einen anderen Belag nehmen sollen! Aber die roten Backsteinwege korrespondieren mit den roten Ziegeldächern. Es geht doch nicht nur um Sicherheit!

Über Mängel läßt sich ausführlicher reden als über Vorzüge. Aber muß man sich an den Unterhaltungen beteiligen? Es sind Geräusche. Wird man später noch eine Runde Doppelkopf spielen?

Auf dem Parkplatz trifft Lea dann doch noch mit Hannah zusammen. »Wo warst du?« Sie wartet die Antwort nicht ab, stellt dieselbe Frage noch einmal: »Funktioniert alles? Sag es mir nicht, Hannah! Es ist das erste Jahr, manches klappt, manches nicht. Was nicht klappt, repariert dein Ludi, das habe ich bereits gehört. Hannah, ich muß weg, beim nächsten Mal bleibe ich länger. Ach - Hannah!« Warum der Seufzer? Hannah erkundigt sich nicht.

Und dann diese Jelena! In der Sauna sollt ihr sie erkennen! Ein Neuling, zehn Lehrmeister beiderlei Geschlechts und annähernd die gleiche Anzahl von Methoden für die rechte Anwendung der Sauna. Sie blickt von einem erhitzten Gesicht ins andere, ratlos, welchen Anweisungen sie folgen soll, bis jemand sagt: »Das letzte Wort hat immer die Weberin, sie hat das Badehaus finanziert.« Woraufhin die Weberin erklärt, daß die Sauna allen gehöre, aber daß es doch wohl selbstverständlich sei, daß Jelena als erstes ein heißes Fußbad nehme! Und schon setzt das Grundsatzgespräch erneut ein.

Als Jelena dann den Schwitzraum betritt, schlägt sie zunächst einmal die Hände vors Gesicht, was sie oft tut, wenn sie überrascht ist, dann sind nur noch die schönen braunen Augen unter dem weißen Bubikopf sichtbar, diesmal wird alles sichtbar, weil das Leintuch herunterfällt; sie bückt sich. »Sie müssen das Tuch auf die Bank legen!« – »Sie dürfen nie auf das blanke Holz treten!« – »Sie müssen auf die Sanduhr achten!« – »Sie müssen nachschwitzen!« – »Sie müssen sich mit kaltem Wasser abspritzen!«

Es findet sich jemand, der das gern übernimmt. Jetzt soll sie in den Jungbrunnen steigen. »Ooh –«, sagt sie, »wird das nutzen?«

»Jetzt müssen Sie aber ruhen!«

Sie wickelt sich wieder in ein Laken, sieht, daß Hella Morten sich abmüht, die Füße zu salben, und schon zieht sie sich einen Hocker herbei und sagt: »Legen Sie mir den Fuß auf den Schoß, es ist einfacher, wenn man die Füße des anderen salbt. Ihre Haut ist sehr trocken, wir sollten Öl nehmen. Wenn man lange am Rand der Wüste gelebt hat, weiß man, wie wichtig die Füße sind.«

Und Hella Morten, die unsanfte Chemikerin, läßt sich alles gefallen, sagt, daß sie soviel gestanden habe, im Labor. Die Weberin sieht zu, warum ist man noch nicht selbst darauf gekommen? Sie wird das lernen, sieht sich dann ihre eigenen Hände an und sagt: »Dasselbe wird es nicht sein«, blickt auf die Füße des Predigers, der sagt: »Bevor ich jemanden an meine Füße heranlasse, müßte ich zu einem Fußpfleger gehen.« Und schon erkundigt sich jemand, ob es in der Nähe einen Fußpfleger gebe. Die Frage interessiert alle, wäre es nicht das beste, der Fußpfleger käme in das Badehaus? »Aber wir wollen doch nicht in einem Getto leben! Entschuldigung!« Das Wort Getto hat einen anderen Klang bekommen, seit Jelena da ist. »Ooh«, sagt sie. »Dies ist ein sehr hübsches Getto« und streicht über die verdickten Knöchel von Hella Morten.

Viele Probleme werden in Zukunft einfacher zu lösen sein; Fußpflege zum Beispiel.

Jelena blickt zum Prediger auf und fragt: »Worauf versteifen Sie sich? Ihr Kopf sitzt nicht, wo er sitzen sollte. Ich könnte Ihnen die Schulterpartie ein wenig massieren. Das nächste Mal bringe ich mein Öl mit.« Und dann blickt sie zu den anderen auf, die um sie herumstehen, und sagt erklärend: »Wir werden alle nicht mehr genügend gestreichelt. Wenn man älter wird, ist Salben genauso gut. Fast genauso gut«, sagt sie und lächelt. Was für eine besänftigende Stimme, was für wohltätige Hände! Hätte man nach einem Emblem für Jelena gesucht, wäre es ein Salbentopf gewesen.

Schon nach wenigen Wochen behauptet der Prediger, man müsse sie heiligsprechen. Was für ein Gewinn für die kleine Gemeinschaft! Benediktus war gegen die Heiligsprechung, er war dafür, daß alle sich seligpreisen sollten, die mit ihr zusammenleben durften; nur Jobst Lorenz, der sie eingebracht hatte, hielt sich zurück, mit diesem Leichtgewicht konnte er nichts anfangen, da ging er doch lieber mit der handfesten Weberin um.

Wer gedacht hatte, daß Jelena sich bei Näh- und Flickarbeiten hilfreich erweisen würde, sah sich getäuscht, diesen Abschnitt ihres Lebens hatte sie hinter sich gelassen, die Geschicklichkeit ihrer Hände wandte sie nicht mehr bei Dingen an, sondern bei Menschen.

»Ich komme nachher mit meinem Salbentopf zu Ihnen«, sagt sie und klopft wenig später bei Benediktus an die Tür. Die Klingel benutzt sie nie, immer klopft sie an. Sie setzt sich neben ihn und massiert den linken Mittelfinger, dessen Gelenk verdickt ist, benutzt Johanniskrautöl. Während sie streicht und streichelt, lobt sie die Hände, Chirurgenhände, das sind ganz besondere Hände! Eine davon hält sie zwischen ihren eigenen beiden Händen, zieht sie an die Lippen, läßt rasch los, sagt: »Oh –«, schlägt die Hände vors Gesicht. »Das hätte ich nicht tun dürfen, so etwas tut man hier wohl nicht? Warum spielen Sie nicht Geige? Wir könnten zusammen spielen, leichte Stükke, es muß doch nicht vollkommen sein. Wir waren doch nie vollkommen. Ich nicht. Sie waren sicher vollkommen!«

»Nein, ich war nicht vollkommen, ich war kein großer Chirurg, dafür war ich zu zaghaft, ich wäre vielleicht ein guter Forscher geworden. Aber ich hatte eine vollkommene Frau, ohne sie zu leben ist sehr schwer. Für die Glücklichen ist die Trennung schwerer.«

Obwohl Benediktus weniger Fleisch aß als früher, obwohl er weniger Rotwein am Abend trank, nahmen die Gichtanfälle zu, oder – aber das ist nur eine Vermutung – schätzte er Jelenas kleine Besuche? Was für ein gutes Alibi, so ein Topf mit Arnikasalbe!

Konnte man einer solchen Frau zumuten, daß sie die schweren Einkaufskörbe trug? Daß sie im Garten arbeitete? Ihre bloße Anwesenheit war so wohltuend, sie war so hübsch anzusehen, diese großen dunklen Augen unter dem weißen Bubikopf.

»Das Bedürfnis nach Schönheit wächst, wenn man die eigene verliert«, sagt sie, ausgerechnet sie sagt das, aber sie hat auch mehr zu verlieren als die anderen. »Ein alter Körper muß liebevoll behandelt werden, man darf nicht das Interesse an ihm verlieren, man muß ihm zukommen lassen, was er so nötig braucht. Luft und Wasser und Bewegung und Sonne. Sonne«, sagt sie, und alle wissen, daß sie sich zurücksehnt. »Man muß doch nicht immer arbeiten, um sich zu bewegen«, sagt sie, »wir könnten doch tanzen, Seffi könnte uns anleiten!«

Die beiden Frauen haben sich rasch angefreundet. Arm in Arm gehen sie im Glasgang auf und ab, derweil ein Regenschauer nach dem andern auf das Glasdach prasselt: »Ob man sich an dieses Geräusch je gewöhnen wird?« fragt Jelena und schlägt im nächsten Augenblick vor, daß sie am Abend das Regentropfen-Prélude spielen könne, sie hat das Stück früher gern gespielt; so gut wie eine Schallplatte sei sie nicht.

Man hat sich daran gewöhnt, in strittigen Fragen Felix Eisenlohr anzusehen. ›Was sagt der Prediger –?‹ Der Prediger sagt: »Sollten wir versuchen, ohne Geburtstagsfeiern auszukommen? Müssen wir uns ständig an unsere Lebensdaten erinnern?« Aber Festlichkeiten, die man zusammen feiert, die sich an die Jahreszeit halten, wenn er nun gleich einen Vorschlag unterbreiten dürfe –?

»Unterbreiten Sie!«

»Statt unser eigenes Alter zu feiern, sollten wir an einem Abend, der lang werden wird, an jene denken, die dieses Alter nicht erreicht haben. Ich hatte einen Bruder, der schon im Polenfeldzug gefallen ist. Als ob er nie gelebt hätte! Seit die Eltern gestorben sind, erinnert sich keiner; er hatte eine Braut, die einen anderen geheiratet hat, er war begabt. Er hatte Pläne! Er sah besser aus als ich, war begabter als ich, meine Mutter liebte ihn mehr, aber: Ich bin übriggeblieben. Warum bin ich übriggeblieben? Es ist doch auch eine Gnade, daß wir so alt geworden sind, vielleicht noch älter werden, und wie es jetzt aussieht, unter günstigen Bedingungen. Wenn ich hin und wieder den nötigen Ernst beitragen darf? Ich bin besorgt, daß sich hier eine krampfhafte Munterkeit ausbreiten könnte. Und wenn wir uns nach dem ›heiteren Zusammensein‹ trennen, geht jeder zurück zu seinem Kummer, zu seinen Erinnerungen.«

»Die meisten habe ich gar nicht mit hierhergebracht«, sagt Jelena.

Ach, Jelena – sie hatte ja auch mehr Erinnerungsgepäck als alle anderen, mehr, als sie hätte tragen können. Noch verwundert sie sich, staunt, blickt sich mit ihren dunklen Augen um und sagt ›Oh‹, noch nimmt niemand Veränderungen wahr, so genau kennt sie keiner. Zwei Jahre noch, dann wird sich ihr Verstand verwirren, sie wird ihre Umwelt nicht mehr erkennen. »Wir sind uns früher einmal begegnet«, wird sie zu Benediktus sagen, und er wird auf ihren Ton eingehen, sie wird sich in den Türen irren, man muß nach ihr suchen, sie kauert sich ins Rhododendrongebüsch, nähern sich Schritte und Rufe, verkriecht sie sich tiefer. Findet man sie dann doch, sagt sie ›Ooh‹. Man hat viel Mühe mit ihr. Aber sie selbst scheint glücklich zu sein. Der Prediger wird dann sagen: »Ist es nicht eine Gnade? Sie hat ein schweres Leben gehabt, und jetzt fällt alles von ihr ab. Es gibt ein Drama von O'Neill, ›Eines langen Tages Reise in die Nacht‹, Mary Tyrone heißt diese Frau; am Ende des langen Tages kommt sie in ihrem schönsten Kleid die Treppe herunter und lächelt. Wir könnten das Stück einmal mit verteilten Rollen lesen.« Aber das hat er früher schon einmal vorgeschlagen und ist auf Jelenas Ablehnung gestoßen, das sei eine düstere Geschichte, voller schlimmer Ahnungen.

Man hat Ordnung in den Tagesablauf gebracht, aber Unordnung wird zugelassen, das eine ist die Regel, das andere die Ausnahme. Jeder erhält am Anfang des Monats eine Reihe von Freibriefen, mit denen er sich vom gemeinsamen Essen, vom Leseabend, vom Kaminabend dispensieren kann. Aber will man den, der gekocht hat, durch Abwesenheit kränken? Würde man nicht etwas versäumen? Trotz des Gutschein-Systems wird ein gewisser Zwang spürbar, für die einen stärker, für die anderen weniger stark. Man hat vereinbart, daß man einen Gutschein hinlegt, das soll genügen, Erklärungen müssen nicht abgegeben werden, trotzdem wird gefragt: ›Wo waren Sie gestern abend, als unsere Damen Frühlingsgedichte vorgetragen haben?‹ Vorfrühlingsgedichte! Und vorher gab es die kleinsten Fleischstücke, die je auf einem Teller gelegen haben, aber: delikat und auf Weinkraut und von Chirurgenhand tranchiert.

Man sieht Tsetse an. Wo war er gewesen? Den ganzen Tag lang hat man ihn nicht gesehen. »Ich hatte meinen Bernsteintag. Ich empfehle die Einführung solcher Bernsteintage. Ich bin bereit, die Entstehungsgeschichte zu erklären. Wir waren jung verheiratet, machten unsere ersten Erfahrungen miteinander, eine kleine Reise an die See, auf eine Nordseeinsel. Sehr bescheiden, damals noch. Eines Morgens erklärte meine Frau:

›Ich gehe jetzt an den Strand und suche Bernstein.‹ Sie sagte nicht ›wir gehen‹, sondern ausdrücklich ›ich gehe‹.«

»An der Nordsee hat man noch nie Bernstein gefunden!«

»Genau das war gemeint. Von Bernsteinfinden war nicht die Rede. Wenn man für sich sein wollte, nahm man sich einen Bernsteintag. Mehr als dreißig Jahre ging es sehr gut mit uns. Also: Ich hatte gestern meinen Bernsteintag, und heute stehe ich wieder zur Verfügung.«

»Sie müssen eine schöne Frau gehabt haben, lieber Tsetse«, sagt die Rosenfreundin, und er sagt: »Nein, sie war keine schöne Frau, aber sie war klug und liebte mich trotzdem.«

15

> ›Hüten wir uns, daß nicht gerade das, womit wir Bewunderung erringen wollen, lächerlich und hassenswert erscheint.‹
>
> Seneca

Der Vorschlag, für die gröberen Hausarbeiten nicht eine oder sogar zwei Putzfrauen einzustellen, sondern Studenten, war von Ulla Schicht ausgegangen, die sonst wenig Vorschläge zu machen hatte. Am schwarzen Brett der Universität hatte sie einen Zettel gelesen, daß ›drei Putzteufel mit Schwung und Ordnungsliebe‹ jegliche Hausarbeiten übernähmen. Wäre es nicht erfreulicher, wenn Studenten die Arbeiten ausführten, die man selbst nur schwer oder ungern erledigen würde?

Diese drei Putzteufel machten ihre Sache gut, waren ordentlich, hatten Schwung, kamen pünktlich auf ihren Fahrrädern angefahren, brachten Leiter und Geräte mit und benutzten, nachdem die sanfte Chemikerin ihnen einen Vortrag über die Schädlichkeit von Putzmitteln gehalten hatte, bereitwillig und einsichtig Wasser und Bürste und notfalls Schmierseife. Wieder war ein Problem zufriedenstellend gelöst. Zumindest für einige Monate.

Die drei wurden bei der einen zum Tee eingeladen, der

nächste steckte ihnen einen Schein zu, man konnte auch einmal einen Ratschlag geben oder über die Berufspläne mit ihnen sprechen. Man hätte aufmerksam werden können, als der eine von Journalismus sprach und der andere von seinen Vorstellungen, wie man soziologische und statistische Erkenntnisse in die Praxis umsetzen müsse; spätestens, als Wanda ihren Fotoapparat mitbrachte und fragte, ob sie ein paar Aufnahmen machen könnte. »Das ist etwas für meine Oma!« hatte sie erklärt. »Hier wird doch auch mal ein Haus frei, meine Oma ist eine gute Partie, sie hat lange eine Werkskantine geleitet und ist jetzt ein richtiger Öko, die paßt!«

Niemand hatte sich eingeschlichen, alle hatten bereitwillig Auskunft erteilt und sich gegenüber den Studenten unbefangen verhalten; bei den Fotos hätte man allerdings von Unkorrektheit und Indiskretion reden können.

Ludi, der morgens die Zeitungen aus dem Kasten am Parktor holt und verteilt, hat einen Blick in die Lokalzeitung geworfen, um das Kreuzworträtsel zu suchen, und dabei die großgedruckte Überschrift ›Die alten Naiven‹ gelesen. Zehn Minuten später haben sich alle versammelt, einige noch im Bademantel. Das Blatt geht von Hand zu Hand. Diese Wanda! Sie muß durch eines der Fenster fotografiert haben, während des Saunabesuchs! ›Badefreuden wie im Mittelalter‹. Von ›Jungbrunnen‹ ist die Rede. Hilde Seitz gibt zu, daß sie die Studenten aufgefordert habe, den ›Jungbrunnen‹ gründlich zu säubern, damit sich keine Algen bilden. »Man erkennt in dem Wasserdampf doch keinen!«

»Mich schon«, sagt Tsetse. »Es handelt sich hier unverkennbar um meinen Bauch, einen anderen haben wir nicht.«

›Nach der gemeinsamen Mahlzeit kehrt jeder mit seinem frischgeschroteten Korn im Napf in seine Behausung zurück.‹ – ›Die Müslis nennen sie sich untereinander.‹ – ›Eine Mischung aus Urchristentum und Edelkommunismus, dazu eine Portion dolce far niente.‹ – ›Das Wort Glück ist nicht verpönt. Frauen und Männer leben ohne Prüderie miteinander, der gemeinsame Saunabesuch ist obligatorisch.‹

»Ökos, Müsli, Jungbrunnen, das sind doch Ausdrücke, die nicht für eine Veröffentlichung gedacht sind!«

»›Ein modernes Märchen‹«, Hannah Pertes liest von einer zur anderen Unterbrechung vor.

»Ach«, sagt die Rosenfreundin, »das habe ich erzählt, es sei wie im Märchen. Die drei lagen im Gras, mit ihrer Arbeit waren sie fertig, und ich hatte bei meinen Rosen zu tun. ›Es war einmal eine reiche Witwe . . .‹«

»Sie müssen ein Bandgerät benutzt haben.«

»Oder ein junges Gedächtnis besitzen.«

»Mit mir haben sie über eine alternative Lebensweise gesprochen«, sagt der Prediger, »wenn ich mich recht erinnere, habe ich sogar den Ausdruck ›alte Naive‹ benutzt.« - »Felix!« - »Das ist doch unglaublich!« - »Wie konnten Sie nur!«

»›Es gibt in dieser Wohn- und Lebensgemeinschaft eine sanfte Chemikerin, einen stillgelegten Landwirt, einen Prediger, der sich um den geistigen Überbau kümmert, eine ehemalige Mitarbeiterin des Finanzamtes, einen Rentner aus der DDR, eine Jüdin, die aus Israel nach Deutschland zurückgekehrt ist. Ein soziologischer Querschnitt. Hier wird von einer Gruppe alternder Menschen ein Utopia gelebt. In den siebziger Jahren gab es den Versuch von Kinderläden. Ist dies nun ein Alten-Laden? Sind sie hier abgegeben von ihren Kindern, oder sind sie freiwillig hier?‹«

»Das stammt von Wanda! Sie ist ein Kinderladenkind, das hat sie mir alles erzählt«, sagt die Rosenfreundin, »sie ist antiautoritär erzogen worden.«

»Das merkt man!«

»Kann ich die Fotos noch einmal sehen? Fotografieren können sie!«

»Wie gut, daß wir uns in die weißen Laken einwickeln. Sieht es nicht rührend aus, wie Jelena das Kniegelenk salbt? Das kann doch nur Benediktus sein!«

»Es geht weiter: ›Zwei Autos, bleifrei, stehen in der Garage, das ist wörtlich zu nehmen, sie stehen in der Garage, werden nur in dringenden Fällen benutzt, aber auch zu gelegentlichen Vergnügungsfahrten. Fünf Fahrräder. Man lebt nicht spartanisch, aber man lebt vernünftig. Diese Ökos behaupten, daß sie fortschrittlich leben, in absehbarer Zeit sei das Auto als Verkehrsmittel überholt, die Nachteile durch Verkehrsdichte und Umweltverschmutzung seien längst größer als die Vorteile. Der Fußgänger wird überleben, falls er nicht vorher überfahren wird oder an Abgasen erstickt.‹«

»Das stammt von Ihnen, da hört man doch direkt unseren Prediger!«

»Und weiter! ›Man benutzt zur Fortbewegung, zur Gartenarbeit und zur Küchenarbeit die eigenen Energien. Das Wort Eigenenergie stellt ein Lebenskonzept dar. Unbeachtet von der Außenwelt wird am Rande des Waldviertels ein Unternehmen ohne Beispiel, zitiert nach Rousseau, unternommen . . .‹ Und jetzt! ›Dies ist kein Heim im üblichen Sinn, in dem alte Menschen in Batterien gehalten werden wie Hühner oder Mastkälber . . .‹ Wer hat diesen Vergleich benutzt?« Hannah Pertes blickt einen nach dem anderen an, keiner antwortet, keiner erinnert sich. Es scheint sich um eine Zutat der Verfasser zu handeln.

»Verkäuflich sind wir ja nicht mehr«, sagt der stillgelegte Landwirt, »und schlachtreif –«

»Schluß jetzt!« sagt Hannah Pertes. »Benediktus! Jetzt sind Sie dran! ›Der beste Koch ist ein ehemaliger Chirurg‹!«

»Komme ich denn überhaupt nicht vor?« fragt Hilde Seitz.

»Indirekt! Ihre Badelaken!«

»Und ›Lebensweisheiten werden zur allgemeinen Kenntnis und Benutzung an einen Baum gehängt. Wenn sie sich Ökos nennen, dann ist ökologisch, ökonomisch und ökumenisch gemeint.‹«

»Das verstehen die Leser doch überhaupt nicht!«

»›Haben sich hier einige Epikureer mit einigen Spartanerinnen zusammengetan? Wird daraus eine Synthese der festlichen Einfachheit entstehen?‹«

»Das ist doch nicht allgemeinverständlich!« – »Müssen wir denn allgemeinverständlich sein?« – »Wo sind hier die Spartanerinnen?« – »Wer ist hier ein Epikureer?«

War es wirklich so schlimm, wie es den Betroffenen auf den ersten Blick und beim ersten Anhören erschien? Für die reißerischen Überschriften konnten die Studenten nichts. Mußte man in Zukunft das Parktor vor Neugierigen verschließen? Ludi bot sich an, das Tor zu bewachen.

»Sollte man einen ›Tag der offenen Tür‹ einrichten?«

»Dafür ist es viel zu früh«, erklärte Hannah Pertes, »drei Jahre muß sich unser Experiment doch mindestens bewährt haben, alles entwickelt sich doch erst, ist noch amorph, wie unser Prediger behauptet.«

»Wenn das Fernsehen auf unser Projekt aufmerksam wird!«

»Dann sehen alle, wie Jelena mit einem Salbentöpfchen im Haus von Benediktus verschwindet!«

Eine Stellungnahme in Form eines Leserbriefes wurde nach kurzen Überlegungen abgelehnt; kein weiteres Aufsehen. Man konnte froh sein, daß der Redakteur hinter ›eine Insel der Seligen‹ ein Fragezeichen gesetzt hatte.

Rückgängig konnte man die Veröffentlichung nicht machen, also mußte man den eigenen Standpunkt ändern. Hatte dieser Zeitungsbericht nicht sehr belebend gewirkt? Zu einem Zeitpunkt, an dem die Tage etwas eintönig verlaufen waren? Ob man den Kindern und Enkeln ein Exemplar zur Beruhigung oder auch zur Beunruhigung schicken sollte?

»Das ist Vater, wie er leibt und lebt, werden die Kinder sagen, vor allem natürlich ›leibt‹. Sollen sie sich doch auch ein wenig aufregen«, sagte Tsetse.

Gegen Abend erschienen mit strahlenden Gesichtern die drei Putzteufel. Für jeden der alten Naiven brachten sie ein Belegexemplar mit; sie waren überzeugt, allen eine Freude zu machen und dem Unternehmen zu dienen.

Selig sind die Sanftmütigen! Der anfängliche Ärger löste sich mit Hilfe eines Umtrunks, zu dem Benediktus einlud, in Gelächter auf. Sollte man auf diesen munteren Putztrupp verzichten? Jetzt, wo sie hier gut Bescheid wußten, wo man nicht mehr mit Indiskretion zu rechnen hatte?

»Ein Exemplar an Lea!«

16

›Das Ende eines Menschen ist nie armseliger, als sein Leben war.‹

Joachim Günther

Sie war die Jüngste unter ihnen, angenehm fürs Auge, das fanden alle, manchmal wurde es auch ausgesprochen; man wußte, daß sie aus der Modebranche kam, ihr Make-up war zu allen Tageszeiten in Ordnung. Man wußte sonst nicht viel von ihr, es war aber auch niemand daran interessiert, mehr von ihr zu erfahren. Alle hatten Mühe, sich den Namen zu merken. Major? – Bajohr? Ingrid Bajohr. Ihre Kochkünste waren gering, aber sie deckte den Tisch mit Sorgfalt und Geschmack, putzte Gemüse, befolgte die Anweisungen, war willig bei allen Handreichungen, wirkte oft ein wenig matt. Warum beteiligte sie sich überhaupt an diesem Projekt? Aber auch danach fragte keiner, eine Anhäufung von Originalen wäre unerträglich gewesen. An den gemeinsamen Veranstaltungen nahm sie bereitwillig teil, bedankte sich oft; zu oft, wie einige fanden.

Die Rolle, die sie spielte, wurde dann doch zur Hauptrolle, für kurze Zeit.

Nach dem Essen hatte man das Wochenprogramm, ›den Spielplan‹, durchgesprochen und sich dann bald zurückgezogen. Niemand hatte bemerkt, daß Ingrid Bajohr im Kaminzimmer eingeschlafen und halb sitzend, halb liegend zurückgeblieben war. Hannah Pertes war mit Mark Anton, der für einige Tage zu Gast war, noch einmal durchs Haus gegangen. Der Hund schnupperte, lief zur Tür des Kaminzimmers und bellte. Hannah Pertes schaltete das Licht an und entdeckte die Schlafende. Um sie nicht aufzuschrecken, ging sie zu ihr und setzte sich neben sie. Ihr Blick fiel auf den linken Arm, der herunterhing, der Ärmel der Bluse war hochgerutscht, und sie sah, was niemand hatte sehen sollen: die gerötete Narbe am Handgelenk. Sie strich mit dem Finger darüber, sagte nichts. Ingrid Bajohr richtete sich auf, entschuldigte sich, sie sei müde gewesen.

»Was ist los? Was ist mit Ihnen los?«

Ingrid Bajohr nahm ihre Hand an sich, zog den Ärmel der Bluse über die Narbe. »Jetzt weiß ich, wie man es machen muß, der Arzt hat es mir erklärt, er hat von Dilettantismus gesprochen.«

»Warum? Die Narbe ist noch frisch. Wenn Sie sterben wollten, warum sind Sie dann hier? Wir wollen hier leben!« Der Ton war strenger als beabsichtigt.

»Ich will das auch, aber ich habe nur noch ein paar Wochen, vielleicht ein paar Monate. Ich habe gedacht, daß es für mich leichter sein würde, in einer Gemeinschaft zu leben.«

»Für Sie leichter, für uns schwerer.«

»Ich habe nicht an die anderen gedacht, ich habe an mich gedacht. Man wird sehr egoistisch.«

Hannah Pertes hatte die Arme von sich gestreckt, die Finger gespreizt, sie schwieg, entspannte sich wieder und sagte: »Was ist es?«

»Wollen Sie die Krankengeschichte hören?«

»Nein, aber ich muß sie hören.«

»Akute Leukämie. Bei Erwachsenen ist Leukämie unheilbar.«

»Hat man Ihnen das gesagt? Ins Gesicht?«

»Patienten haben Anspruch auf die Wahrheit. Ich war oft müde, fühlte mich schlapp, der Hausarzt riet zu Luftveränderung, ich kam noch blasser zurück. Wenn ich zum Arzt gehe, lasse ich das Make-up weg. Er hat mich zum Internisten überwiesen, es wurden Blutuntersuchungen gemacht; man hat mir das Ergebnis mitgeteilt und mich nach Hause geschickt. Ich sollte wiederkommen, wenn ich mich an den Gedanken gewöhnt hätte. Das nächste war dann der Unfallarzt. Ambulante Behandlung, das war alles. Es war aber nicht alles! Das, was sterben wollte, war gestorben, und was leben wollte, wollte leben! Verstehen Sie mich überhaupt?«

»Ich versuche es. Woher kannten Sie unseren Plan?«

»Von der Weberin. Wir wohnten im selben Haus. Sie hat den Verband gesehen, und da habe ich ihr alles, auf der Treppe, erzählt. Sie hat Wort gehalten und geschwiegen; ein Platz war noch frei, ich habe mich gleich entschieden. Es ist doch nur für kurze Zeit! Der Internist wollte mich in die Klinik einweisen, mit Hilfe von Chemotherapie sei eine Verlängerung des Lebens möglich, ein Aufschub. Ich hatte Angst, daß man das Sterben verlängern würde. Man hat mich auf die Begleiterscheinungen hingewiesen, Übelkeit, totaler Haarausfall. Er hat gesagt, die Entscheidung liege bei mir, es bestehe auch die Möglichkeit, daß ich in der gewohnten Umgebung bliebe. Nach meiner gewohnten Umgebung hat er sich nicht erkundigt. Keine einzige Frage! Ich bin alleinstehend, ich habe Ersparnisse, es ist kein großes Vermögen, das ich Ihrem Projekt zugedacht habe, aber ich will die Mühe abgelten, die ich vermutlich machen werde.«

Sie schwieg. Hannah Pertes schwieg ebenfalls. Der Hund hatte sich ausgestreckt.

»Ich habe im Leben soviel Angst gehabt, soll ich jetzt vorm Tod Angst haben? Ich war immer ein Fremdkörper.«

Gegen ihre Überzeugung sagte Hannah Pertes: »Aber hier doch nicht.«

»Ich würde gern noch eine Weile bleiben.«

»Wir wissen alle nicht, wie lang eine Weile ist, Ingrid.« Sie benutzte den Vornamen.

»Werden Sie mich nun fortschicken?«

»Zunächst gehen wir beide schlafen, dann müssen wir die anderen verständigen.«

»Jetzt schon? Man wird mich wie eine Todeskandidatin behandeln.«

Am nächsten Morgen fuhren Hannah und die Weberin zum Einkaufen in die Markthalle, die Liste der Besorgungen war lang, die Weberin rechnete die Mengen aus. »Wenn jeder hundert Gramm Fleisch auf dem Teller haben soll –«

»Laß uns jetzt keine Mengenlehre betreiben!«

»Sondern?«

»Ich habe gestern abend Ingrid Bajohr schlafend im Kaminzimmer vorgefunden.«

»Dann weißt du Bescheid?«

»Wir wollten mit gesunden Menschen beginnen, du hast mich hintergangen.«

»Nur auf den ersten Blick. Du weißt nicht, wie das Leben dieser Frau verlaufen ist, du weißt nur, wie es enden wird. Sie vermacht uns ihr Vermögen.«

»Es ist keine Frage des Geldes!«

»Doch! Wir leben teurer, als wir veranschlagt hatten.« Die Weberin zögerte. »Nein, zunächst tat sie mir leid, es ist doch unsere Absicht, jeden bis zum Tod zu begleiten.«

»Aber doch nicht in dieser ersten Phase des Aufbaus!«

»Wann wäre es dir recht gewesen?«

»Wir können doch nicht beim Einkauf von Lammkeulen über den Tod sprechen.«

»Paßt das Thema besser zum Einkauf von Wirsing? Wieviel brauchen wir? Pro Kopf ein Viertel Kohlkopf, sagen wir fünf mittelgroße Köpfe, der Rest für den Eintopf.«

Auf der Rückfahrt fragte Hannah, ob die Weberin über den Krankheitsverlauf Bescheid wisse. »Ein wenig. Die Veränderung der Lebensumstände wird sich wahrscheinlich vorteilhaft auswirken. Es kommt mir vor, als fühlte sie sich hier recht wohl.«

»Das hat sie gesagt. Schaffen wir das denn, Weberin?«

»Wir müssen es lernen. Du mußt lernen, daß das Projekt langsam aus deinen Händen gleitet. Es wird fremdes Geld dazukommen, das muß juristisch abgeklärt werden. Diese Frau nimmt und gibt, aber sie gibt mehr als Geld, Hannah, sie erteilt uns Unterricht.«

Es gab so viele Entscheidungen, so viele Pläne, die unauffällige Ingrid Bajohr geriet wieder aus dem Blickfeld. Sie trug einen neuen Wintermantel mit Innenpelz, was bei Tisch Anlaß zu langen Gesprächen gab: Konnte man sich in einem Pelzmantel sehen lassen, seit man wußte, wie die Tiere gehalten oder gejagt wurden? Aber gewachsenes Lammfell, was war dagegen einzuwenden?

»Wenn man so vorteilhaft darin aussieht, gar nichts«, stellte Tsetse fest.

Die Anschaffung eines Mantels, war das nicht ein Lebensbeweis? Vielleicht geschah ein Wunder. Vielleicht stimmte die Diagnose nicht. Hannah Pertes atmete auf, bat, den Mantel anprobieren zu dürfen, noch ließen sich Aussprachen vermeiden.

Es geschah kein Wunder. Der Platz am Tisch blieb leer, zum Küchendienst war sie nicht erschienen. Wer hatte sie zuletzt gesehen? War sie gestern mit in der Sauna?

»In die Sauna ist sie doch nie gegangen!« - »Da hätte das Make-up gelitten!« - »Wer schaut nach ihr, irgend etwas ist nicht in Ordnung.« - »Ich bin doch die Nächste, ich wohne doch Wand an Wand mit ihr«, erklärte die Rosenfreundin, »ich nehme ihr etwas zu essen mit.« - »Sie ißt ja nicht viel.« - »Sie will schlank bleiben!« Was für ein mißgünstiger Ton. - »Muß man denn ständig Rechenschaft ablegen? Nächstens werden hier Stichkarten eingeführt.«

»Ich bin beunruhigt«, sagte die Rosenfreundin, »ich sehe nach.«

An den nächsten Mahlzeiten nahm Ingrid Bajohr dann wieder teil, noch immer wußten nur Hannah Pertes und die Weberin, daß sich eine Todeskandidatin unter ihnen befand.

Wie lange würde man die Erkrankung noch geheimhalten können? Nachts ging sie ruhelos durch ihre Wohnung, ließ nur ein kleines Flurlicht brennen, um nicht aufzufallen. Wer genauer hinsah, merkte, daß die Schicht aus Creme und Puder dicker wurde, das Rot der Wangen unnatürlich aussah, aber so genau sah keiner hin.

Wenn nur erst Frühling wäre! Dann wäre man nicht mehr in diese Glaskäfige eingesperrt, blickte ins Grüne und nicht in graues Geäst und Regenwolken. Bei Tisch sagte Tsetse, daß es ihm vorkäme, als befände er sich auf einer endlosen Schiffsreise und säße mit immer denselben Leuten an der Table d'hôte, nur die Stewards fehlten.

»Wir sitzen im selben Boot«, bestätigte die Rosenfreundin.

»Das ist doch wohl eher ein Dampfer«, verbesserte Jobst Lorenz, er führe zum ersten Mal zur See, die Überfahrt sei ziemlich ruhig, ein kleiner Sturm würde ihm gelegen kommen.

Jemand sagte, daß Frau Bajohr wieder nicht zum Essen gekommen wäre, bei der Küchenarbeit ließe sie sich schon seit mehreren Tagen nicht mehr blicken.

Ohne Warnung sagte Hannah Pertes: »Sie wird sterben.« Machte sie diese Mitteilung zu früh oder zu spät, auch sie selbst war auf das Gespräch nicht vorbereitet.

Die Weberin erteilte die nötigsten Auskünfte über die Art der Krankheit und ihren Verlauf.

»Eigentlich kenne ich sie gar nicht«, sagte Hella Morten, sagte, was die anderen dachten. »Nicht einmal den Namen habe ich mir gemerkt: ›Major‹ oder so ähnlich?«

Man brauchte sich den Namen nicht mehr zu merken. Wenn die Rede von ihr war, hieß es ›die Kranke‹, gelegentlich auch ›unsere Kranke‹. ›Wie geht es unserer Kranken?‹

Den Tisch deckte ein anderer, räumte den Stuhl weg, ein Gedeck weniger; der Prediger holte den Stuhl zurück, man würde diese Lücke am gemeinsamen Tisch doch aushalten, das sei man der Kranken schuldig: »Jeder darf hier eine Lücke hinterlassen.«

»Benediktus! Sie als Arzt, was sagen Sie?«

»Was kann ich sagen? Man hat die sanfte Geburt zu erreichen versucht, heute versucht man ein sanftes Sterben, aber ohne Schmerzen geht beides nicht ab.«

»Um das klarzustellen«, sagte Jobst Lorenz, »Krankenbesuche sind von mir nicht zu erwarten. Wenn eine Kuh verkalbt hatte, bin ich in den Stall gegangen, und bei jedem Schwein, das draufging. Aber wenn ein Mensch dran glauben muß –«

»Woran muß er denn glauben, Verehrtester?« fragte der Prediger.

»Nennen Sie mich bloß nicht immer ›Verehrtester‹! Hier ist ein Schein, wer will, kann ihr Blumen kaufen. Befinden wir uns denn hier alle im Wartestand?« Er legte sein Besteck hin, schob den Teller weg, stand auf, ging steifbeinig zur Tür; die Weberin blickte ihm nach, erhob sich ebenfalls, und Hannah Pertes sagte: »Weberin, du solltest ihn mit seinen Problemen allein fertig werden lassen.«

Die Weberin zögerte, schüttelte den Kopf, verließ ebenfalls

den Raum. Hannah Pertes sagte: »Können wir jetzt weiteressen?«

Nachdem alle unterrichtet waren und sie krank sein durfte, fühlte Ingrid Bajohr sich besser. Man würde sie nicht im Stich lassen. Sie wurde ruhiger, ihr Zustand besserte sich sogar. Schwierig waren jetzt die anderen mit ihren falschen Reaktionen. Wenn die Kranke an den gemeinsamen Veranstaltungen nicht teilnahm, fühlte man sich erleichtert, fühlte sich aber dieser Erleichterung wegen schuldig.

Manchmal stand die Kranke auf, ging ein paar Schritte im Glasgang auf und ab, saß eine Viertelstunde in einem der Korbstühle, zog sich dann wieder zurück. Man brachte ihr das Essen ins Zimmer, sie aß immer weniger.

Der Arzt kam täglich. Die Gemeindeschwester kam sogar zweimal täglich, sie beklagte sich, das Bett der Kranken sei für ein längeres Krankenlager ungeeignet, sie brauche einen schwenkbaren Nachttisch, die Kranke gehöre in eine Klinik. Hannah Pertes sagte, daß man ein geeignetes Krankenbett anschaffen würde und auch einen schwenkbaren Nachttisch.

»Das brauchen Sie nicht anzuschaffen, das können Sie bei unserer ambulanten Krankenstation ausleihen, die Anschaffung lohnt sich nicht mehr.«

Die Weberin nahm an diesem Gespräch teil, mischte sich ein und sagte: »In unserem Fall lohnt es sich. Wir kommen alle an die Reihe, wir wissen nur nicht wann.«

»Wie Sie meinen«, sagte die Schwester.

»Das meinen wir nicht nur, das wissen wir sogar.«

»Komische Ansichten haben Sie hier.« Die Schwester hängte ihren weißen Kittel an den Haken bis zum nächsten Besuch, sie war in Eile, es gab viele Kranke zu versorgen. Eine Virusgrippe. »Alte Menschen trifft es besonders!«

Der Arzt sagte ebenfalls, daß die Kranke stationär behandelt werden müsse. Hannah Pertes fragte, was man in einem Krankenhaus tun könne und hier nicht.

»Behandeln im Sinne von Heilung nichts.«

»Dann bleibt sie bei uns.«

»Auf Ihre Verantwortung!«

»Das Schlimmste, was passieren könnte, wäre der Tod. Wäre er nicht eine Erlösung?«

»Das kommt auf die Einstellung an.«

»Die Einstellung des Patienten oder des Arztes?«

Der Arzt winkte ab. »Mit Ihrer Versuchsstation will ich nichts zu tun haben.«

Das Krankenbett wird zum Mittelpunkt, die Kranke weiß, was man von ihr erwartet, die anderen wissen ebenfalls, daß dies die erste ernsthafte Probe ist, die sie zu bestehen haben.

Jelena sitzt oft bei der Kranken, reibt ihr die Füße, streicht und streichelt, stellt wortlose Kontakte her. Die Weberin kommt, Hannah Pertes schaut herein. Als Tsetse anklopft, sitzt die Rosenfreundin bereits am Krankenbett und sagt: »Sie bekommen Herrenbesuch.«

Die Kranke befindet sich in einer der kürzer werdenden Phasen zwischen der Wirkung der Medikamente und dem Nachlassen der Schmerzen.

»Ich bin in Aufruhr geraten«, sagt sie, »ich denke soviel nach, ich empfinde soviel. Menschen tauchen auf, die ich vergessen hatte, von denen ich nicht weiß, wo sie sind, ob hier, ob drüben.« Sie schläft ein, noch während sie spricht, man lehnt die Tür an, einer ist immer in der Nähe.

Ihre Glasveranda ist mit Grünpflanzen vollgestellt. Sie muß ein Vermögen dafür ausgegeben haben! Eva Pecher pflegt die Pflanzen nach den Anweisungen der Kranken, gießt mit Mineralwasser, wäscht die Blätter mit einem Schwämmchen ab.

Der Prediger beschleunigt seine Schritte, wenn er an der angelehnten Tür vorbeigeht, schickt ihr aber, was zu erwarten war, einen seiner Sprüche. Man muß vorlesen, was auf der Rückseite seiner Briefkarte steht: »Verehrteste! Heinrich Heine läßt Ihnen durch mich Folgendes sagen: ›Kranke Menschen sind immer wahrhaft vornehmer als gesunde; denn nur der kranke Mensch ist ein Mensch, seine Glieder haben eine Leidensgeschichte, sie sind durchgeistigt.‹«

Die Kranke hört zu, was Heine ihr sagen läßt, was ihr nichts sagt; das werden die einzigen Sätze von Heine gewesen sein, die sie je gehört hat. Jelena erinnert sich: »Seine Lieder habe ich oft gesungen. ›Ich weiß nicht, was soll es bedeuten . . .‹, meine Kinder sagten: ›Mutter singt ihre Nationalhymne.‹ Die Lieder verändern sich mit dem Ort, an dem man sie singt.« Sie summt: »›. . .daß ich so traurig bin . . .‹«

»Es hat noch nie jemand ein Lied für mich gesungen«, sagt die Kranke, schläft ein, zumindest schließt sie die Augen.

Wenig später klopft Jelena bei Benediktus, er öffnet, fragt, was es gebe; er schreibt an einem Aufsatz. »Ich habe mit Ihnen zu reden! Sie müssen keine Visite machen als Arzt, aber als Mensch. Warum nehmen Sie nicht Ihre Geige und bringen ihr ein Ständchen? Wir wollen doch Freude bereiten.«

»Dazu müßte ich üben.«

»Bis Sie geübt haben, ist sie tot. Sie stellt keine musikalischen Ansprüche, spielen Sie etwas, das sie kennt. ›Die kleine Nachtmusik‹.«

»O nein!« sagt Benediktus.

»Mozart würde es recht sein. Was seid ihr nur für unbarmherzige Menschen!«

Vermutlich war es die Gemeindeschwester, die den Grippevirus eingeschleppt hatte. Abwehrkräfte besaß die Kranke nicht, das Fieber stieg rasch, sie verlor vorübergehend das Bewußtsein, atmete mühsam, schien Schluckbeschwerden zu haben, Ursache waren Vereiterungen im Mund- und Rachenraum, auch das gehörte ins Krankheitsbild.

»Wenn die Schmerzen unerträglich werden, muß ich Morphium spritzen«, sagte der Arzt.

»Müssen die Schmerzen erst unerträglich werden? Kann man nicht vorher spritzen?«

»Wollen Sie sich einmischen? Mit welcher Berechtigung? Sind Sie eine Verwandte?«

»Wir sind hier alle miteinander verwandt, Herr Doktor«, sagte Jelena. Man mußte Benediktus zu Hilfe rufen, die Ärzte gingen im Glasgang hin und her, besprachen den Fall, zu retten war nichts, nur zu lindern. »Ein Moribundus!« sagte der behandelnde Arzt.

»So kommen wir bereits auf die Welt, Herr Kollege, als Lebewesen, die eines Tages sterben werden. Niemand erwartet von Ihnen Sterbehilfe. Sie rechnen doch nicht damit, daß die Kranke süchtig werden könnte?«

»Der Nebenwirkungen wegen.«

»Die lassen sich ebenfalls behandeln.«

Eines Morgens kommt dann auch Ludi, fährt den Rollstuhl vor die Tür und erklärt, daß er sich jetzt kümmern wird, er weiß am besten Bescheid. Die Kranke fühlt sich an diesem Morgen wohler, sie hat geschlafen. »Meine Haare«, sagt sie, »meine Haare sind ganz verklebt.«

»Dann werden wir sie waschen!« sagt Ludi, das hat er oft getan, er wird sie in den Rollstuhl setzen und mit ihr ins Badehaus fahren und ihr die Haare waschen und fönen, und wenn sie es will, kann er auch Lockenwickel eindrehen.

Sie versucht, wenig Mühe zu machen, versucht zu lächeln, sagt grundlos ›danke‹. Ludi hebt sie auf den Nachtstuhl. »Am Ende wird man wieder ganz klein, vor mir brauchst du dich nicht zu genieren. So ein Vögelchen«, sagt er, sagt du zu ihr: »Man muß wieder füttern, man wird wieder windeln.« Er hat das im Griff, sie soll ihm die Arme um den Hals legen.

Soll dieser Rollstuhl nun wochenlang im Glasgang stehen? Befindet man sich in einem Haus für Behinderte?

»Wenn das Wetter einmal freundlich sein sollte und die Kranke ein wenig an die Luft möchte –«

Das Wetter ist nicht freundlich, die Kranke kommt nicht mehr an die frische Luft. Ludi fährt den Rollstuhl wieder in die Garage, wo er ebenfalls ein Ärgernis ist. Er räumt die Sträuße aus dem Krankenzimmer auf die kleinen Tische im Glasgang. »Wir haben hier doch keine Aufbahrung«, sagt er, sagt alles, was die anderen nicht sagen, erzählt von seiner Frau.

»Wo ist Ihre Trude?« fragt die Kranke.

»Wenn man das wüßte! Die Tochter möchte die Mutter überführen lassen, ›umbetten‹ nennt man das. Man soll sie in Ruhe lassen! Sie ist nicht ›drüben‹ geblieben, hier ist sie!« Er legt die Hand auf sein Herz. »Ach, Vögelchen! Jetzt denkst du, ob du auch weiterlebst? Ob man sich wiedersehen wird? Es sagt einem ja keiner was, man macht sich seine Gedanken, jeder für sich. Hierbleiben kann man ja nicht, willst du doch auch gar nicht, Vögelchen.«

Aber die Kranke schläft bereits wieder, er setzt sich als Wache vor die Tür, wenn jemand vorbeigeht, legt er den Finger auf den Mund.

»Stecken Sie sich nur nicht an, Ludi!« sagt man und denkt: »Stecken Sie uns nur nicht alle mit Grippe an!«

Hannah Pertes hat für einen Augenblick bei der Kranken hereingeschaut, sie schiebt Hilde Seitz, die etwas fragen will, beiseite, sagt ›später‹, begegnet dann Britten, faßt ihn bei den Armen, was sie selten tut, sagt ›du‹, was sie sonst auch nicht tut: »Verstehst du, daß sie weint, weil sie diese Welt verlassen muß? Was hält sie hier?«

»Was erwartet sie dort?«

»Ich kann einen alten Menschen nicht weinen sehen.«

»Weißt du nicht, daß es sich um einen Reinigungsprozeß handelt? Der Körper scheidet Gifte aus, die er weder durch Schweiß noch durch Harn ausscheiden könnte. Warum sollen alte Menschen nicht weinen dürfen? Sie haben mehr Grund dazu als die Kinder. Sie sind auch schwerer zu trösten.«

»Ich dachte nicht, daß hier jemand weinen müßte.«

Britten lacht auf. »Wofür hältst du dich? Es läuft doch alles ganz schön. Du solltest eine Weile wegfahren, um auszuprobieren, ob es auch ohne dich läuft, erst dann ist dein Teich in Ordnung. Gibt es nicht schon deutliche Anzeichen von Froschlaich?«

»Bin ich in diesem Teich etwa der Hecht?«

»Du bist der Besitzer des Teiches, du kannst das Wasser ablassen, wenn du willst. Du kannst den Teich überschwemmen, wenn du willst. Was dir fehlt, das ist eine Schwäche, du zeigst keinerlei Schwächen.«

»Aber ich habe sie.«

»Wirklich? Du hast viel Macht.«

»Zuviel.«

Der Tod nahm die Hinfälligkeit weg. Sehr ernst, sehr gereift lag Ingrid Bajohr auf ihrem Bett. Was war in den allerletzten Stunden mit ihr vorgegangen? Jetzt war sie die Klügere, auch die Stärkere. Die Schwächeren saßen an ihrem Bett, machten noch einen kurzen Besuch, das war beschlossen worden, sie gingen zu zweit zu ihr. Gibt es einen geeigneteren Platz, um über den Tod zu sprechen, als an einem Totenbett?

»Nehmen Sie mich mit«, sagte Ulla Schicht zum Prediger, »ich habe mich nie bei der Kranken sehen lassen, wir hatten keinen Kontakt.« Sie setzte sich in einiger Entfernung, der Prediger stand mit dem Rücken zum Zimmer an der Fensterwand und schwieg.

»Meine Ehe ist eigentlich freundlich verlaufen«, sagte Ulla Schicht, »nur in dem letzten Lebensjahr meines Mannes, da war er unfreundlich und gereizt, tadelte, was ich tat und was ich nicht tat. Viel später, als er längst auf dem Friedhof lag, habe ich begriffen, daß er sich genauso verhalten hat wie unser ältester Sohn. Während der ersten Semester hat er aus Kostenersparnis zu Hause gewohnt, widersprach ständig, stritt sich mit seinem Vater, fing Streit mit mir an. Als er endlich aus dem Hause war, fühlten wir uns erleichtert, unser Verhältnis besserte sich rasch wieder. Ganz ähnlich hat sich mein Mann verhalten, nur daß ich nicht wußte, daß es sein letztes Jahr war. Er hat mir die Trennung erleichtern wollen, unbewußt vermutlich. Ich war wie erlöst, als dieser kleinliche tägliche Ärger aufhörte. Die Trauer um den Partner, der er einmal gewesen war, setzte viel später ein.«

Sie hatte leise gesprochen, der Prediger machte nicht den Versuch, sie zu verstehen; als sie schwieg, trat er ans Fußende des Bettes, betrachtete die Tote aufmerksam. »Der Tod kann nur dann siegen, wenn der Mensch sich ans Leben klammert und die eigene Sterblichkeit nicht anerkennt: dann triumphiert der Tod. Der Glanz, der jetzt auf diesem Gesicht ruht, ist nicht von Dauer, die anderen sollen ihn auch sehen, gehen wir!«

Die Todeskandidatin hatte ihre Hinterlassenschaft geregelt, die Akten geordnet, das Testament obenauf, eine Liste mit Anschriften.

»Haben wir es richtig gemacht, Weberin?« fragte Hannah

Pertes. »Mein Opa hat sich zum Sterben gelegt, genau so hat er das gesagt. Ich war erst dreizehn Jahre alt und habe mich nicht gefürchtet. Ich spürte etwas wie Neugier: Was kommt danach?«

Hatte die Weberin überhaupt zugehört? Sie redete von ihrem Bruder, von dem sie noch nie gesprochen hatte: »Er ist mit fünfzig Jahren gestorben, in der Klinik, aber seine Frau und seine Kinder waren abwechselnd bei ihm, und ich bin auch noch einmal bei ihm gewesen. Sein Leiden hatte ein Ausmaß erreicht, daß wir alle wünschten, er würde erlöst. Als er tot war, habe ich ihn nicht gesehen, ich habe mich gefürchtet. Auch er soll sich im Tod verändert haben. Der Tod ist das Größte, was es gibt.« Und dann weinte sie um ihren Bruder, der so früh sterben mußte, schluchzte laut auf. »Ich verliere die Nerven«, sagte sie, lief aus dem Zimmer, nahm die Wäschestücke, die noch auf der Erde lagen, um sie ins Waschhaus zu bringen.

»Es muß doch alles weitergehen«, rief sie der Rosenfreundin zu, die in einem der Korbstühle saß und nun aufstand, um mit Benediktus in das Sterbezimmer zu gehen.

»Wollen Sie sich nicht zu ihr setzen?«

»Nein«, sagte er, »ich habe immer an den Betten gestanden und auf die Kranken und Toten hinuntergeblickt, eine andere Haltung kann ich wohl nicht mehr lernen.«

Und die Rosenfreundin legte die Rose, die sie mitgebracht hatte, auf die Bettdecke, sah ihre Nachbarin lange und aufmerksam an, sagte dann: »Auf Wiedersehen.«

»Glauben Sie daran?« fragte Benediktus.

»Da wir es nicht wissen können, müssen wir es glauben. Es steht fünfzig zu fünfzig. Warum soll ich mir dann nicht vorstellen, daß ich diesen oder jenen wiedersehe, Sie zum Beispiel.«

»Dieses Angebot hat mir nicht einmal meine Frau gemacht.«

»Vielleicht möchten Sie lieber Jelena treffen, und es gäbe Schwierigkeiten –« Sie lachte leise auf. »Ach, Benediktus, worauf läuft es denn mit uns hinaus?«

Hella Morten hatte man die Nachricht ins Gewächshaus gebracht, sie hatte sich die Hände gewaschen und sich umgezogen.

»Geht jemand mit?« fragte sie. »Kommen Sie mit, Tsetse, wir sind beide kräftig, wir halten was aus.«

»Da bin ich nicht so sicher.«

»Wenn ich es nicht schon einmal erlebt hätte«, sagte Hella Morten, »das ist doch nicht mehr dieselbe Frau. Wie bei meiner Mutter! Sie ist ganz einfach, ganz leise gestorben. Eine kleine Bronchitis, ein Unwohlsein, ich war zufällig zu Besuch, sie lebte bei meiner Schwester im Haushalt. Abends bin ich noch einmal in ihr Zimmer gegangen, da schlief sie, atmete etwas schwer. Ich versuchte, sie auf die Seite zu drehen, aber ich bin ungeübt und ungeschickt, sie atmete noch ein paarmal tief ein und dann für immer: aus. Nach ganz kurzer Zeit war alles Elend verschwunden. Auf dem Totenbett lag eine ganz andere, mir fremde Frau. Was geschieht denn in diesen letzten Minuten mit uns? Ein Leben lang war sie unauffällig gewesen, freundlich, hatte sich angepaßt, an ihren Mann, an ihre Kinder, an alle Lebensumstände, nie hat sie Widerstand geleistet. Wenn sie eigene Lebensvorstellungen gehabt haben sollte, hat sie auf eine Erfüllung verzichtet, ohne sichtbar zu leiden; sie muß aber Schönheitssinn gehabt haben, ein Bedürfnis, alles ein wenig schöner zu machen, als es war, mir ist das immer unwichtig erschienen. Ihre wirkliche Form hat sie erst im Tod gefunden, deshalb mußte sie wohl so alt werden. Dieses letzte Bild hat sich mir tief eingeprägt. Bis in die allerletzte Lebensstunde ist noch alles möglich! Kennen Sie den Ausdruck ›seliges Sterben‹? Niemand benutzt ihn mehr, aber ich habe es mit eigenen Augen gesehen; einen Abglanz davon sehe ich auch bei unserer Todeskandidatin.« Hella Morten schien vergessen zu haben, mit wem sie sprach, drehte sich um, sprang zu, nahm Tsetse beim Ellenbogen. »Ist Ihnen nicht gut? Ich hole einen Schluck Wasser.«

»Schon vorbei«, sagte Tsetse.

Später fragte die Rosenfreundin: »Was war los mit Ihnen? Sie kannten Ingrid Bajohr doch gar nicht.«

»Das dachte ich auch, aber ich erinnerte mich plötzlich an

meinen Vater, er war ein schwerer Mann, er hatte angeordnet, daß man ihn zu Grabe tragen solle. Er wollte nicht auf einem Karren in die Grube gefahren werden. ›Meine Söhne sollen mich tragen, damit ihnen mein Tod schwerfällt, dann werden sie erleichtert sein, wenn sie mich los sind.‹ Ich hatte das vergessen.«

Es fand sich keiner, der Hilde Seitz begleitet hätte. Als sie das Zimmer verließ, sagte sie zu den anderen: »Man muß sich doch nur fragen: Muß es sein? Das ist dem Tod gegenüber doch eine einfache Frage, und die Antwort ist genauso einfach: Es muß sein! Worüber reden Sie denn alle so lange?«

Beim Essen, als der Platz von Ingrid Bajohr ein letztes Mal leer blieb, erwies sich wieder einmal die ungeheuer belebende Auswirkung eines Todesfalles; der Prediger machte darauf aufmerksam, Benediktus verbesserte ihn, umgekehrt sei es doch wohl richtiger: die belebende Ungeheuerlichkeit des Todes. Er hatte ein paar Flaschen seines besten Markgräfler Weines auf den Tisch gestellt.

Keiner hat daran gedacht, die drei Putzteufel abzubestellen, heiter kommen sie quer über den Rasen, rufen von weitem: »Wie geht es ihr denn?«

»Darf ich sie sehen?« fragt Wanda. »Ich habe noch nie einen Toten gesehen, nur die Scheintoten im Fernsehen.« Sie geht ins Zimmer, man läßt sie mit der Toten allein. Nach wenigen Minuten kommt sie wieder und erklärt: »Jetzt habe ich erst begriffen, was Sie hier vorhaben. Ich habe mir ihr Make-up mitgenommen. Sie hätte mir das Zeug sicher geschenkt, sie hatte mich gern. Warum sollte man es denn wegwerfen? Sie sind doch gegen Wegwerfen.«

»Recht hat sie!«

Spricht etwas dagegen, daß Hilde Seitz diese schönen Nachthemden bekommt? Sie wird sich beim Anziehen und Ausziehen, beim Waschen und Bügeln an Ingrid Bajohr erinnern.

Die Weberin hat die Mappe mit dem Nachlaß durchgesehen, sie sagt: »Daß sie so alleinstehend war, haben wir alle nicht gewußt. Ihr Mann war übrigens Anwalt. Sie kannte sich im Erbrecht aus. Sehr geschickt, aber gerade noch legal. Auf welcher Seite stehe ich eigentlich? Fällt das unter Steuerhinterziehung? Gutes Geld für eine gute Sache!«

Leichenfledderei wird nicht betrieben, trotzdem leert sich die kleine Wohnung. Wird man das Sterbebett als Krankenbett weiterverwenden können? Ludi räumt die Grünpflanzen in den Glasgang, Oleander und Yucca und den Spanischen Wein, der Glasgang sieht nun schon fast so aus wie auf Leas Zeichnungen. Ein paar Jahre noch, dann werden die Kletterpflanzen auch von außen das Holzgestänge verdeckt haben.

Jelena fragt wie an allen anderen Abenden erwartungsvoll: »Haben wir heute etwas vor?«

Heißt es ›ja‹, sagt sie: »Das ist gut!« Heißt es ›nein‹, sagt sie ebenfalls: »Das ist gut!«

17

›Wenn ich nichts mitnehmen kann, dann will ich doch wenigstens etwas hinterlassen.‹

Hella Morten

Was für ein Morgen! Zum richtigen Zeitpunkt schickte der Frühling seine Vorboten, tat, was er nur konnte, die kleine wintermüde Gesellschaft zu beleben, jeden auf die ihm gemäße Weise; bei einigen verstärkte er den Tätigkeitsdrang, bei den anderen kam der ohnehin geringe Tätigkeitsdrang zum Erliegen.

Das Repertoire der Meisen umfaßte vorerst nur zwei Töne, aber die übten sie unermüdlich, miteinander und gegeneinander. Die Amseln saßen in geziemender Entfernung auf Baumwipfeln und Hausgiebeln und sangen, die Reviere wurden für die Wochen der Werbung und Paarung und Aufzucht abgegrenzt.

Im Frühling führen alle Wege zunächst an einen Bach. Was war aus der Seume geworden! Zuerst die Schneeschmelze, dann die anhaltenden Regenfälle, es hatte Hochwasser gegeben, an mehreren Tagen rauschte der Bach wie ein Fluß, hatte sich nun aber in sein Bett zurückgezogen. Im Ufergesträuch hingen Plastiktüten und Lumpen, auf der Wiese lagen zerbeulte Dosen, so konnte das nicht bleiben. Wenn man das eine Ufer in Ordnung bringen wollte, mußte man sich auch das andere vornehmen. Die Brücke! Wieder war von der Brücke die Rede. Für diesmal mußten Gummistiefel genügen. Die Weberin und Ludi, und nach eindringlicher Aufforderung auch der Prediger, machten sich an die Aufräumungsarbeiten, fischten mit Haken und Stöcken den Unrat aus dem Wasser, füllten ihn in Körbe und schleppten die Körbe zur Entsorgungsanlage, an der Tsetse tätig war und entschied, was Müll sei und was Kompost werden konnte. Auch er in seinem Element: ein Demiurg.

Als erste watete die Weberin durch den Bach, stieg am anderen Ufer an Land, die Männer folgten. So sahen die Häuser also von weitem aus! Sie blickten über die Wiese hinweg über braune Äcker, entdeckten eine kleine Landstraße, die zu den bewaldeten Hügeln führte. Zwanzig Minuten Fußweg, und man wäre draußen, in der Natur! Wenn man eine Brücke hätte! Die schönsten Spaziergänge wären möglich, allein oder auch zu zweit, jetzt, wo die Tage länger würden. Sicher gab es hier Feldlerchen. Wenn man eine Brücke hätte!

Der Rücken schmerzt, die Arme schmerzen, Wasser ist in die Stiefel gelaufen, aber alle drei sind mit dem Ergebnis ihrer Tätigkeit zufrieden. Könnte man die Seume nicht von der Quelle bis zur Mündung in einen gesunden Bach verwandeln? Das wäre ein Ziel! Man müßte mit den Anrainern verhandeln, Pestizide dürften nicht ins Grundwasser gelangen, man könnte an die Ufer Butterblumen und Vergißmeinnicht pflanzen und Schilf zur Befestigung der Böschung. Wo mündet der Bach überhaupt? Irgendwo muß er doch in einen größeren Fluß münden und dann in die Nordsee. Nehmen wir uns doch gleich die Nordsee vor!

»Soll das heißen: Alles hat keinen Zweck?« Der Prediger, diesmal auf der Seite der Aktivisten, erklärt, daß man mit dem

Satz ›Wehret den Anfängen‹ nicht weiterkomme, jetzt müsse es heißen: ›Fangt im kleinen an!‹

Die Weberin klopft sich mit beiden Händen auf ihr Hinterteil und stellt fest: »Noch ein paar solcher Aktivitäten, und ich bin mein Sitzfleisch los!«

Jobst Lorenz hat beschlossen, diesen Tag zu nutzen und zu seinem Bauern zu fahren, vielleicht kann er einen Sack Kartoffeln erwerben, Milch wird er mitbringen, neuerdings kann man dort auch Butter und Quark kaufen, der Kreis der Kunden hat sich rasch vergrößert, man muß bereits vorbestellen; außerdem wird er bei dem Förster vorbeifahren. Ein Ganztagsausflug, auf den er gern die Weberin mitgenommen hätte, aber die steht bereits im Bach und fischt; sie schlägt vor, den Ausflug zu verschieben, was abgelehnt wird, um diese Jahreszeit läßt sich nichts verschieben. Er wird sich vom Förster die Stellen zeigen lassen, wo man Setzlinge und Stecklinge ausgraben darf, Schlehdorn, Weißdorn, Holunder, möglichst auch Brombeeren. Demnächst wird man mit der Pflanzung der Hecke weitermachen, es gibt Arbeit für alle, nicht nur für Ludi und die Weberin, von sich will er gar nicht reden; von wem redet er denn? Der Prediger schleppt gerade einen Korb mit Angeschwemmtem zur Entsorgungsstelle.

Auf dem Rückweg begegnet Jobst Lorenz zunächst Hannah Pertes, schlägt ihr ein weiteres Mal vor, einen Kombiwagen anzuschaffen, und trifft dann auf Ulla Schicht, die sich vorgenommen hat, die Gartenwege zu fegen. Er redet ihr das Vorhaben aus, sie solle mitkommen, er brauche Hilfe, wenn sie keinen alten Parka habe, könne er ihr einen leihen. Nach seiner Ansicht sind alle mit völlig unnötigen Dingen beschäftigt.

Warum hat er Hannah Pertes nicht gefragt? Warum hat sie ihn nicht gefragt? Man hätte zu dritt fahren können. Sie macht etwas falsch, weiß es, aber weiß nicht, wie sie es verhindern könnte. Vor wenigen Tagen hat sie sich mit Britten getroffen, ihre Beziehung stagniert, die raschen, funkensprühenden Kontakte der ersten Monate kommen nicht mehr zustande. Sie hat ihn gefragt: »Wozu soll das eigentlich führen?«

Er hat geantwortet: »Muß denn alles irgendwohin führen?«

Hella Morten hantiert seit dem frühen Morgen im Gewächshaus, seit einigen Tagen treffen Pakete mit der Aufschrift ›Vorsicht, lebende Pflanzen‹ ein. Sie topft ein und topft um; zwei Bastzöpfe baumeln rechts und links über ihre grüne Gartenschürze und verjüngen die besänftigte Chemikerin. Sie steckt die bebilderten Samentütchen auf die Pflanzkästen, um die Hoffnung zu nähren, daß aus diesen Samenkörnern einmal früchtetragende Gewächse hervorgehen werden, den Abbildungen ähnlich. Sie siebt Erde und mischt Sand und Kiesel. Hier treiben Senfkörner, dort sproßt Bambus; Kästen voller Kresse, die es demnächst zum Abendbrot als Salat geben wird; die Zucchinipflanzen sind schon handhoch, in wenigen Wochen werden sie bis zum Glasdach ranken und den nötigen Schatten für die empfindlichen Gewächse geben.

Nach einigen Stunden legt sie eine Pause ein, zieht mit einem Hocker und einem ökologischen Ratgeber an die geschützte Südwand, wo sie von Hannah Pertes entdeckt wird. Sie blickt von ihrem Buch auf und sagt: »Wissen Sie, daß man aus den jungen Blättern des Weidenröschens Schnittsalat machen kann? Man müßte im Hochsommer aus dem Wald Samenfäden besorgen. Ich werde das ausprobieren. Im April kann man das junge Grün schneiden und als Salat essen oder auch als Junggemüse, vielleicht mit Majoran gewürzt? Einige Pflanzen läßt man zur Blüte kommen, dann hat man etwas fürs Auge, daran ist allen doch soviel gelegen. Wo könnte man Weidenröschen aussäen? Sie brauchen Sonne.«

»Weidenröschen?« sagt Hannah Pertes. Fast hätte sie ein paar Sätze über den Opa gesagt, aber sie hat einen schweigsamen Tag, setzt ihren Rundgang fort, wie ein Aufseher, der inspiziert. Sie hat nicht im Mittelpunkt stehen wollen, und nun steht sie beiseite, sieht eine Weile Tsetse zu, der die Abwesenheit von Jobst Lorenz ausnutzt, um einen neuen Komposthaufen anzulegen; die Zuständigkeit für den Kompost ist noch nicht geklärt, wird es auch so bald nicht werden. Die Kürbiskerne, die er zu pflanzen gedenkt, damit ausreichend Schatten auf den Komposthaufen fällt, trägt er bereits in der Tasche.

Jeder ist in seinem Element, für Hilde Seitz ist es das Wasser. Sie steht im Tauchbecken und scheuert die Wände mit einer Wurzelbürste, taucht wieder auf, spritzt mit dem Wasserschlauch. Alle Türen sind weit geöffnet, man hört Planschen, man hört auch Gesang. Hannah Pertes lehnt in der Tür, sieht zu, hört zu. ›Heia, heia Safari.‹ Hilde Seitz kippt mit Schwung einen Eimer Wasser über die Fliesen. ›Tret ich die letzte Reise, die große Fahrt einst an –‹, dann blickt sie hoch, sieht Hannah Pertes unter der Tür stehen. »Hören Sie mir schon lange zu?«

»Eine Weile.«

»Ich dachte, ich wäre hier mal allein, die drei Putzteufel verstehen nichts vom Scheuern. Passen Sie auf, daß Sie nicht naß werden.«

»Überanstrengen Sie sich nicht!«

»Wenn ich mich überanstrenge, fühle ich mich erst richtig wohl, dann spüre ich, wofür ich meine Arme habe. Nachher lege ich mich in die Badewanne, und dann fühle ich mich wie – heia Safari!«

Oben, auf der Anhöhe, schlendern Jelena und Benediktus durch den Vorfrühling, er stützt sich mit der rechten Hand leicht auf ihre linke Schulter, das beschädigte Knie liefert den Vorwand; erst später erfährt man, daß er sie immer ein wenig gehalten und geführt hat. Als die beiden Hannah Pertes von weitem sehen, winken sie ihr zu. Jelena ruft: »Ein Tulpenbaum! Wir haben ja auch einen Tulpenbaum!« Die Knospen, dick wie Walnüsse, tropfen. Hannah Pertes ist näher gekommen, Jelena fragt, welche Farben die Blüten haben, rosafarben oder schneeweiß? »Die schneeweißen Blüten sehen aus wie kleine Schwäne.« Sie hat nie mehr einen Tulpenbaum gesehen, nur als Kind, in Hannover. »Oh«, sagt sie, »ich hatte nur noch eine Ahnung davon, wie es ist, wenn nach einem langen Winter der Frühling über uns kommt. Oh, ich bin ganz verwirrt. Haben Sie die Veilchen gesehen unter der Blutbuche? Der Wind weht den Duft werweißwohin.«

Keine Rede mehr von Glatteis. Man blickt nicht mehr besorgt auf den Weg, sondern in den Himmel, sieht Knospen und

Wolken und Vögel; der Rasen ist aufgeweicht, man bekommt nasse Füße und merkt es nicht einmal.

Josepha Starck zählt die Triebe an ihren Rosenschößlingen, zählt drei Augen, was schon genügen würde, zählt aber auch bis elf; wäre es zu leichtsinnig, die Fichtenzweige wegzuräumen? Sie muß vernünftig sein, sie meint, die Stimme ihres Mannes zu hören: »März ist noch nicht Mai, Seffi.« Sie dehnt ihren schmerzenden Rücken, sie wird eine Pause machen. Es fällt ihr auf, daß sie Cordula Heck noch nicht gesehen hat. War sie gestern nicht sehr erkältet, kümmert sich niemand um sie? Sie wechselt die Schuhe, macht sich ein wenig zurecht und klingelt dann bei ihrer Nachbarin. Tatsächlich liegt sie auf dem Sofa. »Achtunddreißig zwei!« sagt sie vorwurfsvoll, sie ist gekränkt, weil sie diesen Frühlingstag nicht im Freien verbringen kann wie die anderen. Die Rosenfreundin zieht sich einen Sessel neben das Sofa, schiebt mit dem Fuß einen Korb mit Wollknäueln beiseite und berichtet vom Stand des Frühlings. Weil sie mit Worten wie ›Veilchen‹ und ›Amselruf‹ nichts erreicht, greift sie nach der Hand der Leidenden, um sie zu streicheln; im selben Augenblick springt aus dem Gewirr von Wollknäueln eine dicke graue Katze hervor und schlägt ihre Krallen in den Handrücken der Rosenfreundin.

Was für ein Palaver! Sie brauche etwas zum Streicheln, reden müsse sie auch mal mit jemandem, sie ginge immer nur nachts mit Paula ins Freie, sie sei sauber, oder ob man merke, daß es hier eine Katze gebe? Paula tue keinem Vogel etwas zuleide, das Strickzeug liege nur zur Tarnung im Katzenkorb, falls mal jemand in die Wohnung käme, aber bisher habe ja niemand einen Besuch für nötig gehalten.

Josepha Starck hat mit einer kleinen Entschuldigung gerechnet; sie tupft mit dem Taschentuch die Blutstropfen auf, ihr Handrücken ist mager, die Kratzer schmerzen, sie wird die Wunde mit Alkohol säubern müssen. Sie erhebt sich und fragt, ob man abends eine kleine Mahlzeit schicken solle. »Nein, nein, vom Abendessen werde ich mich nicht ausschließen lassen!«

Die Sonneneinstrahlung im Glasgang ist zu stark für die empfindlichen Grünpflanzen. Eva Pecher schleppt die Kübel an einen windgeschützten Platz im Freien. Sie braucht Komposterde; sie wird mit Tsetse verhandeln müssen. Auf dem Weg begegnet sie Hannah Pertes, die eine macht die andere auf den ersten Schmetterling aufmerksam. Ein Kohlweißling! Ist es nicht zu früh? Und dann entdecken die beiden Frauen gleichzeitig die weißen Krokusse. Nicht drei oder vier, sondern dreißig oder vierzig. Als sie weitergehen, entdecken sie Tulpengrün und Narzissengrün. Wer hat die Zwiebeln in die Erde gebracht?

Sie suchen die Rosenfreundin auf, aber sie verneint, sie hat Rosen gepflanzt, sonst nichts, dann erinnert sie sich. »Ingrid Bajohr! Im Herbst hat sie sich im Park zu schaffen gemacht, sie zog einen Sack hinter sich her und hatte eine Schaufel in der Hand, wir kannten uns noch gar nicht. Sie ist unter den Büschen herumgekrochen. Sie hat die Zwiebeln wie Ostereier versteckt. Sie muß doch gewußt haben, daß sie die Blüten nicht sehen würde. In jedem Frühling werden wir uns an Ingrid Bajohr erinnern! Ich hatte sie gern!«

»Ich auch«, sagt Hannah Pertes, »aber ich habe es ihr nicht gesagt.«

»Das tun Sie bei keinem. Sie haben Ihr Unternehmen vor Augen, das Große und Ganze.«

Hannah Pertes fragt, ob sie Streit mit ihren Rosen gehabt habe. »So sieht es aus«, sagt die Rosenfreundin; kein Wort über die dicke Paula, die es nicht geben durfte.

Eva Pecher hat die Gartenschere in der Hand, sie möchte ein paar Zweige abschneiden und in die Bodenvase stellen. Im Treppenhaus ist es ein wenig kahl. »Oder nehme ich jemandem etwas weg?« Immer fragt sie, ob sie jemandem etwas wegnehme. Vielleicht ein Pfund Kirschen? Vielleicht ein wenig Schatten, später im Jahr? Zunächst muß sie Komposterde wegnehmen. Sie macht sich auf die Suche nach Tsetse, der ein erstes Sonnenbad nimmt.

Als Frau Schicht und Herr Lorenz waren die beiden am Morgen aufgebrochen. Als Ulla und Jobst kehren sie abends ermüdet und heiter zurück. Sie schleppen Kannen mit Milch und Kannen mit Buttermilch, packen goldgelbe gesalzene Butter aus, Frischkäse; beim Tragen der Kartoffeln muß Ludi mithelfen. Der stillgelegte Landwirt hält eine Kartoffel hoch, sagt: »Biologisch-dynamisch!«

»Die Sorte kenne ich«, sagt Annemarie Engel während des Essens, »bei Kartoffeln macht man mir nichts vor, die Schale platzt beim Kochen, weniger dynamisch wäre besser.«

Könnte man nicht Kartoffelpuffer backen? In mehreren Pfannen? Wenn man einen Schnaps trinkt, ist es bekömmlicher. »Die Bekömmlichkeit hängt einzig und allein vom Fett ab!«

Eine der häufigen Ölkrisen droht, Hannah Pertes sagt: »Sie essen die Kartoffelpuffer, verlassen das Haus, und ich bleibe mit dem Geruch zurück.«

Ein Plan weniger, aber es blieben genug Pläne übrig. Die renaturierte Seume taucht gesprächsweise auf, die Brücke taucht ebenfalls auf. »Pläne bis ins Jahr zweitausend!« sagt die Weberin. »Fragt sich nur, ob unsere Kräfte so lange reichen.«

»Ihre bestimmt, Weberin!«

»Im Augenblick sind wir doch alle in sehr gutem Zustand.«

»Einige erreichen diesen Zustand durch Arbeit, andere durch Schonung!«

Gab es doch wieder Untertöne? Die andere Hanna sagt: »Die nächste Generation muß doch auch noch was zu tun haben.«

»Dafür werden Sie schon sorgen!«

Jobst Lorenz betrachtet die Frauen, die ihm gegenübersitzen, und stellt fest, daß es doch große Vorzüge habe, wenn man unter mehreren Frauen wählen könne. Zum Einkaufen beim Bauern sei Ulla Schicht sehr geeignet, da merke man, daß sie früher für eine große Familie gesorgt habe, im Wald wisse sie weniger gut Bescheid. Und schon sagt Annemarie Engel, daß sie Haselnußschößlinge und Holunderschößlinge im Dunkeln unterscheiden könne.

»Aber warum denn im Dunkeln?« fragt Jelena und gibt Anlaß zu Gelächter. Annemarie Engel erklärt, daß man zu den

Fahrten in den Wald nicht das Auto nehmen solle, da genügten die Fahrräder, was man brauche, das wäre ein Anhänger, auf dem man die Körbe abtransportieren kann. Ach, du blauer Engel!

Jeder Plan gebiert zwei neue Pläne.

In der Nacht, die diesem Vorfrühlingstag folgt, fängt es gegen Morgen an zu schneien, dicke, schwere Flocken, unter denen sich die Zweige des Rhododendrons, des Tulpenbaums, des Kirschlorbeers bis zur Erde neigen und zu brechen drohen. Wieder zieht man sich Gummistiefel an, nimmt Stöcke und Stangen und befreit die Zweige von der Schneelast.

18

›Ohne den Tod wären wir lauter Einzeller und wären ein dicker Brei über der Oberfläche der Erde. Also, wir sind nur dank des Todes Menschen.‹

Friedrich Dürrenmatt

Der Plan, gemeinsam in der Volkshochschule den Vortrag eines Gerontologen anzuhören, ging von Britten aus, der für möglich hielt, daß dieser Professor neue Erkenntnisse aus medizinischer Sicht zum Thema Alter vermitteln würde. Eine Nachmittagsveranstaltung. Das Publikum, das zahlreich und pünktlich eintraf, befand sich im Seniorenalter. Britten stand vorm Eingang des Gebäudes und wartete. Die beiden Wagen fuhren kurz nacheinander vor, Britten war beim Parken behilflich. Hannah Pertes saß am Steuer des kleineren Übels, Tsetse steuerte das größere Übel; diese Unterscheidungen der Autos hatten sich inzwischen eingebürgert. Ludi hatte die Wagenpflege mit Vergnügen übernommen, sorgte für Inspektion und Wagenwäsche.

Die Gruppe vereinzelte sich, Britten setzte sich mit Hannah Pertes in eine der letzten Reihen.

Bevor der Vortragende zum Pult ging, fragte Hannah Pertes

noch rasch: »Wie heißt er?« Britten, der eine Abneigung gegen Unterhaltungen im Publikum hatte, schrieb ›Schmidt-Wächter‹ auf einen Zettel und hielt ihn ihr hin. Der Redner wechselte die Brillen, hielt die nichtbenötigte meist in der rechten Hand und ein Blatt mit Notizen in der linken, wodurch sein Vortrag lebhafter wirkte, als er war. Britten schaltete sein Bandgerät ein.

»Meine Damen und Herren, ich stehe als Arzt vor Ihnen, als jemand, der den Eid geleistet hat, den Tod zu bekämpfen, und zugleich weiß, daß er diesen Kampf immer verlieren wird. Früher oder später. Alle tragen wir diese Todesgewißheit in uns, aber alle verdrängen wir unser Urwissen. Dieser Verdrängungsprozeß wird von der fortschrittsgläubigen Wissenschaft unterstützt, so wird der Glaube an den unbegrenzten Fortschritt auf medizinischem Gebiet zu einem Ersatzglauben. Wir nehmen nicht wahr, daß die Erfolgskurve nicht mehr steil nach oben geht, sondern abflacht. Die Verlängerung des Alters ins Unendliche –. Ich frage Sie, wer möchte das denn? Sehen Sie sich einmal die Todesnachrichten in den Zeitungen an, das werden Sie sowieso täglich tun, mit der Befriedigung vermutlich, selbst – bisher – überlebt zu haben.

Als ich mit dem Medizinstudium anfing, hatte ich vor, Kinderarzt zu werden und möglichst oft Geburtshilfe zu leisten. Damals schien mir die Geburt eines Menschen eines der großen Geheimnisse der Natur zu sein. Das hat sich geändert, aus welchen Gründen auch immer, es hat mit der neuesten experimentellen Genforschung, der Manipulierbarkeit menschlichen Lebens zu tun, natürlich auch mit meinem eigenen Lebensalter. Nie wieder ist der Mensch in solcher Todesgefahr wie in den ersten zwei Monaten nach der Zeugung. Ist er erwünscht, oder ist er unerwünscht? Dort, wo er behütet sein sollte, ist er in größter Gefahr.«

Er wechselte die Brillen, warf einen Blick auf die Notizen und fuhr fort: »Einige von Ihnen werden Todeserfahrungen gemacht und dem Sterben eines geliebten oder auch ungeliebten Menschen beigewohnt haben. Eine bewußt erlebte Todesstunde kann zur Lehrstunde werden. Der Sterbende ist der

Klügere! Er ist, auch gegenüber dem Arzt, um eine Erfahrung reicher. Warum wir ›todunglücklich‹ sagen, habe ich nie begriffen. Heute bin ich als Gerontologe in der Erforschung der Alterungsvorgänge tätig, übe keine Praxis mehr aus; um aber meine theoretischen Erfahrungen an der Realität zu kontrollieren, begebe ich mich oft auf Pflegestationen. Vor kurzem habe ich eine dreiundneunzigjährige Frau gesehen, die schon vor Jahren erblindet ist, völlig abhängig von der Hilfe des Pflegepersonals. Diese Frau lebt in der ständigen Angst, daß man sie vergiften könnte, will sich nicht füttern lassen und hat keine andere Möglichkeit, Nahrung aufzunehmen; sie wird verhungern.«

Er machte eine Pause. »Ich weiß, daß Sie das nicht hören wollen, es gehört aber zum Pensum. Man muß lernen, den Tod zu akzeptieren. Er sitzt mit bei Tisch, jeden Tag, bei jedem. Wir haben keine Wahl zwischen Leben und Nicht-Leben, zwischen Sterben und Nicht-Sterben. Wenn wir das begriffen haben, eröffnen sich uns weite Lebensräume. Auf einer Pflegestation begegne ich gelegentlich einem Geistlichen. ›Die Gnade Gottes läßt uns alt werden‹, sagte er neulich und richtete dann an mich, den Arzt, die Frage: ›Ist es die Ungnade Gottes, die einen alten Menschen nicht sterben läßt?‹ Diese Fragen werden weitergereicht. Antworten haben wir nicht. Unter diesem Aspekt spreche ich über das Alter. Altern ist nicht nur ein körperlicher Prozeß, sondern auch ein geistig-seelischer. Ich habe mir notiert: ›Unsere ersten fünfzig Jahre vergehen in großen Irrtümern, dann werden wir ängstlich und können kaum den rechten Fuß vor den linken setzen, so genau kennen wir unsere eigene Schwäche. Dann zwanzig Jahre Mühe, und jetzt fangen wir an zu verstehen, was wir tun können und ungetan lassen müssen. Und dann kommt ein Hoffnungsstrahl und ein Trompetenstoß, und weg müssen wir von der Erde.‹ Auch hier also eine Feststellung, kein Ausweg. Immerhin: ein Trompetenstoß!

An die Medizin werden megalomane Ansprüche gestellt. Sollte Ihnen das Wort fremd sein, es heißt nichts anderes als größenwahnsinnig. Wissenschaftler und Ärzte stehen unter

Erfolgszwang. Der verfeinerten Diagnostik steht keine verfeinerte Therapie zur Verfügung. Der Tod wird in den Kliniken bekämpft; es findet wirklich ein Kampf statt zwischen Leben und Tod, dieser Kampf wird auf den Intensivstationen ausgetragen. Ist der Tod der Sieger, wird sein Sieg in Isolierräumen verheimlicht, aber: Es nutzt der berühmteste Arzt nichts, auch nicht die fortschrittlichste Klinik, irgendwann ist dann nichts mehr zu machen, allenfalls ist ein wenig Beistand noch möglich. Als Arzt weise ich den Ausdruck Sterbehilfe zurück. Ein Arzt geht nicht zu einem Alten oder zu einem Kranken, einem Sterbenden, sondern zu einem Menschen, der krank ist, alt ist, stirbt. Und wer sagt, er mache einen Krankenbesuch oder einen Altenbesuch, der sollte sich korrigieren und sagen: Ich will heute meinen alten Freund besuchen.«

Erneuter Brillenwechsel. Der Vortragende schien ein Stichwort zu suchen, dann sagte er, jetzt ohne Brille: »Machen wir uns doch nichts vor!« Er wiederholte den Satz: »Machen wir uns doch nichts vor!«

Und in die Pause hinein fragte Hannah Pertes laut: »Warum eigentlich nicht?«

Ein kurzes erleichtertes Aufatmen ging durch den Raum, einige klatschten. Der Redner hatte die Fernbrille aufgesetzt, sein Blick suchte in den hinteren Reihen, blieb an Hannah Pertes einen Augenblick lang hängen – zu lange, wie Britten meinte. Als wieder Ruhe eingekehrt war, fuhr er fort, und Britten schaltete sein Gerät wieder ein.

»Nun gut, Gnädigste, machen wir uns etwas vor! Man vergißt das Alter, zeitweilig, es macht sich dann schon bemerkbar, die Zeiten des Vergessens werden kürzer. Bisher habe ich – wohlbedacht! – vom Ende des Alters gesprochen, das festliegt, ein Datum, das wir nicht kennen. Wichtig ist für uns der Anfang, der Beginn des Alters. Andere erkennen unser wahres Alter früher als wir selbst. Cicero war noch der Ansicht, daß der Weise sich nicht wünsche, jünger zu sein. Als Cicero alt war, war Jungsein noch nicht erstrebenswert.

Das Wort ›Alter‹ ist tabuisiert, in Amerika spricht man von ›aging‹, Altern, ein permanenter Vorgang. Nehmen Sie das fünfzigste Lebensjahr als einen ungefähren Lebenseinschnitt, der Prozeß ist in Wahrheit lebenslang. Man hört auf, am Daumen zu lutschen, man hört auf, Rollschuh zu laufen, einige verzögern den Übergang und stellen sich später noch einmal auf ein Skateboard. Ein alter Boxer könnte ein junger Autor sein -«

Aus dem Publikum rief jemand: »Das ist unwahrscheinlich.«

»Was ich sagen will, ist: Das kalendarische Alter stimmt nur selten mit dem biologischen überein, der Staat hat das fünfundsechzigste Lebensjahr als Altersgrenze angesetzt, bei Frauen, trotz der höheren Lebenserwartung, bereits das sechzigste. Eine statistische Vorausberechnung« - er wechselte die Brillen, suchte die Zahlen auf dem Zettel - »besagt, daß im Jahr 1990 hundert alten Männern 196 alte Frauen gegenüberstehen werden.«

Seine Rede wurde durch ein Lachen unterbrochen. Es kam von Hannah Pertes, wirkte ansteckend, war auch so gemeint; alle Zuhörer schienen eine Reihe von hundert alten Männern und der doppelten Zahl alter Frauen, die sich gegenüberstanden, vor sich zu sehen.

Der Vortragende wartete das Ende des Gelächters ab und sagte, daß diese Angaben bisher nie erheiternd gewirkt hätten. Sein Blick blieb auch diesmal an Hannah Pertes hängen, sie erwiderte ihn, zumindest schien es Britten so.

»Einige Berufsstände erreichen ein höheres Lebensalter. Laut Statistik: Bauern, Lehrer, Geistliche. Kellner und Gastwirte hingegen haben eine kürzere Lebenserwartung, was mit dem unsteten Leben, auch mit dem Alkoholkonsum zusammenhängen wird. Der intelligente Mensch altert anders, aber er leidet auch intensiver unter dem Verlust an Ansehen, auch an Aussehen, letzteres betrifft vornehmlich Frauen. Unerforscht ist bisher, warum nur der intelligente Mensch an Gicht erkrankt.

Viele Alterserscheinungen werden Ihnen vertraut sein: Die Neigung zu depressiven Verstimmungen nimmt zu, eine Altersmelancholie; auch zunehmende Egozentrik, das Nachlassen der Selbstkritik, was eine gewisse Wehleidigkeit zur Folge hat. Es fehlt mir in meiner Aufzählung noch etwas –« Er sortierte die Zettel, sagte: »Das Kurzzeitgedächtnis läßt nach, aber meine Selbstkritik noch nicht. Sagen wollte ich, daß die Abwehrkräfte des Körpers nachlassen, er wird anfälliger gegen Krankheiten, vor allem gegen Infektionen. Die Schulmedizin meint, daß jeder Tag, den ein alter Mensch mit einem Infekt verbringt, einen Tag Lebenszeit kostet.

Es wird Sie interessieren: Eine neuere Untersuchung in meinem Fachbereich sieht einen entscheidenden Grund, warum Männer vorzeitig sterben, darin, daß sie emotional verarmt sind. Frauen verfügen über ein größeres Maß an seelischer und geistiger Kraft. Es gibt mehr Fälle von Selbstmord und Selbstmordversuchen bei Männern als bei Frauen. Wir sprechen da von ›Bilanzselbstmorden‹, Frauen scheinen diese Lebensbilanz seltener zu ziehen, vorerst, füge ich hinzu, um keinen Widerspruch heraufzubeschwören. Frauen gelten allgemein als leidenswilliger und -fähiger, eine gewisse Anspruchslosigkeit, gepaart mit Anpassungsfähigkeit an veränderte Lebensverhältnisse, kommt hinzu.

In dieser Stadt hat sich eine Gruppe gleichgesinnter alternder Menschen zusammengefunden, die eine Utopie verwirklichen wollen. Ich täusche mich wohl nicht, wenn ich annehme, daß einige dieser Utopisten anwesend sind. Sie werden, wie man mir berichtet hat, ›die Ökos‹ genannt, auch ›die alten Naiven‹, eine Verballhornung von alternativ; wie die Gruppe sich selbst bezeichnet, weiß ich nicht. Diese Utopisten werden bestätigen, daß man auch im Alter selbst für seine Einsamkeit zuständig ist, nicht die anderen. Man tut selbst den ersten Schritt, greift zum Telefonhörer, schreibt einen Brief, steht vor der Tür des anderen. In der Bergpredigt heißt es ausdrücklich: ›Bittet, so wird euch gegeben.‹

In unserem Kulturkreis gilt als Idol die Jugend. In östlichen Philosophien ist derjenige alt, der seine Fähigkeit zur Freude verloren hat; von Arbeitsfähigkeit wie im Westen ist dort nicht die Rede. Wir haben verlernt, die Schönheit eines alten Gesichtes zu erkennen. Altwerden bedeutet den Verlust von

Schönheit, Gesundheit, bedeutet das Nachlassen der Kräfte, aber es muß nicht auch den Verlust an Freude bedeuten, an der Fähigkeit des Erkennens, des Erinnerns, des Nachdenkens, der Fähigkeit, miteinander zu leben. Diese Versuchsgruppe gehört zu den sogenannten jungen Alten, man hat sich daran gewöhnt, das Alter in ›junge Alte‹ und ›alte Alte‹ aufzuteilen, um die Altersgrenze noch ein wenig hinauszuschieben. Es gibt keine Gewähr, zum statistischen Durchschnitt zu gehören, man muß aber damit rechnen, eines Tages ›hochbetagt‹ zu sein, und darauf muß man sich vorbereiten. Es wird dann nicht mehr auf Aktivitäten ankommen. Die Aufgabe für jene, die aus der dritten in die vierte Lebensphase gehen, ist es, nicht mehr mit Selbstverwirklichung zu rechnen, ihre Aufgabe ist die Selbstfindung. Die drei a's, vor denen wohl alle sich fürchten, heißen alt - allein - arm. Man muß sich abgewöhnen, Altern als ein Problem anzusehen. Es ist keines. Probleme kann man lösen, dies ist ein unlösbares Problem, der Quadratur des Kreises vergleichbar. Die einzige Lösung ist der Tod. Altern ist also kein Problem, sondern ein Schmerz, auf gewisse Weise noch zu den Wachstumsschmerzen gehörend; das Abschiednehmen von der Kindheit ist einer der ärgsten Schmerzen, vom Jungsein, vom Tätigsein.

Nicht einmal ein Prozent der Bevölkerung wird zum Pflegefall, statistisch ist die Gefahr eines Unfalls größer!

Gehen wir jetzt einmal davon aus, daß Altern nicht ein Abnutzungsvorgang ist, sondern ein Anpassungsvorgang. Alle, die hier sitzen, wissen, daß sie nicht im Krieg oder auf der Flucht umgekommen sind, keinem Bombenangriff zum Opfer gefallen sind, keinem Verkehrsunfall, da ist viel überlebt worden und viel erlebt! Sehen Sie das mit Dankbarkeit, die kommende Generation weiß nicht, was ihr bevorsteht.

Von einem Gerontologen werden praktische Hinweise erwartet. Ein paar Stichworte mögen genügen: Das beste Mittel gegen Vergreisung ist geistige Tätigkeit. Der Körper bekommt von allein Hunger und Durst, der Geist, das Gewissen müssen ermahnt werden, sie bringen allenfalls ein unbestimmtes Gefühl des Mißbehagens und Ungenügens zustande.

Das wichtigste, aber auch gefährlichste Fett ist das Cholesterin. Erhöhte Blutfette werden durch Diät, Bewegung, Medikamente abgebaut, in dieser Reihenfolge. Schlagen Sie beim Sitzen die Beine nicht übereinander, Sie klemmen eine der wichtigsten Venen ab, es kommt zu Stauungen. Mit erhöhter Aufmerksamkeit lassen sich Heil- und Ordnungskräfte des Körpers verbessern.

›Plötzlich und unerwartet‹, wie es sich in Todesanzeigen liest, vollzieht sich nicht einmal ein Selbstmord, allenfalls ein Unfalltod, aber in der Regel ist auch er vorauszusehen.

Der Körper besitzt ein eigenes Bestreben nach Gesundung, man kann erlernen, seine Warnungen zu verstehen. Ohne Eigenleistung kann man weder länger noch gesünder, noch glücklicher leben. Mit Geld allein ist nichts zu machen, auch wenn uns das die Arzneimittelhersteller einreden wollen. Der Satz ›Weil du arm bist, mußt du früher sterben‹ ist höchst anfechtbar!

Sie werden fragen, wieviel Alkohol der alternde Mensch zu sich nehmen darf. Die obere Grenze ist variabel, richtet sich auch nach dem Körpergewicht; ein Frauenkörper baut Alkohol schwerer ab. Eine Flasche trockenen Weißwein halte ich persönlich für die oberste Grenze, bei Bier allenfalls ein Liter. Ein Pferd verfügt übrigens über fünfmal soviel Enzyme zum Abbau des Alkohols.«

Aus einer anderen Ecke des Saales kam der Zwischenruf: »Und was hat es davon?«

»Ja - was hat es davon!« Erneuter Brillenwechsel. Britten schaltet sein Gerät wieder an. »Ein paar weitere Punkte. Wenn eine, sagen wir, sechzigjährige Frau aus dem Sessel aufsteht und sich mit beiden Händen abstützt, dann ist der Sessel zu niedrig, nicht die Frau zu alt. Ein Kind bekommt ein Kinderbett und ein Kinderstühlchen, darum macht man kein Aufhebens, warum paßt man die Möbel, die man als alternder Mensch braucht, nicht seinen Bedürfnissen an? Und schließlich: Ein alternder Mensch muß in Bewegung bleiben, er selbst, nicht sein Auto. Stellen Sie sich die Karosserie eines Wagens vor, setzen Sie einen Menschen hinter das Lenkrad, und denken Sie sich nun die Karosserie weg, dann wird Ihnen das Unnatürliche dieser Fortbewegung deutlich.«

Britten schob Hannah einen Zettel zu, auf dem stand: ›BMW-Fahrer!‹ Hannah strich durch und schrieb ›Volvo!‹ daneben.

»Ich könnte Ihnen zum Schluß meines Vortrags noch einige tröstliche Aussprüche über das Alter anbieten.«

»Dann tun Sie es doch!« Der Ausruf kam vom Prediger.

»›Wer die Fähigkeit, Schönheit zu sehen, behält, der altert nicht.‹ Wer das gesagt hat, fällt mir im Augenblick nicht ein.«

Britten schrieb ›Kafka‹ auf den Zettel, Hannah machte ein Fragezeichen dahinter.

»Lesen Sie Seneca! Bei ihm finden Sie alles über beziehungsweise für das Seelenheil. Er vergleicht das Alter des Menschen mit der Reife und Überreife einer Frucht, die erst im letzten Stadium ihre Süße entwickelt. Seneca sagt, jede Lust – er sagt jede, und jeder mag sich darunter eine andere vorstellen, die meisten werden an sexuelle Lust denken, obwohl das ein Wort ist, das bei Seneca nicht vorkommt –, jede Lust, sagt er, spart sich ihre höchste Wonne bis zum Ende auf.« Er blickte ins Publikum, und wieder schien es Britten, als bliebe sein Blick an Hannah hängen.

»Ich wollte Ihnen einen geistigen Überbau verschaffen, ›Richtpunkte‹ pflege ich das zu nennen, aber ich merke eben, daß ich einige praktische Hinweise übersehen habe. Der erhöhte Flüssigkeitsbedarf des alternden Menschen. Der Mensch trocknet aus, verdorrt wie ein absterbender Baum, in dem keine Säfte mehr aufsteigen. Vor Medikamentenmißbrauch muß immer wieder gewarnt werden. Der alternde Körper reagiert anders auf Beruhigungsmittel, Schmerz- und Betäubungsmittel. Oft führt ein Oberschenkelhalsbruch zum Tode, aber die Ursache für diesen Bruch war ein Betäubungsmittel, dieser Mensch war unsicher auf den Beinen, halb betäubt, und ist aus diesem Grund gestürzt. Noch ein Wort zum Schmerz. Nur höherentwickelte Lebewesen kennen den Schmerz. Das mag ein Trost sein. Man kann, das ist erwiesen, lernen, mit Schmerzen auszukommen. Schmerzen, mit denen man rechnet, sind leichter zu ertragen als unerwartete Schmerzen. Man spricht da von Transsubjektivität. Der Schmerz macht - oder sagen wir vorsichtiger: bewirkt oft Bescheidenheit, der Leidende wird dankbar für eine ruhige Nacht, für ein paar schmerzfreie Stunden, an denen er sich fühlt wie früher, als er Schmerzen nur vom Hörensagen kannte. Leiden ist Leistung! Diesen Satz hat mir eine Frau, die an MS erkrankt war, mitgegeben. Die Weisheit kommt oft von dem Kranken, nicht vom Arzt. Leiden ertragen und selbst nicht unleidlich werden, das ist eine unserer großen Lebensaufgaben.

Eine Antwort auf die letzte aller Fragen werden Sie nicht von einem Arzt erwarten. Oder doch -? Ich hatte mit einem Zuruf gerechnet. Eine persönliche Erfahrung möchte ich Ihnen aber mit auf den Heimweg geben: Ein Mensch stirbt, wie er gelebt hat. Jemand, der leicht lebt, dem das Leben leicht wird, der es leichtnimmt, stirbt leichter. Der, der alles schwernimmt, dem wird voraussichtlich auch das Sterben schwerer. Vergessen Sie nicht: Der Tod sitzt mit bei Tisch! In jedem Lebensalter. Das sind keine Trostworte?« Er blickte über die Reihen hinweg. »Dann zitiere ich ein weiteres Mal Seneca, ich muß frei zitieren: Der Tod erlöst von Leiden und Schmerzen und Einsamkeit. Auch der morgige Tag ist uns unbekannt. Warum fürchten wir, was wir nicht kennen? - Ich danke für Ihre Aufmerksamkeit.«

Der Beifall war spärlich.

Britten schaltete das Gerät ab und sagte: »Er hat auch nur Fragen!«

Man traf sich auf dem Parkplatz, Hannah Pertes wartete ungeduldig neben dem Auto; als sich ihr eine Hand schwer auf die Schulter legte, erschrak sie. Ein Mann sagte: »Sie gehören wohl zu den naiven Alten aus dem Waldviertel? Die wollte ich immer schon mal sehen.« Sie duckte sich, zog die Schulter unter der Hand weg, drehte sich langsam um und fragte: »Was -? Wir sind alle schwerhörig!« Der Mann hob abwehrend die Hände. Hannah fragte: »Was haben Sie gesagt?« Aber da hatte sich der Unbekannte bereits entfernt.

»Was ist los mit Ihnen?« fragte Britten.

»Nichts ist mit mir los.« Sie forderte ihn auf mitzukommen, aber er lehnte ab, er müsse noch den Hundespaziergang machen. Ein Einwand, den Hannah beiseite schob. »Wir holen Mark Anton ab, er kommt auch mit!«

»Die raschen Lösungen der Hannah Pertes!« sagte Britten. Man überließ ihm, seiner langen Beine wegen, den Beifahrersitz. Es wurde eng. Hannah steckte den Schlüssel ins Zündschloß, hielt sich mit den Händen am Steuerrad fest, fuhr aber nicht ab.

»Stimmt etwas nicht mit der Zündung?«

»Mit mir stimmt etwas nicht«, sagte Hannah. »Benediktus hat früher einen Diesel gefahren, bei Kälte kommt der Motor langsam, er hat immer ein wenig warten müssen und sich dabei entspannt, aber auch konzentriert. Ich will mir das angewöhnen: Nicht gleich losfahren.«

»Eine Art Tischgebet? Grund zum Beten hat jeder Autofahrer, das haben wir ja eben gehört.«

Beide Autos hielten in der Nähe von Brittens Wohnung an, er holte den Hund, der sich dann aber weigerte, das kleinere Übel zu benutzen. Hannah stieg aus, alle anderen stiegen ebenfalls aus, umständlicher und schwerfälliger als sonst. Hannah wechselte von dem kleineren in das größere Auto, Mark Anton beanspruchte den Beifahrersitz für sich allein; es wurde gemurrt, mit zwei Autos kam man eben doch nicht aus, jetzt war man abhängig, schließlich war man doch nicht achtzig, gehörte noch zu den jungen Alten. Britten machte dem Durcheinander ein Ende, indem er erklärte: »Hauptsache, der Hund hat es bequem, ich werde zu Fuß gehen.«

Als er am Parktor eintraf, kam ihm Hannah bereits mit Mark Anton entgegen. Britten winkte mit der Leine, aber der Hund blieb bei Hannah, nur durch ihre Hand im Fell gehalten.

»Wo sind die anderen?«

»Sie haben sich zurückgezogen, jeder in sein Gehäuse. Wir haben nichts erreicht, Britten, gar nichts. Lauter Einzeller.«

»Sie leben Wand an Wand, hautnah, das ist doch nahe genug.« Hannah hörte ihm nicht zu. »Da kommt so ein heiliger Gereon daher und redet und redet, und mir stürzt alles zusammen.«

»Nichts gegen die Häuser! Sie sind leicht, aber stabil. Die anderen werden sich vorm Essen ausruhen wollen.«

»Sie sind auch so ein Mann mit einem unterentwickelten Wahrnehmungsvermögen. Gefühlsarm! Sie werden nicht alt werden, das haben Sie ja vorhin erfahren.«

»Ihr Kurzzeitgedächtnis ist noch beneidenswert.«

»Ich fühle mich nicht beneidenswert. Mein Opa hätte gesagt – «

»Was hätte Meinopa gesagt?« Er bekam keine Antwort.

Sie bogen auf den asphaltierten Feldweg ein, der Hund zerrte an seiner Leine, Britten schimpfte mit ihm, auch er war gereizt.

»Lassen Sie ihn doch laufen, notfalls pfeife ich ihn zurück.« Sie blieben stehen, Britten versetzte dem Hund einen Schlag mit der Leine, weil er nicht still stand.

»Lassen Sie Ihren Ärger doch nicht an Mark Anton aus!« Hannah löste die Spange, die ihr Haar im Nacken zusammenhielt, schüttelte den Kopf heftig, warf ihn in den Nacken, knöpfte den Mantel auf, holte tief Luft und sagte: »Dieser heilige Gereon!«

»Geron«, verbesserte Britten, »die Geronten, das waren die Greise; sie gehörten zum Rat der Könige von Sparta, sprachen Recht. Die Bedeutung hat sich offensichtlich geändert!«

»Die Kirche in Köln heißt Sankt Gereon, da bin ich mit meinem Opa gewesen.«

Das Wort ›Meinopa‹ tat seine erheiternde Wirkung diesmal nicht, Britten sagte sachlich, daß es demnach auch einen heiligen Gereon geben müsse, man könne nachschlagen.

»Wo –?«

»In einer Ikonographie der Heiligen.«

»Bücher, immer nur Bücher! Mein Opa hatte den ›Neukirchner Kalender‹ an der Wand. Jeden Tag ein Blatt, damit ist er sein Leben lang ausgekommen.«

»Sie kennen diesen heiligen Geron?«

Hannah ging weiter und verneinte. »Man kann einiges miteinander zu tun haben, ohne sich zu kennen.«

»Ah, ja!« sagte Britten.

»Ich wußte nicht einmal, daß er Arzt war. Als er anfing, seine Brillen auf- und abzusetzen, habe ich ihn wiedererkannt. Warum trägt er nicht eine halbe Brille, so wie Sie? Mit Ihnen gehe ich gern durch die Felder, wir sind unabhängig voneinander, nichts verbindet uns außer dem Hund, der Ihnen gehört und mich gern hat.«

Sie pfiff auf zwei Fingern. Britten sah erst jetzt, daß der Hund einen Fasan aufgestöbert hatte, wollte rufen, aber der Hund hatte bereits kehrtgemacht, blieb allerdings auf halber Strecke stehen, um festzustellen, ob der Pfiff ernst gemeint sei; ein zweiter Pfiff veranlaßte ihn, sich Hannah zu Füßen zu werfen.

»Das ist ein hündisches Verhalten!«

»Er ist ein Hund, Britten.«

Am Parktor blieb sie stehen, zeigte auf die Lichter in der Häuserkette, von denen eines nach dem anderen erlosch. »Jetzt kommen sie wieder hervor. Wir suchen alle die Nähe von Menschen, aber ich glaube, daß wir eigentlich die Nähe Gottes suchen. Ich brauche einen ›Neukirchner Kalender‹, wie mein Opa!«

»Meinopa ist vermutlich mit einem ›Neukirchner Kalender‹ ausgekommen, wozu brauchen Sie einen zweiten?«

»Sie haben recht, Britten. Lesen müßte man ihn, nicht an die Wand hängen.«

Sie lachte auf, fing das Haar wieder in der Spange ein, knöpfte den Mantel zu. »Essen Sie mit uns, Britten, es wird immer reichlich gekocht, und für Mark Anton wird auch etwas dasein.«

»Etwas? Das wird ihm nicht genügen. Er ist ein Allesfresser, er wird auch Naturkost fressen.«

Hannah schob einen Stein zur Seite. »Die ersten Brennesseln. Der erste Löwenzahn. Morgen früh werden sie mit Messern und Scheren und Körben unterwegs sein und Grünfutter für uns holen. Über die praktischen Fragen der Ernährung kann man sich leichter verständigen. Es soll ein Bienenhaus gebaut werden. Können Sie sich diese Hanna Kirsch als Imkerin vorstellen?«

»Ungern! Falls ich die richtige Person meine. Wäre ich eine Biene, würde ich sie stechen, sofort.«

Sie gingen durch den Waschkücheneingang ins Haus. Hannah klemmte sich den Hund zwischen die Beine und wusch ihm die lehmigen Pfoten. Britten sah ihr zu, rauchte noch rasch eine Zigarette und sagte: »Wie ein Lamm!« Hannah blickte in den Spiegel, strich sich mit feuchten Fingern das Haar aus der Stirn, straffte dabei die Haut, sagte, daß sie ihr Leben lang viel zuviel Zeit mit der Instandhaltung ihres Äußeren verbracht habe. »Mein Opa –«

Britten lachte nun doch. »Was hat Meinopa zu ›aging‹ gesagt?«

»Er hat mich hochgehoben, damit ich in seinen Rasierspiegel blicken konnte. Mein glattes Kindergesicht neben seinem faltigen Gesicht. ›So wirst du auch mal aussehen, nur ohne Bart. Wenn das Leben keine Spuren in einem Gesicht hinterlassen hat, dann hat man selbst auch keine Spuren im Leben hinterlassen.‹ So ähnlich. Ich gewinne die Falten, die ich immer bekämpft habe, jetzt lieb. Früher war mein Gesicht verputzt wie eine Hauswand.«

Britten hatte sich hinter sie gestellt, sein Gesicht tauchte ebenfalls im Spiegel auf, sie betrachtete es mißbilligend, sagte, daß ihr Opa nicht einmal so alt geworden wäre wie er. »Und wie sehen Sie aus!«

»Meinen Sie den Bart?«

»Nein, was drunter ist.«

Britten nahm die Brille ab, strich sich übers Gesicht. »Hinterlasse ich zuwenig Spuren? Meinen Sie das?«

»Ja«, sagte Hannah, »das vermeiden Sie.«

»Ich habe den Satz ›Man sieht Ihnen Ihr Alter nicht an‹ immer als Kompliment genommen.«

»Wie alt sind Sie eigentlich?«

»Älter.«

Als sie in den Eßraum treten, ist bereits ein zusätzliches Gedeck aufgelegt. Hannah sagt: »Doktor Britten ißt mit uns zu Abend, Sie scheinen es vermutet zu haben, danke!«

»Nein«, sagt Hanna Kirsch, die den Tisch gedeckt hat, »nein! Der Tod sitzt immer mit bei Tisch, dann soll er auch ein Gedeck bekommen!« Sie steht hinter ihrem Stuhl, die Lippen aufeinandergepreßt.

Hannah tauscht die Servietten. »Ich werde mich auf den reservierten Platz setzen.« Als alle sitzen, sagt sie: »Daß es leere Plätze an diesem Tisch geben wird, wissen wir, daran brauchte uns dieser heilige Geron nicht zu erinnern. Unser Projekt wird weiterbestehen, die Hecke wird eine Hecke werden, die Bäume werden weiterwachsen. Andere werden genießen, was wir angelegt haben, und neue Vorhaben verwirklichen.«

Benediktus, der neben ihr sitzt, legt die Hand auf ihren Arm und sagt leise: »Sie zittern, Hannah!«

»Wo waren Sie heute nachmittag? Ich habe Sie vermißt.«

»Ich habe mir meinen Bernsteintag genommen.« Als jemand nachfragen will, winkt er ab.

Der Napf mit den Knoblauchpillen wird herumgereicht. Soll Dr. Britten ebenfalls zwei Pillen bekommen? »Ab fünfzig tut das jedem gut!« Er erkundigt sich, ob er fünf oder zehn Minuten älter würde. - »Sie werden sich wohler fühlen!« - »Dann muß ich eine Handvoll Pillen nehmen!« sagt Britten.

Hannah streckt ihre Hand nach rechts und links aus, wie sie es vor jeder Mahlzeit tut, diesmal faßt sie kräftiger zu, der Druck wird weitergegeben, zumindest hofft sie das. Eine Kette. Ein Kreis. Der Tisch ist wie immer hübsch gedeckt, dunkelgrüne Leinendecke, hellgrüne Leinenservietten. Krüge mit Milch und Krüge mit Tomatensaft. Schüsseln mit Salat, Körbe mit Vollkornbrot.

»Sie haben Glück, Doktor Britten, heute haben wir zwei sehr gute Köche«, sagt Tsetse.

»Richtet sich das gegen mich?« fragt die andere Hanna, Messer und Gabel wie Waffen in den Händen.

»Ich wollte ein Kompliment machen, aber mir scheint, daß

sich ein Kompliment immer gegen die richtet, denen es nicht gilt.«

»Mein Essen haben Sie noch nie gelobt.«

»Aber auch nie getadelt. Ich halte mich an die Regel: Loben, was zu loben ist, und Tadel vermeiden.«

Außer Kaugeräuschen ist nun einige Zeit nichts zu hören, ein Gebiß klappert, der Verursacher dieses Geräusches verläßt den Raum; auf einigen Tellern bleiben die grobgeraspelten Möhren liegen.

In das Schweigen hinein fragt Britten, ob alle Mahlzeiten so verliefen.

»Nein!« Das Nein kommt überzeugend und mehrstimmig, schlägt eine erste kleine Bresche. Inzwischen steht der zweite Gang auf dem Tisch, dickgekochte Hirse und gedünstete Pilze in Rahmsauce. Britten bittet um etwas Salz, falls diese Bitte nicht als Tadel verstanden werde, aber er möchte gern etwas nachsalzen.

»Haben wir irgendwo etwas Salz?« – »Sie meinen doch nicht etwa Kochsalz?« Die vorwurfsvollen Fragen kommen von allen Seiten.

Die andere Hanna, für den Tischdienst zuständig, ist bereits in die Küche gegangen, bringt ihm ein Näpfchen mit Salz, stellt es heftig vor ihn hin, sagt: »Bedienen Sie sich, aber Salz kostet bei uns etwas!« Sie stellt das Sparschwein daneben.

Britten streut Salz über die Hirse und Salz über das Pilzgericht, schiebt einen Schein in das Sparschwein. »Das Salz des Lebens führt zum Tode. Von der Salzstraße des Lebens hat der heilige Geron kein Wort gesagt.«

Jelena steht auf, kommt nach einiger Zeit mit einer großen Schüssel frischer Erdbeeren zurück. »Sie sind aus Israel!« sagt sie, und alle wissen, daß sie Heimweh hat nach einem Land, in dem Erdbeeren reifen, wenn hier noch Schnee auf den Wegen liegt.

»Wollten wir nicht warten, bis unsere eigenen Erdbeeren reif sind?«

»Es dauert noch so lange«, sagt Jelena. Sie geht mit ihrer Schüssel von einem zum anderen.

»Ist die Schüssel nicht zu schwer?«

»Sie wird immer leichter, je mehr man herausnimmt«, sagt sie, lächelt ihr rührendes Lächeln.

»Unsere Erdbeeren werden mehr Aroma haben.« – »Schmecken diese nicht nach Düngemitteln und Pestiziden?«

»In Israel gibt es so viele Probleme, daß man sich um Umweltprobleme –« Ihre Stimme wird leiser, sie setzt sich auf ihren Platz, die Schüssel mit den restlichen Erdbeeren auf ihrem Schoß. »Ooh«, sagt sie, »ich wollte euch überraschen, ich wollte eine Freude machen, der Winter ist so lang –« Die Schüssel in den Händen, verläßt sie den Raum. Sie weint, und keiner folgt ihr, jeder denkt, einer wird doch aufstehen, man wird sie nicht so gehenlassen. Als sich die Tür geschlossen hat, springt der Hund auf, stellt sich davor und bellt.

»Haben wir das gewollt?« fragt Hannah. »Einen Menschen, den wir alle liebhaben, zum Weinen bringen wegen unseres Öko-Spleens? Wir richten mehr Schaden als Nutzen an.« Britten erklärt, daß er jetzt ein Glas Wein trinken möchte, und zwar sofort. Er blickt in Hannahs abgespanntes Gesicht, er ist entschlossen, ihr beizustehen.

»Heißt das neue Gläser?« – »Das heißt neue Gläser!«

»Das ist ganz in meinem Sinne«, sagt Benediktus. Er begibt sich in den Vorratsraum, wo er einige Flaschen gut temperiert aufbewahrt. Als er zurückkehrt, sagt er: »Ich empfehle einen Markgräfler Gutedel für die Weißweintrinker, für die Rotweintrinker einen Lauffener Altenberg, Spätburgunder, trocken.« Leider könne er diese Flaschen erst jetzt öffnen. Mit ein wenig Umsicht hätte er voraussehen müssen, daß dies ein Abend für Rotweintrinker werden würde.

Britten und Benediktus füllen die Gläser, beide leeren die eigenen rasch, Benediktus sagt: »Ad multos annos!«

»Sie werden einen Gichtanfall bekommen!« sagt die andere Hanna. – »Einen Intelligenzanfall!« Der Prediger stellt das richtig. »Wenn Sie ein Pferd wären –« Einige lachen, andere nicht.

Während er seine Serviette zusammenlegt, sagt Britten:

»Hannah, erzählen Sie uns, was Meinopa zum Thema Altern gesagt hat.«

»Erzählen Sie es, Sie kennen die Geschichte inzwischen.«

»Dann sagen Sie doch wenigstens einmal ›Meinopa‹!«

Alle lachen, alle atmen auf, von Meinopa konnte nur Gutes kommen.

Wer keinen Küchendienst hat, begibt sich bereits ins Kaminzimmer, wo Ludi das Feuer vorbereitet hat, aber Hella Morten erhebt Einspruch: »Wir hatten in dieser Woche bereits einen Kaminabend. Wir dürfen die Luft nicht schon wieder verunreinigen.«

Die Rosenfreundin sagt bedauernd, daß ihren Rosenstökken Holzasche so gut täte, erst die Hälfte ihrer Rosenstöcke habe eine kleine Portion –.

Niemand hört ihr zu. Britten hat eine der Rotweinflaschen mitgenommen. »Ist das richtig? Eine Flasche pro Tag?« – »Frauen die Hälfte!« Er wird korrigiert. »Gehen wir ins Musikzimmer?« Benediktus stellt sein Glas auf den Flügel. Ohne sich zu setzen, schlägt er einige Töne an, fragt: »Erinnert sich jemand? Dieses Lied hat Gustaf Gründgens gesungen, er war im Frack, schritt eine breite Treppe hinunter, Paris vermutlich, sehr souverän, sehr elegant. Wie hieß der Film?«

»Was ist mit Ihrem Langzeitgedächtnis los?« Eine weibliche Stimme mischt sich ein, summt zunächst die Melodie, dann auch den Text: »›Die Nacht ist nicht allein zum Schlafen da, sie ist auch da, daß was geschieht . . .‹«

»Allein schlafen?« fragt die andere Hanna. »Das tun wir doch wohl alle.« Sie blickt Hannah Pertes an, dann Britten, dann wieder Hannah. Britten erwidert den Blick und sagt: »Das müßte ja nicht sein!« Keiner lacht. Benediktus klimpert weiter, Tsetse, den bisher keiner hat singen hören, singt: »Ein Tag, den man mit dem Infekt verbracht, das ist ein langer Tag allein im Bett . . .«

»›Tanz auf dem Vulkan‹!« Die Weberin erinnert sich, mit Mühe bringt man die Story des Films zusammen. »Französische Revolution!« – »Auf dem Karren zur Guillotine!«

Die andere Hanna stellt sich vor Dr. Britten auf und fragt, ob das ein Bart werden solle. Er ist unrasiert, alle haben das gesehen, niemand nimmt Stellung, aber die andere Hanna fragt jeden, der einen Pickel am Kinn hat: ›Was haben Sie da am Kinn?‹ – ›Was ist denn mit Ihrem Rocksaum passiert?‹ Sie nimmt alle Mängel wahr, macht darauf aufmerksam, diesmal auf Brittens Bartwuchs. Britten faßt sich ans Kinn, einer der Herren sagt: »Das ist jetzt modern, das trägt man, ein Dreitagebart. Man kann die elektrischen Rasierapparate auf diese Länge einstellen.« – »Wie oft muß man sich rasieren, wenn man einen Dreitagebart trägt?« – »Dreimal dürfen Sie raten!« – »Einen Dreitagebart muß man jeden Tag rasieren, sonst wäre es kein Dreitagebart.« – »Dann könnte man sich doch auch richtig rasieren.«

»Sieht es so schlecht aus?« fragt Britten.

Alle blicken Hannah Pertes an, als müsse sie diese Frage beantworten.

»Der blaue Engel!« Annemarie Engel kommt aus der Küche, sagt, daß sie inzwischen die Körner geschrotet habe, man könne sich seine Portion abfüllen. Britten wird über die Vorzüge des frischgeschroteten Korns im Vergleich zum Müsli unterrichtet, man spricht über Ballaststoffe und Vitamine, vor allem über das Vitamin B, das im Brot nicht mehr vorhanden sei.

Die Rosenfreundin kommt mit einem Tablett zurück, auf dem eine Anzahl Becher steht. Sie wird mit lobenden Zurufen empfangen. Sie hat Tee gekocht, allerlei Kraut, niemand weiß, was sie an Melisse, Hibiskus und Minze hineingetan hat, das wechselt von Mal zu Mal. An diesem Tag duftet der Tee stark nach Baldrian. Sie geht von einem zum anderen, jeder sucht nach seinem Becher, süßt den Tee mit Honig oder Süßstoff, wärmt sich die Hände.

Die Rosenfreundin sagt: »Der Tee ist gut gegen Verstimmungen, nicht nur Verstimmungen des Magens.«

Man trinkt im Stehen, bringt den Becher in die Küche, spült ihn aus, räumt ihn ins Regal und nimmt seinen Napf mit geschroteten Körnern in Empfang.

Wenige Minuten später verließ einer nach dem anderen das Haus, im gleichen Abstand gingen die Lichter in der Häuserkette an. Britten und Hannah standen mit dem Hund vor der Haustür.

»Eines Tages werden sie alle überzeugte Körnerpicker sein. Wo ist der große Gedanke geblieben? Das Menschenmögliche?«

»Worüber wird an anderen Abenden gesprochen?«

»Gestern? Über Amalgamplomben. Und allgemein über das Zähneputzen. Die Zahnbürste aus Naturborsten oder aus Kunststoff? Leicht blutendes Zahnfleisch muß behutsam mit weichen Borsten behandelt werden. Alle drei Monate eine neue Zahnbürste! Jeder Zahn muß einzeln gebürstet werden, kreisförmig, ohne Ungeduld! Bei jedem Zahn sollte man bis zehn zählen!«

»Gibt es jemanden, der bis dreihundertzwanzig zählt? Die meisten tragen vermutlich Prothesen?«

»Auch darüber wurde ausgiebig gesprochen. Das gehört zum Thema des Erfahrungsaustausches. Die Weberin sagte arglos, daß sie sich die Zähne unter fließendem Wasser putze. Jetzt soll sie die Wassermenge messen, die sie dabei verschwendet.«

»Die ersten Ermüdungserscheinungen?« fragte Britten.

»Nein, nicht die ersten. Ich hatte nicht damit gerechnet, daß die Frage, ob nun Honig oder Zucker oder Rohzucker oder Süßstoff zum Süßen, so wichtig sei. Gestern, als ich dachte, daß nun gleich einer dem anderen die Zähne oder den Zahnersatz zeigen würde, da hat die Weberin eingegriffen. Es war eine Rettungsaktion.«

»Und wie lautete die Frage?«

»Hat ein Mensch, der unter glücklichen Bedingungen lebt, eher das Bedürfnis, gut zu sein, als andere, die diese glücklichen Bedingungen nicht haben? Sie meinte uns! Unsere glücklichen Lebensbedingungen, die mir oft gar nicht so glücklich erscheinen. Was meinen Sie?«

»Zur Zahnbürste oder zum Glück?«

»Wir wollen –« Hannah brach den Satz ab, der Hund knurrte, sie drückte seinen Kopf an sich. Die andere Hanna war umgekehrt, um zu fragen, ob sie oft unleidlich sei.

»Manchmal.« – »Das hat der Professor für mich gesagt!« – »Kann sein, gute Nacht.«

Die andere Hanna verschwand, kam aber wieder, wollte etwas sagen, knirschte statt dessen mit den Zähnen, schließlich brachte sie das Wort ›Bienenhaus‹ heraus. Sie habe gespart, sie könne das finanzieren, wisse auch schon, wo es stehen müsse.

»Lassen Sie uns morgen darüber sprechen.«

Schließlich entfernte sie sich endgültig. Britten sagte: »Die geborene Imkerin, keine Biene wird an sie herangehen, sie sticht selbst.«

»Sie versucht, sich zu ändern, sie weiß, daß sie schwer zu ertragen ist.«

»Sie ist unleidlich.«

»Sie ist aber auch leidend, sehen Sie das nicht? Eine Diabetikerin, die Imkerin werden möchte und keinen Honig essen darf, das ist masochistisch.«

»Unter der freundlichen Oberfläche brodelt es. Trotz meiner männlichen Unempfindlichkeit nehme ich das wahr. Sie breiten über alles diese schönen grünen Tischdecken aus.«

»Ich habe blaue und gelbe Decken angeschafft und die dazu passenden Servietten.«

»Sehen Sie!«

»Warum mache ich das alles?«

»Ist das Ihre letzte Frage? Auf letzte Fragen wußte nicht einmal Ihr heiliger Geron eine Antwort. Heute abend wird sich jeder einen Satz mit ins Bett nehmen, vielleicht sogar einen von Meinopa. Das ist doch schon viel.«

»Welchen Satz nehmen Sie sich mit?«

Ohne zu zögern sagte Britten: »Rousseau, der erste Satz des Contrat social: ›Der Mensch ist frei geboren‹, und den letzten: ›Er sollte frei sterben dürfen.‹«

»Dieser Satz ist nicht gefallen!«

»Dann wird er von mir sein. Gehört der heilige Geron in Ihr Atomzeitalter? Gibt es viele davon? Am besten, ich nenne sie alle Geron, Ihre Gerons.«

»Sie waren leicht zu haben.«
»Sie auch –?«
»Soll ich darauf antworten?«
»Lieber nicht. Erinnern Sie sich an meine Einführung in die domistischen Lebensformen? Ich habe mich damals auf einen Gewährsmann verlassen.«
»Gizycki, ich weiß.«
»Er sagt, daß es in diesen Gemeinschaften immer einen Sündenbock gebe; es ist augenfällig, wer hier der Sündenbock ist, diese andere Hanna. Er sagt, es gebe nicht nur einen Sündenbock, sondern auch einen Tugendbock, und der sind Sie! Sie sollten ein paar Schwächen zeigen, wenn Sie sie schon nicht haben.«
»Ich habe eine Schwäche.«
»Und die wäre –?«
»Sie steht vor mir.«
Daraufhin tat Britten, was von ihm erwartet wurde, er nahm sie in die Arme, hätte sie wohl auch geküßt, es lag nicht daran, daß Hannah den Kopf weit zurück in den Nacken gelegt hatte, es lag an den Brillen, vielleicht auch an der Dunkelheit; die Brillenbügel hakten sich ineinander fest, beide mußten die Brillen absetzen und voneinander lösen. Sie hätten über dieses Mißgeschick lachen können, taten es aber nicht. Jeder setzte seine Brille wieder auf, die Gelegenheit war verpaßt.

Wenn sie sich später hin und wieder im ›Bosco‹ trafen, um ungestört miteinander zu reden, nahm Hannah die zu große Brille ab, legte sie mitten auf den Tisch, er legte seine dazu, im Laufe des Gesprächs verhäkelte mal der eine, mal die andere die Bögen miteinander, rückte die Brillen, bis die Gläser sich anblickten. Von ›sublimen Zärtlichkeiten‹ war nie wieder die Rede. Meist war Hannah es, die ihre Brille löste, an sich nahm, aufsetzte, ins Haar schob, Distanz herstellte. Einmal sagte sie, daß sie noch nie einen Menschen so nah an sich herangelassen habe. Sie befanden sich in einem Magnetfeld, das genau gepolt war, Explosionen fanden nicht statt, waren auch unerwünscht.

An jenem Vorfrühlingsabend, als sie zusammen vor dem Haus standen, hatte Hannah ihn gefragt, ob er meine, daß es je zu schaffen sei, das Menschenmögliche.

»Vielleicht«, hatte er geantwortet, »vielleicht wäre schon ein hoher Prozentsatz an Wahrscheinlichkeit.«

»Ich lebe noch immer in dem zu großen Haus, in dem zu großen Bett, mit der zu großen Brille.«

»Was ist noch zu groß? Eines der Häuser steht jetzt leer, warum ziehen Sie nicht zu den anderen? Machen Sie doch wirklich gemeinsame Sache. Dann wird das Unternehmen glaubwürdiger.«

»Und Sie, Britten?«

»Ich salze noch nach, Hannah mit den beiden h! Fürchten Sie sich, soll ich Mark Anton hierlassen?«

Hannah schob ihre Hand unter die dichten Brauen des Hundes, hielt sich fest, hielt ihn fest.

Als Britten seine Wohnungstür aufschloß, hörte er das Läuten des Telefons. Am Atemholen erkannte er bereits die Stimme von Felizitas. »Ich wollte nur hören, wie es Mark Anton geht.«

»Er schläft heute nacht außerhalb.« Britten reagierte ärgerlich. Er war eifersüchtig auf einen Hund. Er legte auf; als es kurz darauf wieder läutete, nahm er den Hörer nicht ab, wartete noch zehn Minuten, dann rief er Hannah an, um ihr zu sagen, daß die Wasserverschwendung beim Zähneputzen in der Tat sehr groß sei, er habe sich kontrolliert, er werde Konsequenzen daraus ziehen.

»Weiß man denn, wo man wirkt –«, sagte Hannah.

19

›Der Apfel erwirbt seinen Ruhm, wenn er gegessen wird.‹
Bertolt Brecht

Man kann darüber streiten, wie viele Eier der alternde Mensch im Verlauf einer Woche zu sich nehmen soll, aber man muß sich nicht darüber streiten, nicht bei Tisch. Bei Tisch sollen Worte wie ›Nitrate‹, ›Phosphate‹, ›Dioxine‹ nicht erwähnt werden. Kein Wort über Hormonskandale und Tiermästerei! Nach Möglichkeit. Immer wieder gibt es Rückfälle; worüber könnte man sich bei Tisch besser unterhalten als über das, was man auf dem Teller hat oder auf dem Teller liegen läßt, was Jelena tut, die sonst so achtsam und gutwillig ist. Ab und zu fragt jemand: »Wollen Sie Ihr Glas nicht austrinken?« - »Möchten Sie diesen Bissen noch zu sich nehmen?«

Eines Tages gibt Jelena die Erklärung, es sei ein jüdischer Brauch, ein Zeichen, daß man wiederkommen möchte. Darum läßt man einen Bissen auf dem Teller, einen Schluck im Glas. Von allen Seiten redet man auf sie ein: »Sie bleiben doch hier!« - »Sie können nicht weggehen und darum auch nicht wiederkommen!« - »Essen Sie den Teller leer, Jelena!«

Und was tut sie, sie legt die Hand auf den Mund, sagt: »Ooh -«, schiebt den Teller zurück, sie kann das nicht einfach ändern, sie möchte das auch nicht mehr ändern.

Am nächsten Tag liegt ein Zweig Basilikum auf ihrem Teller. Sie riecht daran, zerreibt ein Blatt zwischen den Fingern. »Basilikum ist gut gegen Melancholie«, ruft ihr die Rosenfreundin zu.

»Dann möchte ich wissen, warum die Schnecken eine solche Vorliebe für Basilikum haben, sind Schnecken melancholisch? Sie fressen die Blätter bis zum Stengel ab!« sagt die Weberin. Darüber läßt sich dann ein kleines, heiteres Tischgespräch führen: »Sollen die Schnecken uns davor bewahren, das schädliche Estragol - oder wie es heißt - zu essen?«

Alle blicken die Chemikerin an, die immer in Sorge ist, daß man die Ernährungsprobleme nicht ernst genug nimmt. Sie sagt denn auch: »Zurückhaltung bei Kopfsalat, Kresse, Rettich, diese Erzeugnisse wachsen im Winter nur durch zu hohe Düngung mit Stickstoffen und Nitraten.« Sollte man den geriebenen Rettich unter diesen Bedingungen essen oder nicht?

»Wir können Wirsing essen, Lauch, Rotkohl, Broccoli, und im Treibhaus wächst Kresse und Bambussprossen, allerdings langsam. Man muß sich nach der Saison richten!«

Wer weiß überhaupt noch, welches Obst und welches Gemüse zu welcher Zeit und an welchem Ort ›Saison‹ hat? – »Wenn heimische Erzeugnisse soviel besser sind, wozu dann eine EG?«

»Wollen wir das Thema doch nicht politisch ausweiten!« sagt Hella Morten. Bald nachdem sie eingezogen war, hatte sie ›Grundregeln für die Ernährung‹ aufgeschrieben und den Zettel in Augenhöhe an die Tür, die zum Eßraum führte, geklebt. ›Besser Fisch als Fleisch‹, ›Besser Käse als Wurst‹, ›Fische aus dem Meer sind gesünder als Fische aus dem Küstenbereich‹, ›Schafe werden nicht in Mästereien gehalten‹, ›Pflanzenfette sind gesünder als tierische Fette‹.

Sie hatte versucht, zehn Gebote für eine gesunde Ernährung aufzustellen, war mit zehn Geboten aber nicht ausgekommen, war auch unschlüssig, welches Gebot an erster, welches an letzter Stelle zu stehen hatte. Jeder hatte diesen Zettel ein- oder auch zweimal gelesen, dann hatte man nicht mehr darauf geachtet; eines Tages war er verschwunden. Wenige Tage später hingen die Gebote in Gedichtform wieder an der Tür, schön geschrieben, schön gerahmt, aber schlecht gereimt. Jelena stand davor, hielt sich den Mund zu und sagte mehrmals »Oooh«, was man auf den Inhalt, aber auch auf die Darbietung beziehen konnte. Bei wem schlummerte ein Bedürfnis zu reimen? Keiner fragte, um dieses Bedürfnis nicht zu wecken.

Hannah Pertes hatte eingeführt, daß man einander die Hände reichte, bevor man anfing zu essen. »Mahlzeit!« sagte die Weberin, das hatte man in der Kantine des Finanzamtes gesagt, aber man saß hier nicht in einer Kantine. Annemarie Engel erinnerte sich an ihre Zeit im Arbeitsdienst, dort hatte man im Chor gesagt: »Fröhlich sei das Mittagessen!« – »Ach du blauer Engel!« Abgesehen davon, daß man die gemeinsame Mahlzeit am frühen Abend einnahm, war politisch diesmal nichts dagegen einzuwenden. – »Gesegnete Mahlzeit!« Kam das nicht einem Tischgebet schon bedenklich nahe? Der Prediger warf ein, daß seines Wissens ein Tischgebet noch niemandem geschadet habe, sonst sei man bei Tisch ja nie sicher, was schädlich und was weniger schädlich sei.

Hannah Pertes entschied: »Wir reichen uns die Hände, sehen uns an, das wird genügen.« Man achtete darauf, daß die Schüsseln herumgereicht wurden. »Brüderlich«, sagte jemand, aber schon erhob sich Einspruch: »Von meinem Bruder habe ich nichts zu erwarten! Lassen wir doch die Begriffe aus dem Familienleben weg, ›väterlich‹, ›mütterlich‹!«

»Leben wir hier eigentlich in einer Besserungsanstalt?«

»Ja!« Dieses mehrstimmige ›Ja‹ wirkte ermutigend.

Hätte man wählerischer bei der Auswahl der Kandidaten sein müssen? Wäre es besser gewesen, die Testbögen einzusammeln und zu prüfen? Sicher ist, daß Hannah Pertes am Bau der Häuser interessierter gewesen war als an der Auswahl der Bewohner.

Es hätte schlimmer kommen können. Jede Gemeinschaft braucht ihren Sündenbock. Hanna Kirsch, ›die andere Hanna‹, war durch alle Siebe gefallen. Sie hatte keine falschen Angaben gemacht, aber doch einiges verschwiegen, was sich bei der ersten Mahlzeit herausstellte. Sie machte, schon bei der Suppe, keinen Versuch zu verheimlichen, was mit ihr los war: Sie legte den Suppenlöffel nachdrücklich neben den Teller und verkündete mit lauter, die Gespräche übertönender Stimme vorwurfsvoll: »Ich bin Diabetikerin!«

Jemand fragte arglos: »Ja, und?« – »Ich darf diese Suppe nicht essen!« – »Dann essen Sie eben keine Suppe, es gibt noch ein Hauptgericht.«

Wenn es so einfach gewesen wäre!

»Ich möchte aber gern Suppe essen.« – »Wie heißt das Gegenteil von Suppenkasper?« Noch immer versuchte man, den Fall nicht allzu ernst zu nehmen, aber diese andere Hanna wünschte ernst genommen zu werden, das Wichtigste an ihr war ›der Zucker‹, sie war eine hauptberufliche Diabetikerin.

Bei einer anderen Mahlzeit verkündete sie, daß ihr Hormonsystem nicht in Ordnung sei, woraufhin der stillgelegte Landwirt noch etwas lauter als sonst fragte: »Haben Sie etwas von Harmonie gesagt?«

»Hormonsystem«, verbesserte sie ihn, und er sagte: »Ich wunderte mich auch schon.« Zu den anderen gewandt sagte er: »Wenn man Zucker hat, wird man davon auch nicht süßer.«

»Nun ist es aber genug!« sagte die Weberin und flüsterte ihrer Tischnachbarin zu: »Wir müssen aufpassen, wenn sie auch noch Arterienverkalkung bekommt, geht es uns allen schlecht, nicht nur ihr.«

»Ich muß austreten!« sagte die andere Hanna und fügte erklärend hinzu, daß der Zucker im Urin ausgeschieden würde. Sie behält diesen vorwurfsvollen Ton bei; sie hat Diabetes, die anderen nicht; sie darf nicht alles essen, die anderen dürfen. Zucker im Urin, Zucker im Blut. »Ich spritze mich zweimal täglich, eigenhändig!«

Jemand hat im Gesundheitslexikon nachgeschlagen: »Körperliche Arbeit ist für die Therapie sehr wichtig, Bewegungsspiele! Warum denn Spiele, wenn man etwas Nützliches tun kann? Auf den Gartenwegen liegt Laub, demnächst wird man Schnee schaufeln müssen.«

»Jeder Schweißausbruch kann zum Koma führen.« - »Dann sackt der Blutzuckerspiegel jäh ab.« - »Ich trage ständig Würfelzucker bei mir.« - »Das ist doch noch keine körperliche Betätigung!« sagt der stillgelegte Landwirt. - »Wollen Sie nicht radfahren? Radfahren ist sicher auch gut.«

Ach nein, das möchte sie nicht, schwimmen möchte sie auch nicht; mit ihr spazierengehen mag keiner. In die Sauna möchte sie gehen, dort sind alle so fröhlich, sie kann das Planschen und Lachen hören. Der Arzt rät ab, hält es nicht für ratsam, sie ist gekränkt, immer muß sie zurückstehen.

Jeder, der kocht, gibt sich Mühe, es auch der anderen Hanna rechtzumachen, aber alle paar Tage sagt sie: »Ich darf das wieder einmal nicht essen.«

Sollen sich alle nach der Minderheit richten? Darüber läßt sich lange reden. Eine Krankengeschichte zieht die andere unweigerlich nach sich. Als eine Pause im Gespräch entsteht, sagt

Hella Morten: »Ich habe ein Jahr lang im Bett liegen müssen und durfte außer Milch nichts zu mir nehmen!«

Man ist beeindruckt, fragt nach, sie wartet noch weitere Teilnahmskundgebungen ab, um dann zu erklären: »Ich war ein Säugling.«

Einige ärgern sich, die meisten lachen. »Sie haben gut lachen«, sagt die andere Hanna. »Diabetiker sind in hohem Maße infarktgefährdet. Jede Aufregung kann mir schaden.« Hella Morten sagt: »Ich mußte einmal ein ganzes Jahr –«, und schon wird gelacht. – »Sie nehmen mich nicht ernst!« – »Doch«, sagt Hannah Pertes, »es bleibt uns nichts anderes übrig, zu lachen geben Sie uns nichts.« – »Sie essen mehr als die anderen!« – »Wird man hier kontrolliert?« – »Nur, wenn man sich nicht selbst kontrolliert«, sagt die Weberin.

In der Sauna steht eine Waage. Eines Tages erscheint die andere Hanna und stellt fest, daß sie in wenigen Monaten fünf Kilo abgenommen hat; sie fühlt sich wohler, ihre Stimmung bessert sich, sie kauft sich neue Garderobe, bleibt aber trotzdem der Sündenbock. Bei allen Haus- und Küchenarbeiten stellt sie sich so ungeschickt an, daß man sie dispensiert. Was für ein nutzloses Glied der menschlichen Gesellschaft. – »Zahlt sie wenigstens ordentlich?« – Aber solche Fragen werden von der Weberin überhört.

Die erste Mücke des Jahres, wen sticht sie, natürlich die andere Hanna, sie zeigt den Einstich vor. »Sie sind doch Arzt! Das juckt! Was tut man bei Mückenstichen?«

»Versuchen Sie es doch einmal mit Kratzen!«

Die Chance, daß derjenige, der gern gut ißt, auch gut kocht, ist groß; bei Kostverächtern ist mit Kochvergnügen nicht zu rechnen.

Keiner, der sich nicht bereits vor dem Einzug ein Kochbuch für Naturkost besorgt hätte. Alle haben sich vorbereitet, alle betreten die Küche mit Besorgnis. Noch nie hat man in solchen Mengen gekocht, in so großen Töpfen. Unter so hohen Gesundheitsauflagen. Wer kocht, muß vorher einkaufen. Wer mit wem? Sympathien und Antipathien kommen zum Vorschein.

Wieviel Geld steht pro Mahlzeit und pro Portion zur Verfügung? Am Ende der Woche muß das Haushaltsgeld bei der Weberin abgerechnet werden. Nur Mut! Nur Geduld. Man wird doch nicht zurückstehen wollen? Ist Benediktus wirklich der beste Koch? Er hat die Entschlußkraft und die handwerkliche Geschicklichkeit des Chirurgen, wetzt ein Messer am anderen, steht am Herd, gibt kurze, ungeduldige Befehle. »Schneebesen!« – »Crème fraîche!« Die Küche wird zum Operationssaal, aus den Mitköchen werden Assistenzärzte und OP-Schwestern. Als die Weberin »Tupfer!« ruft, wird er aufmerksam, entschuldigt sich, Jelena beteuert, daß sie lieber Geräte zureiche, als ein Soufflé herzustellen.

Viel zu selten bekommt er eine Lammkeule unters Messer. Er ist der erste, der sich an die Herstellung eines Fischgerichtes heranwagt; die Wahl der Fische hat er ausführlich mit dem Fischhändler besprochen, hat sich Tips für die Zubereitung geben lassen, aber selbst er erleidet Fischbruch, wie es die Weberin nennt; nach halbstündiger Verspätung gibt es einen Fischauflauf, wohlschmeckend, aber die Gestalt eines Fisches ist nicht mehr zu erkennen.

Und dann die Fastenzeit! Wie viele Fürs und Widers. Was nutzt es zu fasten, wenn man Halluzinationen von gefüllten Eierkuchen bekommt. – »Fasten ist ein freiwilliger Nahrungsverzicht und macht froh!« – »Hungern ist unfreiwillig und macht aggressiv!« – »Wer fastet, sollte mit dem, was er nicht ißt, einen Hungernden ernähren!«

Als man bei den Getränken angekommen ist, mischt sich der Prediger ein, zitiert Palladius, der in seinem Buch über ägyptische Mönche geschrieben habe, daß es besser sei, mit Vernunft Wein zu trinken als mit Hochmut Wasser.

Schon wieder ein Anlaß zu einem Grundsatzgespräch.

Warum backt man das Brot nicht selbst? Brot aus frischgemahlenem Mehl! Erfahrungen besitzt keiner, aber es gibt so viele Anleitungen. Dreikorn? Sechskorn? Den Sauerteig liefert der Bäcker, der seine neuen Kunden respektiert, weil sie den Bäckerberuf ernst nehmen und nicht zum Großmarkt fahren. Gegen den Duft des selbstgebackenen Brotes war nichts einzuwenden, er füllte das Haus und einen Teil des Grundstücks. Man setzte sich mit Andacht zu Tisch, schnitt das Brot auf, strich gesalzene oder ungesalzene Butter darauf. Keiner zweifelte nach dieser Mahlzeit daran, daß die Ausbildungszeit eines Bäckers drei Jahre dauern sollte.

Die einen nehmen, bevor sie sich auf diesen Abenteuerplatz Küche begeben, ein Beruhigungsmittel, die anderen trinken einen starken Kaffee zur Anregung. Wenn Hella Morten gekocht hat, heißt es: »Dafür, daß dieses Essen gesund ist, schmeckt es überraschend gut!« Mehr war an Komplimenten nicht anzubringen. ›Notfalls gehen wir zu Salvatore!‹ Salvatore war Drohung und Trost zugleich; soweit ließ keiner es kommen, lieber gab er sich Mühe, strengte seine Phantasie an.

Alles läßt sich regeln, manches im Streit, manches mit Gelächter. Welche Spannung, wenn die Schüsseln auf den Tisch gesetzt werden. Welche Befriedigung, wenn sie geleert sind.

Ging es in dieser Küche nicht mittelalterlich zu? Hätte man nicht ein paar zeitsparende Geräte anschaffen sollen? Wozu? Man will Energie sparen; muß man auch noch Zeit sparen, die man anschließend vertreiben, wenn nicht totschlagen muß?

Wenn es zum Nachtisch einen Apfel gibt, soll es ein guter Apfel sein. Gutes Brot! Gute Kartoffeln!

»Was werden wir für gute Menschen werden!« Diese Folgerung war unvermeidlich. »Eines Tages haben wir hier ein Paradies auf Erden!« - »Und den Unvernünftigen ist der Zutritt verboten!« - »Ich meinte das ganz ernst!« - »Aber das tun wir doch alle!« sagt die Weberin und lacht.

Was für ein schöner Ausflug zu dritt. Die Frauen hatten die Fahrräder am Waldrand stehenlassen, waren zu Fuß weitergegangen, hatten Pilze gefunden, schöne, feste Maronen und sogar ein paar Steinpilze, ›Herrenpilze‹, sagte Annemarie Engel, die sich mit Pilzen auskannte, da mußte keiner Sorge haben. Sie ging in die Küche, putzte die Pilze, dünstete sie; für jeden ein kleines Vorgericht. Dieses kleine Vorgericht endete in einer großen Auseinandersetzung. Hella Morten erklärte: »Maronen und Steinpilze zählen zu den Röhrenpilzen, sie sind noch immer verstrahlt. In Pilzen steckt die Radioaktivität am längsten. Die Leute nennen uns hier die Pertesianer, wir können doch Tschernobyl nicht außer acht lassen, wir doch nicht!«

»Dieser eine Löffel voll Pilze!« - »Sie duften köstlich!« - »Es kommt nicht auf den Geruch an.« - »Sie sehen so harmlos aus!« - »Die Gefahr, die man nicht sehen, nicht hören und nicht riechen kann, ist am größten. Unser Wahrnehmungsvermögen versagt.«

Jelena sitzt vor ihrem Teller, hat die Hände vor den Mund gelegt, sagt dann: »Ooh, was geschieht mit uns? Mit der Welt? Ist sie denn doch nicht unverwüstlich?«

Jeder reagiert auf seine Weise. Der Ängstliche ängstlich, der Leichtsinnige leichtsinnig. Der Prediger verzehrt, was die anderen stehenlassen: »Bei einem guten Pilzgericht greife ich auf mein Gottvertrauen zurück.«

Tsetse, der eine hübsche Sammlung moderner Graphik besaß, von seiner Frau mit Kunstverstand ausgewählt und erworben, fragte während einer Mahlzeit, ob man an den Wänden, die man ständig vor Augen habe, nicht wechselnde Ausstellungen veranstalten könne. Die Rahmung der Bilder werde er übernehmen, nicht alles wird allen gefallen, damit müsse man rechnen, aber es bestehe die Aussicht, daß das nächste Bild, dem man gegenübersitzt, besser gefiele. Die Weberin sagte, daß ihr Gesicht ihrem Gegenüber auf die Dauer wohl auch etwas langweilig würde.

Tsetse hatte noch einen weiteren Vorschlag zu machen, seine Stereoanlage wäre nicht ausreichend genutzt, er würde sie gern der Allgemeinheit zur Verfügung stellen. Nicht bei allen Mahlzeiten käme ein ergiebiges Gespräch zustande, der Vergleich von systolischen und diastolischen Werten des Blutes befriedige doch auch nicht immer. Ihm persönlich seien Kaugeräusche, die bei Rohkost unvermeidlich seien, unangenehm. Er sei geräuschempfindlich.

Jobst Lorenz sagte: »Da bin ich besser dran, ich höre schlecht.«

Tsetse fragte, ob gegen eine kleine Tischmusik etwas einzuwenden sei. Er würde Schallplatten oder Kassetten mit Tafelmusik aussuchen, die zu diesem Zweck komponiert worden seien. Vorlieben und Abneigungen würden berücksichtigt.

Jelena fragte, ob sie auch einen Vorschlag machen dürfe. »Immer bin ich zuerst fertig, ich esse zu schnell. Es gibt so herrliche Bücher! Wenn ich noch etwas schneller essen würde, könnte ich ein ganzes Kapitel vorlesen! Einen berühmten Brief oder ein Gespräch Goethes mit Eckermann. Ach, es fällt mir soviel ein! Wir müßten dann weniger über Dioxine, oder wie das heißt, reden oder über die Radioaktivität eines Steinpilzes.«

»Sie werden immer dünner werden, Jelena.« - »Wir könnten es versuchen. Auf die Speisekarte für den nächsten Tag setzen wir das Musikstück, das wir zu hören bekommen, oder den Titel des Buches.« - »Wenn wir Glück haben, wird es sogar zusammenpassen.«

Geburtstage werden nicht gefeiert, darüber hatte man sich rasch verständigt. Altert der eine, altern alle anderen mit ihm. Aber man wird keine Gelegenheit auslassen, ein Fest zu feiern. Den Martinstag zum Beispiel. Im Oktober hatte Jobst Lorenz bereits verkündet, daß bei seinen Öko-Bauern ein paar prächtige Gänse heranwüchsen, im Grünen, vier seien bereits reserviert. Hat man nicht wochenlang Naturkost gekaut, gesund und enthaltsam gelebt? Dem heiligen Martin sei's gedankt! Wer traut sich zu, mehrere Gänse zu braten? Zwei passen in die Bratröhre, aber auch bei kleinen Portionen würden zwei Gänse nicht ausreichen. Man hat doch Ludi! Bei Ludi steht ein Elektroherd mit einem geräumigen Backofen. Ludi kocht für sich, mittags, wie er das gewöhnt ist, nur selten läßt er sich überreden, an den gemeinsamen Mahlzeiten teilzunehmen. Bei Gänsebraten macht er eine Ausnahme.

Was für ein Anblick! Was für ein Duft! Die Füllung aus Äpfeln, Rosinen, Mandeln, aber auch Maronen.

Benediktus steht mit dem Tranchiergerät bereit und erklärt, daß eine Gans ihr vorteilhaftestes Aussehen erreicht habe, wenn sie gebraten auf einem schön gedeckten Tisch stehe. »Fliegen kann sie nicht ordentlich, laufen kann sie auch nicht gut. Aber diese Bruststücke! Die knusprigen Beine! Und dieses kleine Flügelchen für Eva Pecher, damit sie niemandem etwas wegnimmt.«

Als Beiprogramm eine Bach-Kantate? Eine Tischrede von Martin Luther? »Alles zu Ehren des heiligen Martin, der uns gelehrt hat, mit den Armen den Mantel zu teilen, und erreicht hat, daß wir mit den Reichen tafeln.«

»Wir wollen diesen Gänsebraten genießen, in Dankbarkeit und nicht mit schlechtem Gewissen!«

Verliefen die gemeinsamen Mahlzeiten nicht immer unterhaltsam? Wer hätte sie missen mögen? Nur selten blieb ein Platz unbesetzt.

20

> ›Warum machen wir immer weiter Dinge, von denen wir wissen, daß sie uns, vielleicht unwiderruflich, schaden werden?‹
>
> Doris Lessing

Lea ruft an, das tut sie selten. »Hast du Zeit, Hannah? Störe ich? Sag, wenn ich dich störe! Läßt du mit dir reden, oder bist du gerade unzugänglich? Nein, es ist nichts passiert, noch ist überhaupt nichts passiert. Es klappt nur nicht. Es liegt nicht an Babette und auch nicht an den Kindern oder an mir, oder vielleicht doch an mir. Natürlich wird Babettes Kind bevorzugt, das war mir von Anfang an klar, aber mein Füchschen setzt sich schon durch, sie ist älter, und flinker ist sie auch. Notfalls beißt sie. Wie findest du denn, daß sie den Sohn Titus genannt haben? Die beiden wissen gar nicht, wer Titus war. Du auch nicht? Er hat Jerusalem zerstören lassen! Ich sage dir, dieser kleine Kerl sieht jetzt schon aus wie ein Diktator. Runder Kopf, niedrige Stirn, geballte Fäuste und ein Organ! Hier gehorchen ihm alle. Er gedeiht, und die anderen leiden. Sozialisation quer durch die Generationen ist sehr schwer! Geht es leichter, wenn alle älter sind? Haben deine Leute das früher schon gelernt, oder müssen sie es jetzt lernen? Darüber müssen wir mal reden! Später! Darum geht es gar nicht. Es geht um den Vater des Tyrannen. Er ist viel häufiger anwesend, als wir gedacht haben. Alles war so gut geplant. Wir haben ein brauchbares Kindermädchen, Babette und ich teilen uns das große Atelier. Sie ist eine gute Designerin, sie wird Karriere machen, wenn er sie läßt. Sie hat Sinn für Styling, diese neue italienische Art, kantig und farbig. Ich habe wahnsinnig viel zu tun, ich beteilige mich an einem Wettbewerb, wahrscheinlich bekommt den Auftrag dann ein Mann, aber der zweite Preis und das Entwurfshonorar genügen mir. Folgendes, Hannah: Babettes Mann scheint anzunehmen, daß er zwei Kinder und zwei Frauen im Haus habe, zur freien Verfügung. Er ist phantastisch als Mann, irgendwie auch imponierend, nicht nur wegen seines Geldes. Aber die Freundschaft zu Babette ist mir wichtiger. Ich kann Komplikationen nicht gebrauchen. Ich muß mir was anderes suchen, bevor es hier eine Katastrophe gibt. Babette weiß es nicht, ahnt nichts, sie ist vernarrt in diesen Titus und ihre rotgelben Möbel. Wenn man sich draufsetzt, kippt man unweigerlich um. Dieses Unbequeme, verstehst du, das liegt ihr, das hat sie von dir. Was ich sagen will: Kann ich euch das Füchschen bringen? Kann es eine Weile bei euch bleiben? Nenn es Rebekka, es wird schon in den Namen reinwachsen. Sie ist noch nicht sauber, versuch gar nicht, sie auf einen Topf zu setzen. Laß sie nackt herumlaufen, es ist doch Sommer. Sie braucht nicht viel Pflege. Die Pampers sind umweltfreundlich, Recycling! Ich habe ja auch was bei euch gelernt. Ich werfe ein paar Klamotten ins Auto. Heute! Ich fahre gleich los, ich muß hier raus, ich kann für nichts garantieren. Der Mann ist schon auf dem Flughafen, in drei Stunden bin ich da, ich bleibe nur kurz, wenn ich erst abends wegfahre, brüllt sie natürlich. Ich hole sie wieder ab, du kennst mich doch, komm, Hannah, mach jetzt keine Einwände, sei doch froh, wenn es jemanden gibt, dem du helfen kannst. Du hast doch ein Helfersyndrom. Deine alten Leute werden sich um das Kind reißen, es ist ein Schmusekind. Sie beißt nicht, Hannah, das hat sie ein einziges Mal getan; sie redet noch immer nicht viel, aber sie sagt, was sie nicht will. Gib ihr die Matratze, laß das Licht brennen, sie ängstigt sich bei Dunkelheit, lehn deine Tür an, und wenn sie angetorkelt kommt, dann legst du sie ans Fußende. Der Hund darf da auch schlafen! Mach bitte keine Schwierigkeiten, sie wird nicht in den Bach fallen, sie ist doch nicht dumm. Sie ißt alles, und was ihr nicht schmeckt, spuckt sie aus. Also, entweder denkst du nun gemeinnützig oder nicht. Kannst du nicht ein Heim für Kinder von halben Eltern anschließen? Ihr habt so viele brachliegende Großeltern; ihr werdet unbeweglich, ihr geratet auf eine Kriechspur. Es ist Unfug, Hannah, was ich rede, ich bin durcheinander. Weißt du noch, wie du mich mitten in der Nacht wachgerüttelt hast? ›Das Pultdach muß zum Hügel hin ansteigen, nicht gegenläufig.‹ Ich war so wütend! Dabei hattest du recht. Es hat Stunden gedauert, bis ich das eingesehen habe. Das Füchschen gewöhnt sich rasch wieder ein. Sag der Weberin, daß ich das Geld für die Bilder gut gebrauchen kann. Nein! Babette weiß nicht, daß ich zu dir fahre. Ich lüge mich so durch, das tue ich mein ganzes Leben lang. Ich lege einen Zettel hin. Damit du mich erkennst: Ich bin wieder blond, und Locken habe ich auch nicht mehr. Ich bin einfach kein roter Typ, vielleicht waren die roten Locken schuld. Ach - Hannah! Könnten wir doch noch einmal zusammen von vorn anfangen! Mußt du dein Unternehmen nicht bald erweitern? - Hast du geseufzt, Hannah?«

»Ja, ich habe geseufzt.«

»Heißt das -?«

»Das heißt: Komm! Bring das Kind her.«

Nachdem es sich ausgeweint hatte, schien das Kind seine Mutter nicht zu entbehren, an wechselnde Bezugspersonen war es gewöhnt. Bei den Mahlzeiten saß es an einem kleinen Tisch in der Nähe des großen Tisches. »Alles Omas und Opas!« sagte es und nutzte sie aus.

In etwa trafen Leas Voraussagungen ein: Nachts schlief das Füchschen am Fußende von Hannahs Bett, tags wuchs es in seinen Namen Rebekka hinein. Sie fiel nicht in den Bach, sie spuckte aus, was sie nicht essen wollte, rupfte Löwenzahnblüten und Gänseblümchen ab, was die einen ärgerte und die anderen freute: Sie machte aus der gelb und weiß gesprenkelten Wiese wieder eine grüne Rasenfläche, einem Ordnungstrieb folgend, von dem keiner wußte, woher er stammte.

Die meiste Zeit verbrachte sie in Ludis Werkstatt, nannte ihn ›Opa Ludi‹, hängte sich die gelockten hellen Hobelspäne um die Ärmchen und verlangte eines Tages, daß er ihr diese blonden Locken auf den Kopf klebte, drohte zu schreien, wovor auch er sich fürchtete; also gehorchte er, nahm Tischlerleim, so wenig wie möglich, und klebte ihr eine Handvoll blonder Locken auf das Köpfchen. Daß der Leim so schwer löslich war, wußte auch er nicht, ein gelernter Tischler war er nicht. Man mußte zur Schere greifen, nachdem weder mit kaltem noch mit warmem Wasser, noch mit Seife etwas zu machen war. Ludi hob das heulende Kind hoch, zeigte ihm im Spiegel, daß es nun genauso aussehe wie er. Überraschenderweise tröstete dieser Vergleich das kleine Mädchen.

Die längere Anwesenheit eines Kindes führte zu Grundsatzgesprächen. Durften Ausnahmen sein? Könnten die eigenen Enkelkinder nicht ebenfalls für längere Zeit hier leben? Bevor sich die Frage zu einem Diskussionsthema mit Abstimmung ausweiten konnte, erklärte die Weberin, daß der Fall Rebekka anders läge und nicht vergleichbar sei. »Lea hat schließlich die Entwürfe für alle unsere Häuser gemacht. Sie hat kein Honorar genommen! Ihr könnt, wenn ihr wollt, die Summe erfahren, die sie zu fordern hat; sie richtet sich nach den Gesamtbaukosten. Ich sage aber gleich, es sind uns finanzielle Schranken gesetzt. Es ist billiger und erfreulicher, wenn wir dieses Kind eine Weile hierbehalten.« Der Logik des Geldes beugten sich alle. Als bald darauf Britten anrief und fragte, ob er Mark Anton für einige Tage, am besten sogar Wochen, bringen könne, zögerte Hannah und sagte, daß der Platz in ihrem Bett besetzt sei.

»Ist dieses Füchschen etwa da?« Britten erkundigte sich, ob Hannah unbedingt selbst in ihrem zu großen Bett schlafen müsse. »Überlaß es doch den beiden, die werden sich schon arrangieren.«

Er brauche Abstand. Sein Projekt gehe gut voran, ein Verleger sei interessiert.

»Das freut mich für dich«, sagte Hannah.

»Wirklich?« Das Telefon ist ein schlechter Vermittler von Freude. »Fotografiert die Weberin eigentlich noch?«

»Selten, alle haben zu tun.«

»Die verschiedenartigen Tätigkeiten im Bild zu sehen wäre interessant.«

»Wir sind keine Versuchskaninchen.«

»Für ein Kaninchen bist du zu störrisch.«

Benediktus wähnte, einen ruhigen Platz zum Lesen entdeckt zu haben. Sein Liegestuhl stand im Schatten der Kiefern, aber der Blick ging über die besonnte Landschaft. Kaum hatte er sein Buch aufgeschlagen, da erschien die Weberin mit der Hacke auf der Schulter, sie nahm sich die Rabatten vor. Sobald sie sich aufrichtete, blickte sie zu Benediktus hinüber, und wenn er den Kopf hob, bekam er die Weberin in den Blick. Als sie sich gleichzeitig ansahen, winkten sie sich zu. Es verging eine weitere Viertelstunde, dann schulterte die Weberin ihre Hacke, begab sich zu Benediktus, setzte sich neben ihn ins Gras und erklärte, daß sie ihn ein wenig stören wolle. »Das tun Sie bereits geraume Zeit«, sagte er, und sie versicherte ihm, daß er sie ebenfalls beim Hacken gestört habe. Sie nahm das Buch auf, das er ins Gras gelegt hatte, ›Der west-östliche Divan‹, sie blätterte und erkundigte sich, ob alle diese Bleistiftstriche am Rand von ihm stammten, demnach kenne er das Buch doch bereits.

»Die Striche hat meine Frau angebracht; früher hat es mich gestört, daß sie mit dem Bleistift las, und jetzt, wo sie tot ist, begegnet sie mir plötzlich wieder. Gerade habe ich gelesen: ›Dieses kleine Haus, größre kann man bauen, mehr kommt nicht heraus.‹ Ich denke mir, daß sie diesen Vers angestrichen hat, als wir das standesgemäße Haus für den Klinikchef gebaut haben. ›Ich gehe mir verloren‹, hat sie gesagt, und ich habe geantwortet: ›Wenn ich dich nur immer wiederfinde.‹ Vieles fällt mir jetzt ein, mein Gedächtnis belebt sich. Das Gedächtnis eines Paläontologen erinnert sich in der Regel in Zeitabschnitten von Jahrmillionen. Hier! Wieder ein Strich! ›Willst du sie biegen, sie bricht.‹ Ob ich versucht habe, sie zurechtzubiegen?«

Auf eine solche Frage wußte die Weberin natürlich keine Antwort, er erwartete auch keine. Sein Blick fiel auf ihre bloßen Arme, die von Mückenstichen bedeckt waren, sie fragte nicht, was man gegen Mückenstiche tun könne, seine Antwort: ›Kratzen‹ hatte Konsultationen ein für allemal erledigt. Er riet von sich aus, daß sie die Einstiche mit nasser Kernseife einreiben solle, das lindere den Juckreiz. »Und nun setzen Sie sich in den Schatten, Weberin, und geben Sie mir die Hacke. Untauglich bin ich ja auch nicht.«

»Aber Ihr Knie!«

»Das Knie dient mir in aller Regel als Vorwand, es behindert mich weniger, als alle vermuten.«

»Bekomme ich solange Ihr Buch?«

»Nein«, sagte er, »genießen Sie den Anblick eines hackenden Chirurgen.«

»Es hat noch nie jemand mit mir über Gedichte gesprochen!« sagte die Weberin, nahm im Liegestuhl Platz, rief ihm nach: »Sie müssen aufpassen! Jobst hat grünen Pflücksalat zwischen meine Stauden gepflanzt.« Sie schloß die Augen.

Zwei Tage später liegt neben ihrem Gedeck ein Exemplar des ›West-östlichen Divan‹, ohne Anstreichungen. Auf der ersten Seite steht, mit Bleistift geschrieben: ›Da uns Gott des Lebens Gleichnis in der Mücke gibt.‹ Das Datum steht daneben und das große B, das er als Signum benutzt.

Nicht in allen Fällen gingen die Auseinandersetzungen um ein aktives oder kontemplatives Leben so einvernehmlich aus. Jobst Lorenz hatte wieder einmal alle, die keine hinreichende Entschuldigung vorbringen konnten, an die Hecke beordert. Der Prediger saß in angenehmer Entfernung und las, derweil die anderen mit Brombeerranken und Schlehdorn kämpften. Keiner konnte sich entschließen, jemanden zu stören, der mit

Senecas und der eigenen ›Seelenruhe‹ beschäftigt war, keiner außer Jobst Lorenz. Er fuhr in immer geringerer Entfernung den Schubkarren mit Komposterde an dem Liegestuhl vorüber, bis er dann stehenblieb und sich breitbeinig vor dem Lesenden aufbaute und wartete, bis der den Satz zu Ende gelesen hatte und hochblicken konnte. Er sagte: »Meditation schützt nicht vor Arbeit!«

»Arbeit schützt nicht vor Meditation!«

Die beiden Männer ließen keine Gelegenheit aus, sich aneinander zu reiben, auch durch Reibung entsteht Wärme, das weiß man nun schon. ›Liebevolles Miteinander‹ heißt die tägliche Aufgabe, die man sich täglich neu stellen muß und die nur selten befriedigend erfüllt werden kann. Es war vorgekommen, daß der stillgelegte Landwirt zu dem Prediger gesagt hatte: »Wenn Sie mein Sohn wären –« Woraufhin der Prediger ihn unterbrochen und gesagt hatte: »– würden Sie sich diesen Ton nicht herausnehmen dürfen!« – »Richtig, sonst wäre ich ja noch auf dem Hof!«

Die schöne alte Blutbuche! Im Frühjahr hat man die Schäden, die man ihr während der Bauzeit angetan hatte, noch nicht erkannt, aber im Laufe des Sommers werden die Blätter welk, schrumpfen, fallen ab; einige Äste sind bereits tot. Der Gärtner erklärt, daß der Baum gefällt werden müsse, zu retten sei nach seiner Ansicht nichts, aber wenn man heute einen alten Baum schlagen wolle, brauchte man eine Genehmigung. Diese Blutbuche sei ja schon ein Naturdenkmal.

»Muß er denn wirklich fallen?« erkundigt sich die Rosenfreundin. »Es wohnt ein Specht im Stamm. Ich höre ihn klopfen, bei geschlossenem Fenster.« – »Das ist ein Specht – so laut?« – »Ist das nicht ein Grund, den Baum zu fällen?« – »Vielleicht erholt er sich im nächsten Frühling wieder. Jetzt hat er seine Ruhe, und gebraucht wird er doch auch noch, wir sitzen dort oft, man hat den hübschen Blick auf die Häuser und hört das Telefon klingeln. Im nächsten Frühling –«

Der Gärtner betrachtet sein Publikum und sagt mit mehr Verständnis, als erwünscht ist: »Wenn man selber alt ist, denkt man sicher anders über alte Bäume.« Ihm ist ein Experte bekannt, den wird er veranlassen, sich die Blutbuche anzusehen.

Der Experte kommt, bringt sein Chirurgenbesteck mit, benötigt elektrische Kabel zur Verlängerung, setzt die Sonde an und bohrt an mehreren Stellen den Stamm an, riecht an der Sonde. Die Diagnose ist nicht ungünstig, nach seiner Ansicht kann man das Innere, soweit es hohl ist, mit Beton füllen. Die sichtbaren Stellen werden gestrichen, farblich zum Stamm passend mit Naturfarben, das versteht sich, einige Äste werden aus Gründen der allgemeinen Sicherheit allerdings entfernt werden müssen. Was dem Baum fehlt, das ist nicht Feuchtigkeit, die bekommt er ausreichend, eher zuviel. Diesem alten Recken fehlt es an Sauerstoff! Man kann das Leben eines solchen Baumveteranen durchaus noch um Jahre, wenn nicht Jahrzehnte verlängern. Man wird im Abstand von mehreren Metern rund um den Stamm mit einem Preßluftbohrer ein bis zwei Meter tiefe Löcher bohren.

»Es ist ein Gerät namens ›Terralift‹ entwickelt worden. Man lockert mit Druckluftstößen das Erdreich, weitet die Risse und Kapillaren, es werden Luft und Nährstoffe eingeblasen. Natürlich ist so etwas kostspielig.«

»Soll das hier ein Altenpflegeheim für Bäume werden?« erkundigt sich der stillgelegte Landwirt. »Eine Intensivstation oder was –?«

»Überlegen Sie es sich. Wer ist hier überhaupt zuständig? Sie würden überrascht sein: Das Erdreich hebt und senkt sich, als ob die Erde tief ein- und ausatmet. Schade, ich hätte diese Methode gern mal an einem so prachtvollen Recken demonstriert!«

»Schicken Sie uns Ihre Liquidation«, sagt Hannah Pertes, »den Weg zum Tor finden Sie?«

Jobst Lorenz schiebt die Ärmel seiner Jacke hoch, betrachtet seine kräftigen, inzwischen mit Sommersprossen besprenkelten Arme und sagt: »Ich mache mich an die Arbeit, wenn hier noch so ein Veteran sein sollte, der mitmacht, dann könnte man dem Gemüsegarten Sauerstoff zuführen, Lüften nennt man das, einen Preßluftbohrer werden wir nicht brauchen.«

Der Prediger hat bereits das passende Gleichnis auf der Zunge, muß es aber hinunterschlucken, da Hannah Pertes die Brille ins Haar schiebt und ihm fest in die Augen blickt. Alle haben die Symbolik verstanden, jedes Wort wäre zuviel. Das Gleichnis wird nicht verlorengehen, früher oder später wird man es am Baum der Erkenntnis finden, wird es lesen, hängenlassen, und der nächste wird es abpflücken und aufbewahren oder vernichten.

Der Prediger, der sich bisher erfolgreich von jeglicher Gartenarbeit ferngehalten hat, sagt, daß er früher Golf gespielt habe, er würde doch wohl mit einem solchen Grabegerät umgehen können.

Er muß andere Handgriffe lernen, es handelt sich hier nicht um einen Golfschläger; es stellt sich heraus, daß er im Arbeitsdienst Spaten klopfen mußte. Warum heißt es überhaupt ›Spatenklopfen‹? Das hat man alles so hingenommen, nicht nur verbal. Die Männer stützen sich auf ihre Grabegabel und reden von jenen Zeiten, als sie Spaten und Gewehre klopfen mußten. Der Prediger erzählt, daß er beim Wacheschieben, im Stehen, eingeschlafen sei, und der Spaten sei aufs Pflaster geknallt. »Drei Tage verschärfter Arrest! Damals konnte ich im Stehen schlafen. Das lag am Blutdruck.«

»Hatten Sie damals schon einen Blutdruck?«

»Nicht der Rede wert.«

Zum ersten Mal kommen die Männer miteinander ins Gespräch, probieren, ob sie die Griffe, die sie im Arbeitsdienst gelernt haben, noch können. Die Szene ist nicht ohne Komik, auch nicht ohne Tragik, hat aber keine Zuschauer. Beide kommandieren und beide gehorchen, ihr Gedächtnis hat die alten Kommandos und die alten Griffe aufbewahrt. Dann machen sie sich an die Arbeit.

»Wenn du so weitermachst, mußt du alle drei Minuten die Hand von der Grabegabel nehmen und ins Kreuz legen. Ohne Bücken geht es nicht, mein Lieber, der Giersch muß raus, sonst haben wir ihn im Kompost, mitsamt den Wurzeln. Die Gabel ist kein Spaten, du tust keinem Regenwurm etwas zuleide.«

»Felix! Ich heiße Felix. Es wäre mir recht, wenn ich hier

auch einmal bei meinem Namen gerufen würde.« Er betrachtet die Innenflächen seiner Hände, sieht Schwielen und hält es für besser, sich nun wieder zu seinen Büchern zu begeben. So rasch kommt er nicht fort: Wenn es mit der Belüftung des Bodens nichts mehr ist, dann kann er doch wohl die Ränder des Rasens übernehmen. »Die Wege wachsen zu. Einfach mit der Hand kurz über der Narbe abrupfen, die Hände sind immer noch die besten Arbeitsgeräte und verbrauchen keine zusätzlichen elektrischen Energien.«

Felix geht in die Knie, zerrt an einem Grasbüschel, reißt es mit der Wurzel heraus.

»Du mußt rupfen, wie eine Kuh!«

»Also, lieber Jobst! Ich bin keine Kuh, und ich habe auch noch nie gesehen, wie eine Kuh Gras rupft.«

Beide Herren hocken eine Weile auf dem Weg und rupfen Gras; diesmal ist es Jobst, der sich mühsam aufrichtet, die Hände auf die Knie gelegt. »Ich habe mich im Leben wohl mehr bücken müssen als du.«

»Wende dich an unsere heilige Jelena, die versteht sich auf Knie.«

»Für meine Knie hat sich noch keine Frau interessiert.«

»Es ist nie zu spät, alter Freund.«

Einer nach dem anderen geht zum Du über.

Auf einstimmigen Beschluß hin wird man dem Absterben des Baumes noch ein Jahr zusehen, dann wird der meterdicke Stamm in sitzhohe Stücke zersägt werden, eine weitere Sitzgruppe wird ›im Detail‹, wie man den Platz vor dem Rhododendron noch immer nennt, angelegt. Ein Baumdenkmal in einer Höhe von einem halben Meter wird stehenbleiben, die Schnittfläche wird man präparieren, Eva Pecher wird den Stumpf mit Efeu bepflanzen und dafür sorgen, daß immer eine Schale mit Blumen darauf steht. Zwei Jahre später wird man die Holzscheite im Kamin verheizen. Die vielfache Weiterverwertung einer Blutbuche. Recycling!

Nie würde der Prediger den Versuch machen, unbemerkt an einem tätigen Mitbewohner vorbeizukommen, wie es Benediktus und sogar die freundliche Jelena tun. Er ist immer zu einem kleinen erbaulichen Gespräch bereit. Er sieht Hilde Seitz in der Nähe des Baches, sie hantiert mit Wäschestücken, er ruft ihr zu: »›Siehst du geschäftig bei den Linnen/die Alte dort im weißen Haar ...‹«

»Weißhaarig bin ich noch nicht, werde ich auch nicht so bald«, ruft sie zurück.

»Es war sinnbildlich zu verstehen, liebe Hilde, immer ein nützliches Glied der menschlichen Gesellschaft.« Er hat diese Frau in Verdacht, niemals nachzudenken, sondern immer tätig zu sein, Waschmaschinen zu füllen, Hemden zu bügeln, Knöpfe anzunähen. Aber jetzt steht sie nachdenklich, eine Gießkanne in der Hand, zwischen einer Reihe kleiner Taschentücher und einer Reihe großer Taschentücher. »Worüber machen Sie sich Gedanken, liebe Hilde?« Nie versäumt er, einen Namen mit dem Beiwort ›liebe‹ zu versehen.

»Ich frage mich die ganze Zeit, warum Herrentaschentücher so viel größer als Damentaschentücher sind.« Sie sieht aus, als wolle sie ein Welträtsel lösen. Der Prediger betrachtet die Reihe der Taschentücher, dann die ansehnliche Nase von Hilde Seitz und muß zugeben, daß auch er diese Frage nicht beantworten kann, den Bedürfnissen der menschlichen Anatomie entsprechen die Größenunterschiede nicht.

»Sehen Sie, Sie wissen es auch nicht!« Und dann erzählt sie ihm, daß sie als Kind, wenn sie bei den Großeltern zu Besuch war, immer die Enten von der Bleiche verjagen mußte, weil die Enten –.

Sie bricht ab, und er hilft ihr aus: »›Gesegnet ist ihre Verdauung und flüssig als wie ein Gedicht.‹ Meinen Sie das?«

»So ähnlich.« Sie nimmt die Gießkanne, um sie im Bach zu füllen, streift die Sandalen ab, hebt die Röcke hoch, steigt ins Wasser und empfiehlt ihm, dasselbe zu tun, es sei so erfrischend.

Er ruft, daß es leichter sei, die Röcke hochzuraffen, er müsse die Hose runterlassen, und das schiene ihm unangemessen, es gebe eben doch Unterschiede, von Natur aus. »Außerdem entwickelt sich bei mir eine Erkältung.«

»Ich bereite Ihnen ein Erkältungsbad vor, kommen Sie nachher ins Badehaus, dann mache ich Ihnen noch heißen Holundersaft!«

Soll aus der Wiese am Bachrand denn ein Bleichplatz werden? Ist es ein hübsches ländliches Bild, oder stören die Wäschestücke den ästhetischen Eindruck? Sicher ist, daß die unentbehrliche Hilde Seitz von ihrer Tätigkeit sehr befriedigt ist. Sie trägt die Wäschestücke so beglückt auf den Armen, als handele es sich um einen Säugling. »Wasser und Sonne, das ist besser als alle Phosphate! Was das riecht!« sagt sie. Wollte man nicht duldsam sein? Sollte nicht jeder seinen Neigungen nachgehen dürfen? Wollte man sich nicht vor prinzipiellen Fragen hüten? Ob nun prinzipiell oder nicht prinzipiell: Soll die Wäsche gebleicht werden oder nicht?

Wieder kommt das Gespräch auf die Seume. Ein Thema, das für eine Mahlzeit mit mehreren Gängen ausgereicht hätte, aber es gibt Pellkartoffeln und Matjesfilet, letztere sind frisch, erstere nicht, leider, weil man die eigene Ernte der Frühkartoffeln abwarten will. Keiner sagt etwas zu den Kartoffeln, nur die Weberin fragt, ganz sachlich, wann man mit der Ernte rechnen könne, und alle erfahren, daß es darüber Ende August werden wird. – »So lange werden die alten Kartoffeln nicht reichen.« – »Dann wird man Hirse und Buchweizen essen.«

Auf dem Umweg über die Heringe kommt man wieder auf den Bach zu sprechen, und jemand macht den Vorschlag, daß man das Wasser vielleicht anstauen könne, falls der Bach ökologisch in Ordnung sei. Bei dem Wort ›Ökologie‹ wenden sich alle Blicke zunächst der sanften Chemikerin und dann dem stillgelegten Landwirt zu, der in Zimmerlautstärke sagt, daß die Wiese gegenüber immer noch total verschissen sei. Den Blick des Predigers erwidert er unerschrocken mit seinen blauen Augen und wiederholt: »Verschissen, oder auch überdüngt.« Dieser sogenannte Landwirt bringe die Jauche aus sämtlichen Ställen auf eine einzige Wiese, er habe ja viel zuwenig Grund und Boden. »Und damit gießt du dann die blütenreine Wäsche«, sagt er zu Hilde Seitz, und weil er gerade im

Zuge ist, sagt er zur Weberin: »Und du gießt damit dein Grünzeug und auch den Pflücksalat.«

»Den du mir da reingesetzt hast!«

Zum Prediger sagt er, daß es nicht auf die gewählte Ausdrucksweise ankomme, sondern auf den Sachverhalt, und der sei beschissen.

»Und ich hatte gedacht, daß hier später einmal Biber einen Damm anlegen könnten.« Solche Vorschläge kommen von der Rosenfreundin.

»Da sei Gott vor! Biber gehören in Kulturfilme.« - »Sie verderben uns alle schönen Pläne, Jobst!« - »Das sind keine Pläne, das sind Phantastereien.«

»Aber schöne!« ruft die Rosenfreundin. »Könnten in dem verschissenen Wasser keine Fische gedeihen, nur für ein paar Tage?« Sie möchte so gern dem Ludi eine Überraschung bereiten. »Er tut so viel für uns alle. Wenn man ihm nur ein paar ausgewachsene Fische in die Seume setzte, und er würde ein einziges Mal einen Fisch angeln!«

»Die Fische schwimmen davon, ab in den Kanal, und was dann aus ihnen wird, das stellt man sich doch besser gar nicht vor.«

»Wenn man nun eine Reuse oder wie das heißt an der Öffnung des Kanals anbringt?«

Tsetse sagt, daß er sich die Sache ansehen werde, technisch müsse das möglich sein. »Man könnte ein paar ausgewachsene Exemplare beim Händler besorgen und unbemerkt in den Bach setzen.«

»Und dann fängt Ludi den ersten Fisch seines Lebens!« - »Und wer soll diese Reuse anfertigen und montieren?« - »Ludi!«

Es gibt Gelächter, es gibt auch Widerspruch.

»Wer soll die Forellen essen? Man kennt sich dann doch. Wenn sie erst einmal eine Weile bei uns gelebt haben?« - »Wo ist der Unterschied zum Salatkopf - der hat auch bei uns gelebt.«

Gestern hat die Weberin eine lebendige grüne Raupe auf einem Blumenkohl gefunden, der zwischen ihren Blumen wächst. Ihre Blicke treffen sich mit denen des stillgelegten Landwirts; hat er am Ende auch die Raupe geliefert? Die Rosenfreundin berichtet, daß sie auf den Lavendelstöcken fünf verschiedene Arten von Schmetterlingen gesehen habe. »In fünf Jahren sind es vielleicht fünfmal so viele Arten, wenn wir die Raupen leben lassen.« - »Das werden alles Kohlweißlinge, Sie werden sich noch umgucken.« - »Soll man die Raupen etwa töten?« - »Wer frißt eigentlich die Raupen vom Kohl?« - »Die Kohlmeisen!«

»Es sollte eine Freude für Ludi werden«, sagt die Rosenfreundin. »Und nun streiten wir uns über Salatköpfe und Raupen. Ich hatte mir vorgestellt, daß wir uns im Gebüsch verstekken oder ein wenig am Bachufer spazierengehen können, ohne den Ludi zu stören -«

»Das wird noch in einer Forellenzucht enden!« prophezeit Tsetse, und jemand sagt: »Warum nicht? Dann bekämen wir Fische auf den Teller, von denen wir wüßten, aus welchen -«

»-verschissenen Gewässern«, sagt Jobst Lorenz. »Morgen um neun Uhr an der Hecke! Wer nicht pflanzen will -«

»- muß spülen!«

»Diese Hecke erinnert mich mehr und mehr an die Chinesische Mauer«, erklärt der Prediger.

Als er noch Licht im Badehaus sieht, erinnert er sich an die Verabredung, die er mittags getroffen hat, zieht den Bademantel über und findet Hilde Seitz bereits nachdenklich auf dem Rand der Badewanne sitzen. »Welches Problem wollen Sie jetzt lösen, liebe Hilde? Vielleicht kann ich behilflich sein?«

»Ich sehe mir die ganze Zeit die Badewanne an, sie ist genauso groß wie ein Mensch, wenn man denkt, daß der Mensch auch die richtigen Maße für den Sarg hat.«

»Jetzt steige ich erst mal in diesen nassen Sarg«, sagt er, »später liege ich dann hoffentlich im Trockenen. Wenn das nur keine Rippenfellentzündung wird!«

»Fieber haben Sie aber nicht, Sie machen da irgendwas falsch.«

»Mir ist, als ob mir ein Pferd gegen die Brust tritt, aber von innen.«

Sie sieht ihn mißtrauisch an. »Das ist für das Pferd aber ein Kunststück!«

Sie läßt ihn allein, hat bewirkt, daß er in der Wanne liegt und sich im Sarg wähnt. Das Bad tut nicht die erwünschte Wirkung. Spät am Abend klopft sie bei ihm, bringt ihm heißen Holundersaft, und am nächsten Morgen klopft sie wieder: »Ich habe Sie gar nicht husten hören, ich dachte schon –«

Mit dem Nachdenken hatte es angefangen. Hilde Seitz, diese verläßliche, arbeitsfreudige Hilde Seitz, von der man wußte, daß sie in Illustrierten geblättert hatte, wenn sie auf Kundschaft wartete, von den gestickten Bildern war bereits die Rede, wird eine Leserin, angeregt durch Jelena, die gleich das richtige Buch für sie bereithält. Und nun sitzt sie im Badehaus und liest, sitzt im Liegestuhl unter der Blutbuche und liest, alle sehen es mit Erstaunen, auch mit Besorgnis. Was wird aus der Wäsche? Wer wird bügeln? Wer hält die Sauna in Ordnung? Wenn sie von ihrem Buch aufblickt, sagt sie: »Ich muß mich erst zurechtfinden, ich war ganz woanders.«

Am Nachmittag hat es angefangen zu regnen, im Laufe der Nacht soll es, laut Wetterbericht, aufklaren. »Morgen können wir an der Hecke weiterarbeiten!« verkündet Jobst Lorenz. – »Können oder müssen?« Die Begeisterung für diese Hecke hat spürbar nachgelassen, schon der Gedanke an die Pflanzarbeiten bewirkt Rückenschmerzen.

»Wenn man noch ein weiteres Projekt hätte, damit man sich bei dem einen von dem anderen ausruhen oder beleben könnte. Etwas, das rascher fertig wird und nicht so dürftig aussieht wie diese Reiser auf dem kahlen Boden.«

»Kahl wird der Boden nicht bleiben, Verehrteste, das Unkraut wird bald sprießen, und das soll es auch, um die Wurzeln feuchtzuhalten, gejätet wird nicht. Wer durchkommt, kommt durch.« – »Gilt das auch für die Pflanzen?«

»Darf ich ein Projekt unterbreiten?« fragt Ulla Schicht. »Es war doch einmal von einer Brücke über die Seume die Rede.«

»Die weiße Brücke!« Die Weberin verrät die Hecke und verrät ihren stillgelegten Landwirt. »Das ist mein Traum!« sagt sie.

»Müßte man nicht zunächst dafür sorgen, daß man auf der anderen Seite auch weiterkommt?« - »Was ist vorrangig?« - »Erst die Brücke!« - »Erst das Wegerecht!«

Ulla Schicht macht erneut den Versuch, zu Wort zu kommen, aber Jobst Lorenz muß vorrangig die Sache mit der Wiese erledigen, der Besitzer steht bereits auf seiner Abschußliste, er wird zunächst das Thema Überdüngung anschneiden und dann erst auf die Genehmigung für einen Trampelpfad zu sprechen kommen; der Mann soll die Wiese brachliegen lassen, sauer ist sie sowieso, voller Hahnenklee. »Einen Pfad, mehr braucht man doch nicht, bis zu dem asphaltierten Wirtschaftsweg kann man das Fahrrad schieben.«

»Und wenn Spaziergänger den Pfad von der anderen Seite her entdecken und unsere Brücke sehen und ebenfalls Lust bekommen, ans andere Ufer zu gelangen? Vielleicht hält man unsere Häuser für ein Ausflugslokal?« - »Dann wird die Weberin eine Teestube einrichten.« - »Können wir sachlich bleiben, sonst reden wir noch bis Mitternacht.« - »Warum nicht?« - »Je später man sich hinlegt, desto rascher vergeht die Nacht.«

»Die Brücke muß eine Tür bekommen, die Tür muß verschlossen werden, und jeder braucht einen Schlüssel.« - »Wollen wir denn so unzugänglich sein?« - »›Die Vernünftigen betreten diese private Brücke nicht, den Unvernünftigen ist es verboten.‹« - »Könnte man nicht ein paar lange Bretter über den Bach legen, das genügte doch auch.«

Ulla Schicht fragt: »Wie soll es denn nun weitergehen? Weitergehen soll es doch, oder bleibt es beim Planen?«

Die Rosenfreundin erklärt, daß ihr die Vorstellung einer Brücke schon genüge. »Brauchen wir denn eine weitere Möglichkeit, von hier fortzukommen? Es geht uns doch gut an dieser Seite des Baches.«

»Ich halte es ja immer noch für einen Fluß!«

Und schon droht das schöne Projekt zerredet zu werden. Ulla Schicht legt ihre Kollegmappe nachdrücklich auf den Tisch, zieht mehrere Blätter mit Zeichnungen und Notizen hervor. »Ich habe im Wintersemester ein Leonardo-Seminar mitgemacht, speziell über seine technischen Erfindungen. Ein

Engländer mit Namen Charles Gibbs-Smith hat ein Buch herausgebracht, aus dem hervorgeht, daß Leonardo da Vinci die Konstruktion militärischer Behelfsbrücken geplant und in einem Brief an seinen Dienstherrn Ludovico Sforza detailliert beschrieben hat. Diese Brücke wird die ›Leonardo-Brücke‹ genannt. Um sie zu bauen, brauchen wir keine Baufirma. Das könnten wir in Eigenarbeit tun. Ich meine, das wäre eine großartige Sache und nicht so ein endloses Unternehmen wie diese Hecke. Unterbrich mich nicht, Jobst, ich wünsche, mein Projekt vorzutragen, ich habe mich gründlich vorbereitet. Mein Vater war Architekt, der Bau einer Brücke hätte ihn glücklich gemacht, er gehörte einem Pioniertrupp an, mußte bei Kriegsende Brücken sprengen, und das war dann sein Tod. Ich denke bei diesem Projekt auch an ihn. Ob nun eine Brücke oder ein Steg, darüber müssen wir uns verständigen. Eine gewölbte Brücke wäre eleganter, zur Architektur der leichten Häuser paßt ein Steg besser, er wäre für unsere Zwecke ausreichend, hohen Belastungen würde er nicht ausgesetzt.«

Tsetse räuspert sich.

»In Kolonnen wollen wir den Fluß nicht überschreiten, die Brücke braucht nicht rasch auf- und abgebaut zu werden, wie bei Leonardo, der sie für militärische Zwecke entworfen hat. Die Konstruktion hält ohne Nägel und Klebstoff, durch einen sogenannten Selbsthemmungsmechanismus, das bedeutet: Die Haftkräfte an den Berührungsstellen, die das Abrutschen der Bretter und Stäbe verhindern, verstärken sich mit zunehmender Belastung.«

Tsetse wirft ein, daß man diesen Steg am besten in seiner Begleitung überschreiten würde, Frauen wie Jelena und Seffi sollten ihn unter diesen Umständen nicht betreten.

Sieht sie nicht aus wie eine Studentin, die ihr Referat ohne Störung zu Ende bringen möchte? Wie hat sie sich verändert! Sie beginnt mit der Demonstration, kippt den Inhalt einer Streichholzschachtel auf den Tisch und sagt: »Ich werde die Methode der Konstruktion vorführen, ich denke, daß der Versuch gelingen wird, man braucht ruhige Hände.« Und dann flicht sie mit raschen, sicheren Griffen ein Streichholz in zwei andere Streichhölzer, flicht das nächste daran, erklärt derweil, daß sie dasselbe auch mit Pappstreifen hätte demonstrieren können, Faltkartons seien auf die gleiche Weise herzustellen. »Man benutzt am besten ungehobelte, rauhe Bretter, um der Brücke Festigkeit zu geben. Das Prinzip ist denkbar einfach, oder: einfach denkbar. Stellen Sie sich Bretter von vier Zentimeter Breite und sechzig Zentimeter Länge vor. Man baut eine Brücke aus zu kurzen Brettern, das ist der Witz der Sache! Ich lege die Unterlagen zur Einsicht hin.«

Niemand hört ihr zu, aber alle sehen ihr zu. Hat sie noch mehr Streichhölzer? Könnte man versuchen, solche Brückenelemente ebenfalls zu bauen?

»Das soll Technik sein?« - »Das ist Spielerei!«

»Dieser Professor Bürger von der Technischen Hochschule in Karlsruhe wäre sicher begeistert, wenn er Sie hören und sehen könnte«, sagt Ulla Schicht. »Spielend lernen, lernend spielen. Für mein Leben gern würde ich einem solchen Wissenschaftler assistieren.« Sie hält das Ergebnis ihrer Fingerfertigkeit hoch. »Dies ist ein Brückenelement, man kann sechs oder zehn oder achtzehn solche Elemente aneinandersetzen. Die genaue Breite des Bachbettes kenne ich nicht, acht oder zehn Meter? Nach den Berechnungen von Bürger benötigte man dann -«

»Ich rechne bereits«, sagt die Weberin. »Schließlich geht die Idee der Brücke auf mich zurück.«

»Man könnte die Bretter von einem Schreiner zuschneiden lassen, aber Ludi wird sich diese Arbeit nicht nehmen lassen. Man konstruiert an Land, transportiert dann den fertigen Steg durch das Bachbett. Der technische und künstlerische Reiz dieser Brücke liegt in ihrer Festigkeit und ihrer Leichtigkeit.«

»Soll ich ohne Geländer über den Steg balancieren?« - »Wie breit ist er?« - »Einen Meter.« - »Ich werde schwindelig!« sagt Jelena. - »Was hält Leonardo von einem Geländer?« - »Brauchten die römischen Truppen etwa ein Geländer?« - »Ein Geländer würde den Eindruck dieser Leonardo-Brücke zerstören.« - »Da wird uns doch etwas einfallen«, sagt Tsetse. »Und wie wäre es mit einer Hängebrücke? Da gibt es doch immer ein Geländer.« – »Hängebrücken schwanken bei jedem Schritt!« – »Man könnte ja auch wie dieser Christophorus einen langen Stab nehmen, sich daran halten und trockenen Fußes ans andere Ufer gelangen.« – »Wenn wir schon den heiligen Christophorus ins Spiel bringen, dann setzt sich Tsetse unsere Jelena als Christuskind auf die Schulter und wandelt mit ihr durch die Seume wie durch den Jordan. Jobst Lorenz übernimmt die Rosenfreundin, ein Stab und ein paar Gummistiefel genügen, die meisten der Damen sind doch transportabel, und die Herren sind belastbar. Gottvertrauen gehört allerdings auch dazu.«

»Und ich?« fragt die andere Hanna.

»Ehrlich gesagt, Verehrteste, als Jesusknaben kann ich Sie mir nicht vorstellen.«

»Früher hat man mich ›Kirsche‹ genannt«, sagt die andere Hanna. »Und nicht immer ›die andere Hanna‹.«

»Da gibt es ja nun die verschiedensten Sorten«, sagt Jobst Lorenz. Bevor er auch nur zu dem Wort ›Schattenmorellen‹ ansetzen kann, wird er von der Weberin unterbrochen: »Was sagt der Prediger? Schweigt er zu solchen Äußerungen?«

»Er sagt: Das Gespräch hat eine blasphemische Wendung genommen.«

»Sorge dich nicht darum, Felix«, versichert Jelena. »Man kann Gott nicht mit einem Scherz verletzen, er ist unverletzbar. Aber mich kann man mit solchen Äußerungen ein wenig verletzen.«

»Wollen wir die theologischen Gespräche weiterführen oder eine Brücke bauen?« – »Beides!« – »Muß man eine Baugenehmigung haben?« – »Wie ist die Rechtslage?« – »Das Haus, in dem Ingrid Bajohr gelebt hat, steht noch leer, wir sollten nach einem geeigneten Juristen suchen!«

»Darf ich noch etwas Grundsätzliches sagen?« fragt Ulla Schicht.

Man weiß so wenig von ihr, als sie sich vorstellen sollte, hatte sie abgewinkt. »Lassen Sie mich erst ein wenig Zutrauen fassen.« Und jetzt hat sie Zutrauen. »Als ich zu meinen Kindern gesagt habe – es sind vier: ›Entlaßt mich, und ich entlasse euch, dann sehen wir später weiter‹, habe ich nicht für möglich gehalten, was sich hier für mich ergeben hat. In meiner Familie fühlte ich mich immer verantwortlich, hatte ich immer Schuldgefühle, bei Schwächen der Kinder, bei Fehlverhalten, immer das Gefühl: Das hat er von mir, bei der Jüngsten hätte ich früher eingreifen müssen. Was ich nicht selber wahrgenommen habe, hat man mir dann später vorgehalten. ›Du bist meine Mutter!‹ Und hier fühle ich mich nicht verantwortlich, aber ich fühle mich zuständig, diesen Unterschied lerne ich jetzt erst kennen. Ich nehme mein Studium ernst, es macht mir große Freude, aber bei allem, was ich mir an Wissen aneigne, habe ich das Bedürfnis, euch daran teilhaben zu lassen. Diese Zuständigkeit des Einzelnen für die Gemeinschaft, das ist sehr beglückend und auch sehr beruhigend. Allmählich begreifen meine Kinder, daß sich mein Entschluß, an diesem Projekt teilzunehmen, nicht gegen sie richtet. Im Anfang habe ich mir vorgestellt, daß wir hier in größerer Freiheit leben würden, bis ich gemerkt habe, daß es ›Freiheit‹ gar nicht gibt, es gibt nur einzelne Freiheiten, wie beim Glück, das es doch auch nicht gibt, immer nur Teile, Splitter, die sich manchmal zusammenfügen. Da muß viel zusammenkommen, da muß man auch viel außer acht lassen.«

»Fünfminutenparadiese!«

»Ich bin noch lernfähig! Ich komme mit den jungen Kommilitonen besser aus als mit den älteren. Im nächsten Semester werde ich ein großes Referat halten, und nebenher kann ich hier mit Jobst in den Wald fahren und Haselnußschößlinge holen und eine Leonardo-Brücke vorführen, und in der nächsten Zeit möchte ich mal nach Paris fahren, weil ich ein paar mittelalterliche Altarbilder im Original sehen muß, die im Cluny-Museum hängen, und wenn ich eine Umfrage veranstalte, ob jemand mitfährt –«

Und schon heben sich mehrere Arme. Nach Paris? Nicht allein, nicht mit einer Reisegruppe, sondern mit jemandem, den man kennt und schätzt?

Hannah Pertes fragt als erste, ob sie diejenige sein könne. »Ich war mehrmals in Paris, kenne den Flughafen Orly, eine

Kongreßhalle, ein paar Restaurants, mehr habe ich nicht gesehen, aber meine Sprachkenntnisse kann ich anbieten.«

Man wird doch nicht fliegen wollen? Warum sollte man? Die Bahnverbindungen sind gut. »Die Flugzeuge fliegen trotzdem!« - »Wir haben uns das Mögliche vorgenommen.« - »Wie lange wollt ihr denn wegbleiben?« - »Wir werden euch vermissen!« - »Tut das!«

»Und ich?« fragt die andere Hanna. »Ich war noch nie in Paris.« - »Paris kann warten, da kommt es nicht auf ein paar Jahre an.«

Ulla Schicht, immer noch ihr zerbrechliches Streichholzmodell in den Händen, sagt: »Vielleicht bauen wir eines Tages diese Leonardo-Brücke! Es haben sich so viele Türen für mich geöffnet. Ich hatte nicht vor, diese Rede zu halten. Ich bin nicht mehr die, die ich war. Ich fasse Mut, eines Tages werde ich meine Flöte hervorholen, eine Blockflöte, nichts Besonderes. Das habe ich auch erst lernen müssen, man muß gar nicht besonders gut sein.«

»Was steckt denn noch alles in Ihnen?«

»Eine Schicht nach der anderen«, sagt Jobst Lorenz. »Als ich dich zum ersten Mal gesehen habe, dachte ich: eine Dame! Wir haben eine richtige Dame unter uns. Wenn ich deine aufgetürmte Frisur vor Augen hatte, wäre ich am liebsten mit beiden Händen hineingefahren.«

»Und wenn ich dich auf mich zukommen sah, dachte ich mir, gleich fährt er mir mit den Händen ins Haar und zaust mich!«

»Sieht sie jetzt nicht ganz patent aus?« fragt er, begegnet den Blicken der Weberin und sagt: »Du bist noch patenter, Weberin!« Er manövriert zwischen zwei patenten Frauen, tut es so ungeschickt, daß er Gelächter hervorruft.

Als man sich kurz vor Mitternacht trennte, war der Himmel klar, die Sternbilder wurden durch Ausrufe erkannt und begrüßt, der Mond stand hinter den hohen Kiefern. War denn schon wieder Vollmond? Die Rosenfreundin sagte: »Ich falle immer noch auf den Mond herein, jedesmal steht er woanders.

Heute hat er ein ganz vernarbtes Gesicht. Er wird auch immer älter.«

Jobst Lorenz mahnte: »Nicht zu spät bei der Hecke, es könnte warm werden. Ich empfehle eine Kopfbedeckung, für Heftpflaster werde ich sorgen.« Er streckte Ulla Schicht die Hand hin. »Mit dir wäre ich sogar mal nach Paris gefahren.«

Es gibt viele Gründe, nach Paris zu fahren.

21

›. . .und laß bis in den Tod/uns allzeit deiner Pflege/und Treu empfohlen sein . . .‹

Paul Gerhardt

Ein festliches Spargelessen wird geplant. Die Rollen sind verteilt, zu dritt sitzt man bereits im Hausschatten und schält Spargel, andere sind auf der Suche nach einem geeigneten Eßplatz im Park, die Ortsbesichtigung zieht sich in die Länge, der Ausblick zum Sonnenuntergang hin muß geprüft werden, die Wahl fällt auf die Anhöhe, über die die Linde, jener ›Baum der Erkenntnis‹, seine Zweige ausbreitet. Ludi trägt die Böcke des Pingpongtisches herbei, die Platte trägt man zu zweit, der Tisch steht fest, ohne zu wackeln, Stühle werden herbeigetragen, Decken und Kissen und Geschirr und Gläser. In der Küche stehen die Töpfe bereit, die frischen Kartoffeln sind gebürstet, man wird sie mit der Schale essen; aus welchem Anbaugebiet kommen sie? In welchen Ländern kann man es sich leisten, biologisch einwandfreie Kartoffeln anzubauen? Man kann sich nicht an allen Tagen darum kümmern! Die Spargelschäler tauschen die Messer, tauschen Erfahrungen, man darf nicht zu geizig, nicht zu verschwenderisch schälen. Die einen setzen das Messer unterhalb des Spargelkopfes an, die anderen am Spargelende, verstärken den Druck des Messers, schwächen ihn ab, man wechselt die Methoden; die einen überzeugen die anderen. Was für ein erheiterndes Beispiel freundschaftlicher Belehrung und Anpassung! Hat man früher wirklich für die ganze Familie den Spargel allein schälen müssen? Man hat kleinere Portionen gegessen, ein halbes Pfund für jeden, das war schon viel, und nun für jeden ein halbes Kilo. Früher hat man die gewaschenen Spargelschalen getrocknet, um im Winter Spargelsuppe daraus zu kochen. Warum sollten wir das nicht tun? Sollen diese vielen Spargelschalen auf den Kompost? Der Berg mit den ungeschälten Spargelstangen wird kleiner, der Berg mit den geschälten, feucht glänzenden Stangen größer, der Spargel aus Jahrzehnten, den man entbehrt hat oder gegessen hat, häuft sich, die Schalen häufen sich, zwei Stunden des Erinnerns. Benediktus kümmert sich um das Wetter, geht von einem Barometer zum anderen, hört den Wetterbericht im Radio. »Gewitterneigung!« verkündet er. Die Last der Verantwortung liegt schwer auf ihm, um den Wein hat er sich ebenfalls zu kümmern, einen trockenen Riesling hat er bereits mittags kühlgestellt, wer mag, kann ihn sich verdünnen, aber es wäre ein Jammer. Ein guter Jahrgang, das letzte Lebensjahr seiner Frau.

Der Weg vom Eßplatz zum Bach ist näher als der zum Haus, man kann einige Flaschen im fließenden Wasser kühlen, dort, wo der Bach nicht gestaut ist. Er trägt die Flaschen mit Ludi zum Bach, alle sind aufs heiterste beschäftigt. Ein festliches Essen erfordert festliche Kleidung. Wie lange braucht der Spargel, wenn man ihn in so großen Mengen kocht? Er muß bißfest sein, al dente. Tsetse ahmt Salvatore nach. Wenn die Kartoffeln kochen, muß man den Spargel aufsetzen. Hausfrauenerfahrungen. Zucker ins Salzwasser, ein Schuß vom Distelöl, ein paar Tropfen Zitrone.

Hannah Pertes ist unterwegs, sie hat Wege zu erledigen, weiß von nichts, man will sie mit diesem Spargelessen im Freien überraschen. Die Weberin ruft bei Dr. Britten an und fragt, ob er gegen Abend vorbeikommen könne. Er erkundigt sich, ob es wieder einmal Schwierigkeiten im menschlichen Zusammenleben gebe, das nicht, diesmal nicht, er könne den Hund mitbringen, und rauchen dürfe er auch, man wird im Freien essen. »Hannah wird sich freuen, und einige der anderen auch«, fügt sie hinzu. Um die Einwände zu vermeiden, daß ein solches Essen im Freien zuviel Umstände mache, daß es kalt auf den Tisch kommen werde, daß man mit einem Gewitter rechnen müsse, hat man den Umständlichen nichts von dem Plan verraten, aber sie werden das Hin und Her gewahr, kommen aus ihren Häusern, fragen, was das Durcheinander bedeute, was denn passiert sei. Nichts, nichts! Eine Überraschung. »Sie müssen nur pünktlich zum Essen kommen!« Ein Kissen vielleicht, eine leichte Jacke. Im Sommerkleid, im Sommeranzug. Die andere Hanna sagt, sie fühle sich wieder einmal ausgeschlossen, sie ist gekränkt, zur Strafe zieht sie sich nicht um, richtet die Strafe – wie so oft – gegen sich selbst; sie hätte ihr Mousselinkleid anziehen können, das ungetragen im Schrank hängt. Später, als sie beim Abräumen hilft, geht sie auf dem Rückweg in ihre Wohnung, zieht sich das Kleid über und wird mit Beifall belohnt: Wie hübsch sie aussehen kann! Wie gut ihr Braunrot steht, passend zur Haarfarbe. »Sieht sie nicht der Paula Wessely ähnlich?«

Aber vorher, vorher muß sie einen Platz am Tisch finden; kaum sitzt sie, stellt sie fest, daß das Sonnenlicht sie blendet. Tsetse ist bereit, mit ihr zu tauschen, sie wechseln die Plätze, aber nun hat sie keine Aussicht mehr, blickt nur noch ins Grüne. Jobst Lorenz schlägt vor, die Erde ein wenig zu drehen, man lacht; sie fühlt sich ausgelacht, aber man lacht sie nur an.

Der Spargel wird kalt! Der Wein wird warm! Endlich sitzen alle, die Sonne steht noch hoch am Himmel, ein großes Aufatmen, man blickt sich um und blickt sich an – man könnte meinen, dies sei nun der Augenblick, der alles beweist. Gespräch und Gelächter. Hier wackelt noch ein Stuhl, dort muß nachgeschenkt werden, will denn keiner Wasser in den Wein tun? Zum Spargel, den man ißt, kommt der Spargel, den man früher gegessen hat, selbstgestochener grüner Spargel auf Mallorca, wo er wild wächst, dünn wie ein kleiner Finger! Benediktus nimmt sich eine zweite Scheibe vom Schwarzwälder Schinken und sagt: »Die Vernünftigen nehmen nur eine Scheibe«, und der Chor vollendet den Satz: »Den Unvernünftigen ist die zweite Scheibe verboten!« Dieser Grundsatz wird für den heutigen Abend außer Kraft gesetzt. Hannah hält das Salzfäßchen hoch und ruft Britten zu: »Du salzt doch nach!«

»Heute nicht.«

Auch Jobst Lorenz hat gegen diese Frühkartoffeln nichts einzuwenden, nicht zu mehlig, nicht zu wäßrig, er wird sich mit seinen eigenen Kartoffeln Mühe geben müssen.

Tsetse führt vor, wie das war, als man den Spargel noch nicht mit dem Messer schneiden durfte, sondern vom Löffel schlürfte; er hat nur einen Dessertlöffel zur Verfügung, die Spargelstange rutscht ab, wird von der Rosenfreundin aufgefangen, die sie ihm mit der Hand zurückreicht und sagt: »Guten Morgen mit Spargels!« Sie erzählt, daß Goethe den ersten Spargel des Jahres mit einem Billett der Frau von Stein geschickt habe, die Welt weitet sich, plötzlich ist man in Weimar.

Schon wieder ist eine Flasche leer, die nächsten muß man aus dem Bach holen, Benediktus und Ludi machen sich auf den Weg, krempeln die Hemdsärmel auf, fischen mit den Händen und finden die Flaschen nicht.

Britten behauptet, ein guter Fischer zu sein.

»Ja, aber der Hund!«

»Ja, aber der Schinken!«

Der Hund kommt mit zum Bachufer, Ludi hat sich die Hosenbeine hochgekrempelt und steigt in den Bach, von der allgemeinen Aufregung angesteckt, springt Mark Anton hinterher, Hannah pfeift ihn zurück, er gehorcht, klettert ans Ufer, schüttelt sich, die andere Hanna tut einen raschen Schritt zurück und wäre wohl rücklings in den Bach gefallen, hätte Jobst Lorenz sie nicht aufgefangen.

»Der Hund hat mich schon am ersten Abend angeknurrt«, sagt die andere Hanna, »ich mußte ihn mit dem Fuß wegstoßen.«

»Haben Sie das getan?« fragt die Weberin.

»Jetzt scheint er sich an mich zu gewöhnen.«

»Allmählich tun wir das alle«, sagt Jobst Lorenz. »Beim nächsten Mal leinen wir die Weinflaschen an!«

»Haben die Unvollkommenheiten nicht besonders viel Spaß gemacht?«

»Wenn ich für die Unvollkommenheiten sorgen soll –?« fragt die andere Hanna und läßt es zu, daß man über sie lacht.

An der langen Tafel sitzen nur noch die Rosenfreundin und Eva Pecher mit ihrem Stiefmütterchengesicht. Man nimmt wieder Platz, die Flaschen werden entkorkt, die Gläser werden halb und ganz vollgeschenkt, Ludi, der nicht oft mit bei Tisch sitzt und sich am Gespräch selten beteiligt, sagt: »So gut habe ich es noch nie im Leben gehabt!« Man prostet ihm zu, man weiß Bescheid, die Leute drüben müssen auf soviel verzichten. Hannah ist aufgestanden, geht zu ihm, legt die Hände auf seine Schultern, legt die Wange an seine Wange und dankt ihm, daß er da ist.

Nichts bleibt übrig, tabula rasa! Bis zur letzten Pellkartoffel. Spargel entwässert den Körper – auch das noch, auch noch gesund! Einer nach dem anderen steht auf, murmelt eine Entschuldigung, er wird gleich wieder dasein, die harntreibende Wirkung des Spargels, es hätte der Erwähnung nicht bedurft.

Der Wind weht von Osten her, bringt Holunderduft mit, die Schwalben sind auf Nahrungssuche, segeln hoch oben durch die Lüfte, das Wetter wird beständig bleiben. Wer redet von Gewittern? Tsetse ist unbemerkt aufgestanden, hat sich am Baum der Erkenntnis zu schaffen gemacht. Den Kassettenrekorder und die Verstärkeranlage hat er mit Ludis Hilfe bereits am Nachmittag im Geäst der Linde versteckt. Und nun tritt auch noch Mozart auf. Bevor man feststellen kann, ob das nun die a-Moll-Sonate ist oder nicht, mischt Mark Anton sich ein, springt laut bellend am Baumstamm hoch. »Hat der Hund nicht recht?« fragt Benediktus. »Mozart ist jetzt zuviel. Das ist ein gescheiter Hund.« – »Man kann ja den eigenen Sprosser nicht hören!« – »Wenn das Ufergebüsch nicht mehr gelichtet wird, gibt es später vielleicht sogar eine Nachtigall –?«

Die leeren Schüsseln und Teller werden in einer Prozession ins Haus getragen. Tsetse, der mit Mozart kein Glück gehabt hat, hat noch etwas zu diesem Fest beizutragen: ein zweiter Gang! Mit dem Blick zum Haupthaus sagt er: »Ein weiterer Gang!« Er kommt mit zwei Schüsseln zurück. Grießflammeri mit Erdbeerschaum. Er kann also doch kochen! »Dieses eine

Gericht«, sagt er, das habe er früher zu allen Geburtstagen hergestellt; auch ein Grießpudding weckt Erinnerungen.

Wie lang so ein Sommerabend ist. Viel öfter sollte man im Freien essen, was für ein Gezwitscher! Die jungen Amseln werden noch immer gefüttert, hat denn keiner gesehen, wo sie nisten? In den Holunderduft mischt sich jetzt der Duft des wilden Geißblattes. »Jelängerjelieber!« sagt die Weberin. »Wie lange habe ich keinen Jelängerjelieber gerochen! Wo steht er überhaupt?« - »Immer der Nase nach!« - »Unsere Hecke!«

Die Erinnerungen machen die einen still, beleben die anderen.

»Ich bin müde geworden«, sagt die Rosenfreundin, und Ludi holt ihr einen Liegestuhl, stellt ihn auf. »Nicht so weit weg!« bittet sie. »Nur ein wenig beiseite«, und dann liegt sie mit geschlossenen Augen und sagt, sagt es so laut, daß alle es verstehen: »Ich liege und träume, daß Sommer ist und ich unter einem Baum liege, und Freunde sind nah bei mir, ich bin für mich, aber nicht allein.«

›Verweile doch!‹ Das denken wohl alle, aber der Prediger spricht es auch aus. Wiederholbar ist dieser Abend nicht. Ist es gut so, oder ist es traurig? Darüber läßt sich reden, darüber läßt sich schweigen. Die Sonne geht unter. Tücher und Decken werden geholt, von Rheuma spricht vorerst keiner, aber vom Mond. War gestern denn nicht Vollmond? Die Meinungen gehen auseinander, keiner hat sich um den Mond gekümmert, man lebt noch nicht lange hier, es war so oft schlechtes Wetter, wer ist zuständig für den Mond? Benediktus lehnt die Verantwortung ab, er habe sich ausschließlich um Sonne und Regen zu kümmern, was er mit Erfolg getan habe, es sei kein Gewitter aufgezogen. Wo geht der Mond auf? Vorschläge werden gemacht: Geht er denn nicht im Osten auf wie die Sonne? Es wird in die eine, dann in die entgegengesetzte Richtung gezeigt. »Gegenüber dem Sonnenuntergang!« Hannah sagt, daß der Mond nach ihren Beobachtungen immer links von gestern aufgehe. Sie hält ihre Angaben für sachlich richtig, wird trotzdem ausgelacht. Was bekommt der, der den Mond zuerst sieht? »Die nächste Weinrechnung!«

»Ich trinke doch keinen Alkohol!«

»Kirsche!« sagt der stillgelegte Landwirt und wirft ihr eine Kußhand zu. Erneutes Gelächter.

»Ist dieser Wein so gut, oder bin ich so durstig?« fragt Tsetse und schenkt nach. Endlich wird der Markgräfler Wein einmal gelobt!

Benediktus hat einen Vorschlag zu machen, er bittet um Gehör. Erinnert man sich noch an seinen Neffen? Zur Weinlese lädt er sich in jedem Herbst eine Reihe von Weinliebhabern ein; die Weinberge sind eher Weingärten, nicht zu steil, man hilft bei der Lese, betätigt sich körperlich in heiterer Gesellschaft, ißt mittags einen warmen Zwiebelkuchen, bekommt an kalten Tagen, die es im Herbst natürlich auch gibt, einen heißen Kaffee, wohnt in einer kleinen freundlichen Pension, arbeitet ohne Entgelt für Kost und Logis.

»Man wird von der Bundesbahn einen Sammelfahrschein bekommen!« wirft die Weberin ein.

Der Gutedel, den sein Neffe vornehmlich anbaut, ist ein eher frischer Wein. »Kenner nennen ihn zurückhaltend, er paßt zu unseren Jahrgängen, ein Rauscher ist es nicht. Außerdem baut er noch Spätburgunder an, bei dem kommt es auf die richtige Temperatur an, nicht zu kalt, beileibe nicht zu warm, aber einen Kult muß man nicht daraus machen, es ist ein Wein für Leute, die beim Wein nicht über Wein reden wollen. Er ist nicht der Rede wert, aber zu einem guten Gespräch schmeckt er sehr gut. Einige Jahrgänge kennen wir nun schon.«

Die andere Hanna fragt: »– und ich?« Warum sollte sie nicht mitkommen? Ein paar Trauben wird sie doch schneiden können, und einen Diabetikerwein wird man auch auftreiben.

»Man kann nach Freiburg fahren, man kann einen Ausflug nach Basel unternehmen!«

»Einmal nach Ronchamps!« sagt Ulla Schicht, das wünscht sie sich schon so lange. Mittelalterliche Altarbilder mit Lilien wird sie dort nicht finden, aber das weiß sie.

»Wer kennt Ronchamps?«

Wer es kennt, möchte gern wieder hinfahren. Was für eine Kirche! ›Ein Bunker‹, sagen die einen, ›ein Schiff‹, sagen die anderen. Benediktus kommt auf seinen Vorschlag zurück, aus medizinischer Sicht habe sich ein Urlaub mit körperlicher Tätigkeit bewährt, Kultur und Natur ständen in reichem Maße zur Verfügung.

»Man könnte eine Traubenkur machen und ein paar Pfund abnehmen.«

»Dazu würde ich nicht raten«, sagt Hella Morten, »auch die Markgräfler Trauben dieses Neffen werden mehrmals gespritzt worden sein!«

»Dann wird man abwarten, bis man diesen Jahrgang im nächsten Jahr im Glas hat!«

»Sagt man dort nicht ›herbschten‹ zur Weinlese?« Cordula Heck hat sich stillschweigend ihre dicke Paula geholt, die nun auf ihrem Schoß sitzt und schläft und schnurrt. Ob sie wohl auch mitfahren könnte?

»Warum denn nicht?« - »Die dicke Paula!«

Hella Morten ist bereit, sie im Gewächshaus wohnen zu lassen, dort hat sie ein feines Leben, Mäuse haben sich eingenistet, schöne fette Herbstmäuse. Ihren Wollkorb kann sie mitbringen.

Eva Pecher erkundigt sich, ob sie dort wohl etwas Weinbergflora ausgraben dürfe. Langstielige Anemonen und Küchenschellen und die wilden Stiefmütterchen? Sie würde nur umpflanzen, dagegen könnten die Naturschützer doch nichts einzuwenden haben. Sie möchte dem Neffen nichts wegnehmen - aber sie möchte den Atombunker bepflanzen, damit man nicht immer erinnert wird.

»Wir müssen uns doch erinnern lassen! Die Stahltür führt in einen Atombunker, da nutzen keine wilden Stiefmütterchen was.«

Die Zeit der Quarantäne ist vorbei! Man wird kleine gemeinsame Reisen unternehmen! »Man könnte die Kinder zu einem Wochenende besuchen?« - »Und einen Tag der offenen Tür für die Angehörigen -?« Alle blicken Hannah an.

»Wenn Sie das wünschen? Es betrifft mich nicht.«

»Mich betrifft es auch nicht«, sagt Jelena.

Und was ist mit Lea und der kleinen Rebekka und Dr. Britten? Und was sagt der Prediger? Der Prediger sagt: »Alles ist eitel!«

»Wollten wir uns nicht um den Mond kümmern?«

Die Weberin hat den Kopf in den Nacken gelegt, blickt ins Laubdach. »Da bist du ja!« ruft sie dem Mond zu.

»Die Rechnung an die Weberin!« - »Wie immer!«

Aber woher kommt er? Wo geht er hin? Wie verläuft seine Bahn? Steht er nicht schon sehr hoch am Himmel? Tsetse zieht ein Blatt aus der Tasche und einen Stift, zeichnet die Umrisse des Baumes und dann die Mondbahn; zu flach, meinen die einen, zu steil die anderen. Aber der Baum! - »Sie können ja zeichnen!« - »Was für ein Baum soll es sein?« - »Die Blutbuche!« - »Von klein auf hatte ich eine Vorliebe für Blutbuchen, vielleicht weil sie immer allein stehen?« Das Blatt wird herumgereicht, er wird ermutigt, verspricht, daß er es sich überlegen wird. Früher habe er manchmal Karikaturen gezeichnet, später habe man dann allerdings ihn karikiert. Er wird sich einen Skizzenblock und einen Zeichenstift kaufen.

»Einen Zimmermannsstift!« ruft Hannah ihm zu. »Im Büro liegt noch Material von Lea, Skizzenblöcke und Stifte.«

»Lea! Wie geht es Lea?« - »Und dem Füchschen?«

Am oberen Ende der Tafel vergleicht man die Gärten der Kindheit. Hannah sagt: »Bei meinem Opa im Garten stand ein Pflaumenbaum, der hieß der Bauchwehbaum -«

Am unteren Tischende wird nun der Entschluß gefaßt, daß jeder, der ein Jahr lang hier gelebt hat und zu bleiben gedenkt, einen Baum pflanzen soll. Bis zum Herbst hat man noch Zeit, darüber nachzudenken, was für einen Baum. Dann wird man den Gärtner bestellen, gemeinsam durch den Park gehen und den geeigneten Platz aussuchen. Jeder wird für seinen Baum verantwortlich sein, wird ihn selbst finanzieren. Der Baum als Stellvertreter. Man muß diesen Gedanken nicht weiter ausführen. Man wird keine Schößlinge pflanzen. - »Bäume wachsen schneller, als man denkt.« - »Eine Zeder!« - »Eine richtige Kiefer!« - »Kiefern gibt es doch mehr als genug!« Aber Tsetse meint eine andere Kiefernart, keine quirlig stehenden Äste, sondern jene Art Kiefern, wie sie in der Mark Brandenburg stehen, mit leuchtend roten Stämmen. – »Die Stämme leuchten nicht mehr!« – Nichts von Waldsterben, das bittet man sich aus, heute nicht. Man erkundigt sich bei Britten, und er sagt, daß er sich für einen pflegeleichten hochgestellten Schlagbaum entscheiden würde. Die Weberin wünscht sich einen Apfelbaum in einem Grasgarten, setzt sich mit dem Baum gleich, verwandelt sich, ihre Arme werden zu weit ausladenden Ästen, begrünen sich. Diese Weberin, deren Welt durch finanzielle Schranken begrenzt war, will blühen und Früchte tragen!

»Golden Delicious?« ruft jemand. »Kennt ihr den ›Gelben Richard‹? Das war immer mein Lieblingsapfel.« Und dann sagt eine weibliche Stimme aus dem Halbdunkel, daß sie kein Obstbaum sein möchte, sie möchte niemandem mehr nützlich sein, sie möchte nicht mehr ausgebeutet werden. »Eine Buche!« entscheidet sie, und dann hält man ihr vor, daß sie Schatten spenden wird und Schutz vor Regen. Und dann die Bucheckern! Niemand hat an die Bucheckern gedacht, die man doch gesammelt hat, um Öl daraus zu pressen. »Ach, du blauer Engel! Auch als Buche wird man Sie noch brauchen.« – »Aber nicht mißbrauchen!« – »Nicht verbrauchen!«

Noch ein Vogelruf! In der Ferne ein Martinshorn, und Jelena sagt: »Ooh!« und hüllt sich enger in ihr Tuch. Welchen Baum wird sie pflanzen? »Einen Ölbaum, vielleicht könnten meine Kinder einen Ölbaum für mich pflanzen, aber sie haben kein Stück Erde.« – »Muß es denn ein Ölbaum sein?« Die Rosenfreundin kommt ihr zu Hilfe und erklärt, daß sie einen weißen Rhododendron haben wolle. Man widerspricht ihr, das sei ein Busch und kein Baum, und sie verteidigt sich: »Rhododendron heißt Rosenbaum! Die Insel Rhodos ist die Roseninsel.« – »Wie heißt denn Baum auf lateinisch?« Das Gespräch wandert ab nach Rhodos. Wer war schon auf Rhodos? Man vergißt den Rhododendron der Rosenfreundin, sie bleibt mit ihren Wünschen und Erinnerungen allein.

Wer hat an sein Glas geklopft? – Die Rosenfreundin meldet sich, sie muß jetzt eine Rede halten, ein Geständnis muß sie ablegen; wenn sie es heute nicht tut, wird es keine Gelegenheit mehr geben. Sie fängt falsch an, keiner hört zu, wieder redet sie von Rhododendron, der auf unserer Insel später blüht als auf dem Festland. »Wenn der Rhododendron blüht, sind wir immer auf die Insel gefahren.« Sie blickt von einem zum anderen, im Dämmerlicht verwischen sich die Konturen der Gesichter, aber alle scheinen ihr vertraut und zugetan. »Ich habe ein Haus auf der Insel, ein weißgetünchtes Haus mit einem dicken Reetdach. Die Fenster gehen zum Wattenmeer. Vorm Rhododendron standen immer die weißen Gartenmöbel, man war vorm Seewind geschützt, wir tranken dort unseren Tee, der Rhododendron blüht in zartem Lila. In den Wattwiesen brüteten die Vögel, man hörte das Gezwitscher der Jungvögel und das ängstliche Geschrei der Brutvögel. Manchmal bekam man ein Kiebitzpaar zu sehen, sie greifen an, streichen dicht über die Köpfe. Mein Mann sagte immer, ich sei kiebitzig, aber nur, weil ich das Haar zu einem Krönchen hochgebürstet trug, so –« Sie schiebt das dünngewordene Haar zu einem kleinen Nest auf dem Kopf zusammen. »Das Haus wird schon eine Weile nicht mehr bewohnt. Ich sollte es wohl verkaufen, aber ich würde alle meine Erinnerungen mit verkaufen müssen. Es heißt ›Tomm Kuckuck‹, Zum Kuckuck. Auf unserem Abendspaziergang zum roten Kliff rief der Kuckuck, neckte uns, rief weit voraus und rief hinter uns her, und jedesmal bekam ich einen Kuß, obwohl ich doch gar nicht mehr jung war. Wenn der Wind heftig blies, hielt mein Mann mich fest, weil er Angst hatte, daß der Wind mich vom Deich wehen würde. ›Wenn du später allein bist, mußt du dir Steine in die Taschen stecken!‹ hat er oft gesagt. Dicht beim Wasser gibt es einen Weg, der sandig ist, dort geht man zwischen Rosenmauern, nicht einfach nur Hecken, sondern breite Wälle. Ein wenig Grün schimmert durchs Rot der Inselrosen. Sie sind ungefüllt, im Herbst haben sie dicke Rosenäpfel. Sie heißt Kamtschatka-Rose, es klingt wie ein Tanz, Kamtschatka – Kamtschatka, die Leute sagen ›kartoffelblättrige Rose‹ dazu. Und der Flieder blüht, er duftet dort stärker, blüht länger als hier, weil es so feucht ist, alle Farben leuchten stärker. Es gibt drei Gästezimmer, früher waren es die Zimmer der Kinder, später war es denen langweilig, da wollten sie die Welt sehen, wollten Abenteuerreisen. Als ich allein geblieben war, schrieben sie, daß sie für ein Wochenende kommen würden, wenn ich Wert darauf legte, mir zuliebe. Solche Bemerkungen machten mich nur traurig.«

Jelena sagt: »In deinem Zimmer hängt ein Bild von dem Haus! So ein schönes Haus!«

»Dort habe ich gemalt, immer nur, was ich vor Augen hatte: die blaue Gartentür, die Steinwälle, auf denen die Inselrosen wuchsen. Die Marschwiesen, wenn die blühten.«

»Da blüht nur Sauerampfer«, sagt Jobst Lorenz, »das sind doch Salzwiesen.«

»Aber sie sind schön! Meine Staffelei stand am Giebelfenster, und mein Mann saß am gegenüberliegenden Fenster mit dem Fernglas und tat, als ob er die brütenden Vögel beobachtete. Er sah fast nichts mehr, er wollte es nicht eingestehen, und ich wollte es auch nicht. Wenn wir spazierengingen, legte er den Arm um meine Schulter, und ich führte ihn, wir mußten nicht darüber reden. Vielleicht hätten wir es tun sollen? Ich rede jetzt mehr mit ihm als früher. Ich habe mir ausgedacht, daß es unser gemeinsames Ferienhaus werden könnte. Man hätte Luftveränderung, man braucht dort kein Auto, die weite Strecke fährt man mit der Bahn. Eine Jacke, die man anzieht oder auszieht, und etwas gegen den Regen. Vielleicht ist es ein wenig langweilig? Man sieht dem Meer zu, das kommt und geht, und den Wolken, die drüber wegziehen, und der Seenebel verbirgt oft alles.«

»Das Meer ist verdorben, die Robben sterben, die Dünen brechen ab - soll man das alles mit ansehen?« fragt Hella Morten.

»Man kann die Insel jetzt doch nicht im Stich lassen! Jetzt braucht sie doch unsere Treue und auch unser Geld. Vielleicht kann man ein wenig helfen?«

»Wollen Sie die toten Robben wegschleppen?«

»Ooh«, sagt Jelena, »jetzt wollt ihr alle weg, und wir sind doch gerade erst hier angekommen.«

»Vom gesundheitlichen Standpunkt aus -«, sagt Benediktus.

»Seit wann interessieren Sie sich denn für unsere Gesundheiten?«

»Das Salz strafft die Haut und entschuppt sie, die Luft ist gut gegen Asthma, Bronchitis. Heuschnupfen hat hier wohl keiner? Und fürs Gemüt tut die rauhere Luft oft Wunder!«

»Bernsteintage –?«

»Vielleicht müßte Ludi mitkommen, es wird kleine Reparaturen am Haus geben. Ludi? – Ludi!«

Ludi schläft, hat von seinen künftigen Aufgaben nichts gehört. Man muß alles noch einmal erklären. »An die See –? Könnte ich da mit den Fischern ausfahren?«

»Wenn Sie das wollen?«

»Nein«, sagt Ludi, »der Bach hier genügt mir.«

Und was sagt Hannah zu diesem Projekt?

Sie hat nichts dazu zu sagen, also antwortet sie mit Schweigen, und die Weberin sagt: »Kennt denn keiner einen Justitiar? Das hat doch alles auch rechtliche Auswirkungen!«

»Man wird melancholisch, wenn man in den dunklen Park sieht!« – »Man kann kaum noch die Umrisse der Häuser erkennen.« – »Hat keiner an Windlichter gedacht?« – »Oder Lampions?«

Hannah sagt, daß es irgendwo im Haus Windlichter gebe. »Sie wurden nie benutzt, wir haben nie im Park gesessen.«

Ludi hat sich bereits auf den Weg gemacht, im Vorübergehen schaltet er die Lampen, die den Gartenweg beleuchten, ein, auch die Lampen an den Haustüren, und bei jedem Licht, das angeht, sagt jemand: »Ah, das ist meines!«

Er kommt zurück, stellt die Windlichter auf den Tisch, ein anderer zündet sie an, und dann setzt Ludi sich in einen Liegestuhl, streckt sich aus, verschränkt die Hände hinter dem Kopf, blickt in den Himmel und seufzt tief auf, und alle wissen, wem der Seufzer gilt. Nach einer Weile öffnet er die Augen und sagt, allen verständlich: »Daran könnte man sich ja direkt gewöhnen!«

»Ludi!« Ein mehrstimmiger Ausruf des Staunens, auch des Erschreckens: Er wird doch nicht? Er wird doch kein Müßiggänger werden? Er wird doch nicht aufhören, allen zur Hand zu gehen? Genau diese Schreckensrufe hat er gebraucht, zufrieden schließt er die Augen; hin und wieder im Liegestuhl, mehr will er gar nicht. Ludi hier und Ludi da, das hält ihn am Leben.

Der erste Stern! Und wieder Mutmaßungen. »Die Venus?« – »Im Juni ist Sirius der hellste Stern am Abendhimmel!« Hat denn keiner im Laufe seines langen Lebens Zeit gehabt, sich um den gestirnten Himmel zu kümmern? Auch Benediktus nicht? Und Britten? Hat er noch nichts Astrologisches oder Astronomisches veröffentlicht?

In der Stadt gibt es ein kleines Planetarium, man wird sich anmelden, für fünfzehn Personen wird man mit Sicherheit eine Führung veranstalten. Wer übernimmt die Organisation?

Die Tischdecke ist feucht vom Tau. Die Kleidung, die Arme, die Haare, alles wird feucht. Das bedeutet, daß morgen wieder ein schöner Tag sein wird. Was wird man morgen unternehmen?

Sollte man den Plan mit der Boccia-Bahn aufgreifen? Der Platz unter den Kiefern ist geeignet. Man wird ihn planieren können, ohne den Wurzeln der Bäume zu schaden. Halbschatten! – »Sollten wir uns nicht zunächst einmal darauf einigen, ob Boccia oder Boule?« – »Ist das wirklich ein Männerspiel?« – »Ich habe Boule mit meinen Söhnen gespielt«, sagt Ulla Schicht. – »Und was ist mit der Weberin?« – »Ich werde das lernen!«

Der Prediger wird sich nach Fachliteratur umsehen, man müßte doch, wenn man nur lange genug spielt, etwas von der gelassenen Wesensart eines alten Franzosen oder eines Italieners annehmen können. – »Laissez-faire!« – »Va bene!« – »Sind die italienischen Boccia-Spieler jünger als die französischen Boule-Spieler?« – »Wer übernimmt die Finanzierung? Legt man zusammen?« Einer der Vorzüge: Bei Anschaffungen muß nicht überlegt werden, ob sie sich lohnen.

Und Hannah? Sie hat die Hand im Fell des Hundes, blickt in die Nacht, läßt andere planen, spürt Brittens Blick und lacht auf, unvermittelt. Hannah lacht! Warum lacht sie?

Nur die weißen Blütenscheiben des Holunders leuchten noch und die rosafarbenen Blüten der späten Pfingstrosen.

Pfingsten ist lange vorbei, sind das überhaupt Pfingstrosen? Eben noch hat man die leisen Atemzüge der Rosenfreundin gehört, aber beim Stichwort Rosen ist sie wach geworden. Sie sagt: »Päonie, peonia peregrina! Klingt das nicht wie Musik? Sie stammt aus Asien, eine Asiatin. Im Altertum war es eine Heilpflanze, gegen Epilepsie und Gicht. Was hier blüht, das ist eine chinesische Päonie, peonia sinensis.« - »Das klingt nach Senilität!« - »›Päonien rot‹«, sagt Ulla Schicht, »›Kaiserkron und Päonien rot -‹ Das habe ich einmal auswendig gekonnt, aber ich habe nur die ersten Zeilen behalten.«

Jelena hilft weiter: »›Die müssen verzaubert sein,/Denn Vater und Mutter sind lange tot -‹«

Ach ja! Benediktus ist bereit, den Band Eichendorff-Gedichte aus der Bibliothek zu holen, aber Jelena kann noch ein paar weitere Zeilen auswendig, sie zeigt auf die Rosenfreundin. »›Eine Frau sitzt eingeschlafen dort,/Ihre Locken bedecken ihr Kleid.‹« Ohne die Augen zu öffnen, faßt Seffi sich in ihr dünngewordenes Haar, lächelt und trägt fehlerfrei die letzte Strophe vor: »›Und wenn es dunkelt das Tal entlang,/Streift sie die Saiten sacht,/Da gibt's einen wunderbaren Klang/Durch den Garten die ganze Nacht.‹« - »Die letzte Strophe!« - »Von welcher Katastrophe ist jetzt die Rede?« Lacht jemand? Es antwortet keiner.

Eichendorff. Eichendorff-Lieder. Ob Seffi die Gitarre holen würde? »Könnten wir nicht a cappella singen? ›In einem kühlen Grunde!‹ Das müßten doch alle kennen.« Zuhörer und Kritiker wird es nicht geben. Die Rosenfreundin hat eine schöne Altstimme gehabt, jeder glaubt ihr das. Noch zögert man. Wann hat man zuletzt im Freien gesungen? Britten sagt: »Jetzt muß sich herausstellen, wer hier den Ton angibt!« Benediktus hat als Student einmal einen Chor geleitet und im Krieg -. »Da haben wir kein Eichendorff-Lied gesungen!« Wie alle ehemaligen Chorleiter hat auch er eine Vorliebe für Kanons, stößt aber auf Abwehr; man will miteinander singen und nicht gegeneinander. Und einstimmig! Auf Einstimmigkeit kommt es uns doch an.

›In einem kühlen Grunde!‹ Einer legt der anderen das Tuch,

das heruntergerutscht ist, wieder um die Schulter, läßt die Hand länger liegen als nötig. Man erreicht die letzte Strophe, soll man auch die noch singen?

Wo ist die Nerzjacke von Ingrid Bajohr? Und schon ist Hilde Seitz aufgesprungen, um sie zu holen. Wer friert noch? Wem steht die Jacke am besten? Wer hat keine Skrupel, einen Nerz zu tragen? Wohin soll man ihn tragen? Wie überflüssig so ein Pelz ist! Als letzte bekommt ihn die andere Hanna umgehängt. Ihr steht er! Und was sagt sie: »An mir bleibt immer alles hängen!« Es ist viel zuwenig bekannt, wie Frauen sich unter einer Nerzjacke verändern.

»Nun haben wir die letzte Strophe doch nicht gesungen! Nun paßt sie nicht mehr.«

»Warum nicht?« fragt Hannah. »Die Nerzjacke beim Mühlrad –«

Die Weberin stimmt an »›Hör ich das Mühlrad gehen:/Ich weiß nicht, was ich will –/Ich möcht am liebsten sterben,/Da wärs auf einmal still!‹«

Als das Schweigen zu lange dauert, wiederholt die Rosenfreundin: »Da wärs auf einmal still.« Hannah legt die Hände fest und flach auf die Tischplatte und sagt: »Das könnte uns so passen! So aus dem vollen Leben heraus.« Jemand sagt: »Die letzten Strophen, die haben es in sich.« Und eine andere Stimme fragt: »Wie alt war Eichendorff, als er das schrieb? Das klingt nach Jünglingssehnsucht, er hatte doch noch keine Ahnung.«

»Sterben, wenn es am schönsten ist? Sterben, wenn es am schlimmsten ist?« Die einen denken es, die anderen sagen es. Ein Gespräch mit langen Pausen. »Und alle die Choräle!« – »Führen sie nicht zum Tode hin?«

Der Prediger sagt: »Wer kennt das? Auch eine letzte Strophe: ›Mit Gott im Himmel hadre nicht!/Des Leibes bist du ledig;/Gott sei der Seele gnädig!‹ Keiner?« Er hat das Gedicht noch mit allen Strophen auswendig lernen müssen, seinen Schülern hat er es nicht zugemutet. »Gottfried Bürger: ›Lenore fuhr ums Morgenrot –‹«

»Wohin fuhr sie denn?« ruft jemand, und man lacht. Man

müßte sein Gedächtnis mit Gedichten trainieren, er habe in den letzten Jahren immer nach den kürzesten Gedichten gesucht, die auswendig zu lernen er seinen Schülern freigestellt habe.

Die Rosenfreundin sagt: »Das kürzeste Gedicht von Goethe hat überhaupt nur eine letzte Strophe. ›Über allen Gipfeln ist Ruh‹.«

Was wird da an Bruchstücken zusammengetragen! Ein paar Zeilen Benn, ›Bleiben und stille bewahren –‹, viele Zeilen Rilke. Im Winter, wenn es wieder Kaminabende gibt, sollte jeder sein Lieblingsgedicht vorlesen!

Warum hat man keine Fotos gemacht? Man hätte die Bilder nach Hause schicken können, den Kindern, der Schwester, den Enkeln; einem Foto glaubt man eher als Briefen und Telefongesprächen. Wäre das denn ein Beweis gewesen? – »Ein Abendmahlsbild!« – »Mit Hannah in der Mitte!« – »Und wer hätte den Judas dargestellt?« Alle blicken zu Britten, ob er nun eine seiner lakonischen Bemerkungen machen wird. Alle warten auf ein Schlußwort, Mitternacht ist vorbei.

Das letzte Wort übernimmt Mark Anton, um den sich keiner gekümmert hat, der auf einer Decke schläft. Mit einem Satz springt er hoch und verschwindet im Gebüsch.

»Ein Igel!« – »Einem Igel kann er nichts tun, der sträubt die Stacheln!« – »Man müßte dem Igel Milch hinstellen!« – »Aber doch keine Milch!« sagt Cordula Heck, von der man nichts gehört hat, den ganzen Abend lang nichts. »Allenfalls verdünnte Milch!« Über die richtige Ernährung eines Igels läßt sich unter Tierfreunden auch noch um Mitternacht sprechen.

Sind noch Weinflaschen im Bach? Den Tisch kann man stehenlassen. Vielleicht spielt morgen jemand Pingpong? Wenn er kein Rheuma bekommt!

Muß man denn länger planen als bis zum morgigen Tag?

22

›Über dem Aufschieben schwindet das Leben dahin.‹
Epikur

Die Kämpfe zwischen dem Schönen und dem Nützlichen, die sich bereits im ersten Herbst hatten absehen lassen, wurden später als ›Grabenkämpfe‹ bezeichnet. Mit dottergelben Ringelblumen in dunkelgrünem Spinat hatte es angefangen. Calendula officinalis! Das Kraut riecht stark, vertreibt das Ungeziefer, ist eine Heilpflanze! Wogegen -? Wofür -? »Gut für die Augen!« hatte die Weberin erklärt. »Die Spinatbeete sind für die Augen unergiebig!« - »Warten Sie nur ab, was sich in Ihren Staudenbeeten alles auftun wird!« hatte der stillgelegte Landwirt prophezeit. Es blieb nicht bei Spinat und Ringelblumen; Rosenkohl wuchs neben Stockrosen, Dahlien blühten im Kartoffelacker. Der eine ertappte den anderen auf frischer Tat, beide waren Frühaufsteher, trafen sich unvermutet, später dann auch vermutet. Die Weberin hörte sich seine Ausführungen über eine fortschrittliche Landwirtschaft an, bis dann beide feststellten, daß sie nicht gern bei der Arbeit sprachen. Er half ihr, sie ging ihm zur Hand, aber was war mit dem Frühstück? Er bevorzugte Kaffee, Milchkaffee, und sie Tee, man würde sich verständigen müssen. Als die Verständigung gerade erzielt war und die Weberin mit der Teekanne kam und Jobst in einem der Korbstühle im Glasgang Platz genommen hatte, tauchte die Rosenfreundin auf; sie war barfüßig durchs Gras gegangen. Tautreten! Das war das einzige, was ihr Spaß gemacht hatte, als sie mit den Jungmädeln in einem Zeltlager gewesen war, aber nun hatte sie kalte Füße bekommen, sie wollte ein warmes Fußbad nehmen. Noch stand sie neben dem Tisch, den die Weberin mit ihrem ostfriesischen Teeservice gedeckt hatte. »Ach«, sagte Seffi, »wenn ich so allein in meinem Zimmer sitze und den Brei löffle, denke ich manchmal: Was habe ich mir da eingebrockt!«

»Wir könnten zu dritt hier sitzen, Seffi! Wir holen noch einen Korbstuhl dazu«, sagte die immer bereitwillige Weberin.

»Wir löffeln unseren Brei zu dritt aus, und der Tee, den ich koche, das ist ein Dreiminutentee, der weckt unsere Lebensgeister. Wenn Sie wieder warme Füße haben, kommen Sie dazu.«

»Störe ich denn auch nicht?« fragte die Rosenfreundin.

»Doch!« sagte Jobst Lorenz, lachte aber laut, zu laut, die Frauen legten den Finger auf den Mund, man wollte doch nicht zu zehnt oder zu fünfzehnt hier frühstücken!

Es war nicht schwer, allein zu sein, wenn man das Bedürfnis danach hatte, ebenso leicht war es, in Gesellschaft zu sein, schwieriger wurde es, wenn man einmal zu zweit sein wollte.

Diese Weberin! Sie gärtnerte, ohne das geringste von Gartenarbeit zu verstehen, holte sich Auskunft, war immer bereit dazuzulernen, fragte beiläufig: »Ob ich das könnte?« Und griff bereits zu. Eines Tages überraschte sie die Tischgesellschaft damit, daß sie angeln wollte.

»Warum angeln immer nur Männer? Damit man sie in Ruhe läßt? Niemand wagt es, einen Angler zu stören. Sehen Sie sich Ludi an: Wenn er am Bach sitzt und seine Angel zwischen die Knie klemmt, hat er Ruhe vor uns, sonst will doch immer jemand etwas von ihm. ›Ludi, die Regenrinne ist verstopft!‹ – ›Ludi, meine Haustür klemmt ein wenig!‹«

Ludi angelt gegen Abend, die Weberin wird sich sein Angelgerät frühmorgens ausleihen, dann braucht man keine zwei Geräte. Er erteilt ihr ein paar Anweisungen, viel versteht er selbst nicht. »Am besten sind immer noch Tauwürmer«, sagt er. »Vielleicht finden Sie im Morgengrauen ein paar Tauwürmer.« Gesehen haben beide noch keinen. Er bringt ihr bei, wie sie die Rute halten muß, sie fragt, was zu tun sei, wenn ein Fisch anbeißt. Er verspricht, daß das nicht passieren wird, bei ihm beißt auch keiner an. Von Forellenzucht und einer Reuse vorm Kanal ist nicht mehr die Rede. Am zweiten Morgen, den die Weberin am Ufer der Seume verbringt, stellt sie bereits fest, daß ihr das Angelgerät lästig ist. Sie will nur in Ruhe am Wasser sitzen. Sie, die in jedem Urlaub am Meer oder an einem größeren See gewesen ist, der von Schilf umgeben und von einer Uferpromenade einbetoniert war, der nicht wegkonnte. Und auch das Meer, immer nur Ebbe und Flut und vor und zurück und am selben Platz. Sie entdeckt, was Heraklit als Entdeckung vorweggenommen hat: Alles fließt. Das Wasser des Baches kommt, fließt vorbei, bleibt trotzdem da. Sie philosophiert! Diese Morgenstunde am Bach tut ihr wohl. Was dem Flüßchen weiterhin fehlt, das ist die Brücke. Der Plan für die Leonardo-Brücke hat nur einen einzigen Abend belebt. Die Weberin bringt die Brücke wieder zur Sprache: Besteht der Wunsch nach einem Abendspaziergang über die Felder zu den bewaldeten Hügeln noch immer? Sie könnte diese Brücke finanzieren und wird es auch tun, vorausgesetzt, daß alle von dem Plan überzeugt sind.

Auch diese Unterredung wird zur Überredung. »Sind uns keine Schranken gesetzt, Weberin?« - »Es handelt sich um meine Ersparnisse. Sollen meine wohlhabenden Neffen mich beerben?« - »Und wenn wir versuchten, diese Leonardo-Brücke in Ludis Werkstatt doch gemeinsam zu bauen?« Ludi hebt den linken Arm, hält eine imaginäre Geige, fiedelt mit der Rechten: Er braucht Geld für die Holzbeschaffung.

Hannah Pertes lacht auf. »Ludi macht die Geige!« Sie erzählt von jenem Tag, als der Himmel ihr den Ludi geschickt hat. Man hat nun schon gemeinsame Erinnerungen.

Die Weberin sagt: »Wenn ich eines Tages eine Brücke zurückließe . . .«

»Wehe!« sagt Jobst Lorenz. »Wehe, wenn du dich davonmachst!«

Es wird Herbst, vorerst strickt die Weberin an einem Pullover, immer schon hat sie stricken wollen, aber nie Zeit dafür gehabt. Von allen Seiten bekommt sie Ratschläge. Naturgefärbte Wolle, das versteht sich. Hätte sie nicht mit einem Schal anfangen sollen? Aber nein: ein Pullover. Sie zählt Maschen, läßt Maschen fallen, mißt die fertigen Teile mit Ludis Zollstock. »Wird das nicht zu groß?« fragt sie. »Es kommt darauf an, für wen Sie den Pullover stricken!« Arglos nimmt sie an Jobsts Rücken Maß. »Ihm paßt es!« sagt sie überrascht und löst mit ihrer Überraschung Gelächter aus.

Bevor die beiden eine Veränderung ihres Verhaltens wahrgenommen haben, haben die anderen sie wahrgenommen, haben sich weiteres dazugedacht, den Fall auch untereinander besprochen. Die beiden machen keinen Hehl daraus, daß sie gern miteinander umgehen, jeder sieht, daß sie gut zueinander passen. Wen stört es, daß sie abends noch in seiner Wohnung zusammen sind, wen geht es etwas an, was sie sonst noch tun? Sie verhalten sich rücksichtsvoll, warten, bis niemand mehr im Glasgang unterwegs ist. Aber natürlich konnte dieser Jobst, wenn er lachte, nicht leise lachen, und er lachte jetzt häufiger als früher. Die dicke Paula mußte ihren Nachtspaziergang machen, und wie es der Zufall will, öffnen Türen sich gleichzeitig; inzwischen kennen alle die dicke Paula, aber man übersieht sie. Jeder hat etwas, worüber er nicht gerne spricht.

Die Heimlichkeiten zwischen der Weberin und diesem stillgelegten Landwirt hätten noch eine Weile weitergehen können, auch weitergehen sollen, den beiden war es recht so, nur die anderen waren beunruhigt. Wollten die beiden etwa weggehen? Wo alles so gut lief, viel besser, als man es erhofft hatte? Jobst sorgte für gesunde Kartoffeln, für gutes Gemüse, gutes Obst; den Platz, an dem im nächsten Jahr die Boccia-Bahn angelegt werden sollte, hatte er bereits ausgemessen und markiert. Und die Weberin, die alle Geldsorgen abnahm, eine Brücke finanzieren wollte!

Jelena ging doch auch oft mit ihrem Salbentopf zu Benediktus. Man hatte sich Freiräume zugesichert. Tolerant wollte man sein.

»Es gibt Probleme«, sagte Jobst Lorenz eines Abends, nachdem er das Kaminfeuer angezündet hatte. Eigentlich wollte er nur darüber reden, daß im Kamin ausschließlich Holz verheizt werden dürfe, das mindestens zwei Jahre gelagert habe. »Wenn es uns ernst mit der Luftverschmutzung ist, wirklich ernst.« Die Weberin erwähnte, daß das Kaminholz kostspielig sei und man das Holz, das im Park anfiele, richtig lagern müsse, dann brauche man auch in den späteren Jahren kein Kaminholz zu kaufen.

»Was ist los?« fragte Hannah Pertes. »Gibt es irgend etwas, das wir nicht schon alle wissen? Über das ich nicht schon lange nachgedacht hätte? Und die anderen vermutlich auch. Wir haben keine Gelübde abgelegt. Und das Menschenmögliche – wenn das nun so rasch passiert, und ›menschenmöglich‹ ist es ja. Es herrscht hier kein Zölibat. Wollt ihr beide wirklich von uns weggehen und irgendwo in einer Dreizimmerwohnung leben, und Jobst hat kein Stück Land mehr, das er bestellen kann, und du kannst nicht mehr am Wasser sitzen und keine Kontobücher mehr führen und uns keine Schranken mehr setzen? Soll die Brücke etwa dein Abschiedsgeschenk sein? Wollt ihr hören, daß wir euch nicht entbehren können?«

Die Weberin sieht Jobst an, Jobst sieht Hannah Pertes an und sagt, genau das würde er jetzt gerne hören! Er sei sich nämlich in den vergangenen Jahren völlig überflüssig vorgekommen, ein überflüssiger Vater, ein überflüssiger Ehemann, vom Landwirt ganz zu schweigen.

Keiner sagt etwas, dafür wird um so mehr gedacht. Ist er denn noch verheiratet? Man hat angenommen, er sei verwitwet, hat er das nicht gesagt, oder hat er gesagt, ›so gut wie verwitwet‹ oder ›meine Frauen können wir vergessen‹?

Auch die Weberin ist überrascht. Sie faßt die allgemeine Überraschung in den Satz zusammen: »Wir müssen doch nicht heiraten. Er hat mich ja auch nie gefragt.«

»Man sollte seine Familienangelegenheiten in Ordnung gebracht haben, bevor man sich auf dieses Unternehmen einließ«, sagt Hella Morten.

»Finanziell ist alles in Ordnung, nur die Lizenz fehlt. Diese Frau Lorenz will auf dem Hof bleiben, sie ist dort nämlich geboren, früher war das ein Erbhof, und sie war die geborene Erbhofbäuerin, ist sie heute noch, falls Sie wissen, was ich damit meine. Ich habe eingeheiratet, dann geht man leichter fort. Ich war ein Flüchtlingsjunge aus Pommern, man wurzelt anderswo nicht so rasch, ins Erbhofregister hat man mich gar nicht erst eingetragen, ich war auf dem Hof eine vorübergehende Erscheinung, zur Zucht vorgesehen. Dieses Stück Land hier gehört mir auch nicht, rechtlich gesehen, aber Erde gehört dem, der sie bebaut. Ich bin mir noch mal wie ein Jungbauer vorgekommen!« Ändern möchte er nichts, und die Weberin doch wohl auch nicht. Er sieht sie an, sie erwidert den Blick, schüttelt den Kopf und sagt: »Es bleibt bei dem Familienstand ›ledig‹. Ein bißchen verheiratet wäre ich gern mal gewesen, hier waren das alle.«

»Ich bin bei der Verteilung der Männer auch übriggeblieben«, sagt Hilde Seitz.

»Sie -?« - »Du -?« Auch die Weberin fragt nach: »Haben Sie denn nicht manchmal von Ihrem Mann gesprochen?«

»Wenn jemand gefragt hat: ›Was sagte denn Ihr Mann dazu?‹, habe ich einfach gesagt: ›Nichts, der hat nichts dazu gesagt.‹ Ich wäre froh, wenn ich ihn los wäre. Er fängt an, mir lästig zu werden. Soviel Phantasie habe ich doch gar nicht.«

»Wollen wir Herrn Seitz sterben lassen, oder dachten Sie an Scheidung?«

»Lauter solche Fragen! Da fällt mir wieder keine Antwort ein!«

Damit wäre das Gespräch beendet gewesen, hätte sogar einen heiteren Abschluß gefunden, wenn nicht Jobst den Augenblick genutzt hätte, eine andere Angelegenheit zur Sprache zu bringen. Es sei nämlich so: bevor er sich für dieses Projekt Pertes entschieden habe, hätte er einige Eisen im Feuer gehabt. Er habe sich damals beim Entwicklungsdienst in Bonn gemeldet, sein Brief habe die Aufmerksamkeit des Sachbearbeiters gefunden, es habe lange gedauert, der Kontakt sei zwischendurch unterbrochen gewesen, aber jetzt habe er die Aufforderung bekommen. »Als erfahrener Landwirt könnten Sie an einem Projekt in Namibia mitarbeiten. Die Tätigkeit für Menschen im Rentenalter ist auf drei Monate begrenzt. So ähnlich heißt es in dem Brief. Das wäre eine einmalige Chance, ich könnte dort vermutlich nützlich sein.«

Die erste, die etwas sagt, ist die Weberin: »Braucht man da auch Frauen? Finanzsachverständige mit Computererfahrung? Namibia! Da war ich auf Foto-Safari!«

»Hören Sie!« sagt Tsetse. »Es wäre doch auch denkbar, daß man einen Ingenieur mit der ganzen Bandbreite jahrzehntelanger Erfahrungen -«

»Von sanfter Chemie wird man wohl nichts halten, dabei wäre es dort am nötigsten –«, sagt Hella Morten.

Jelena ruft: »Oooh –«, schlägt die Hände vors Gesicht, »wollt ihr denn alle fort?«

»Für mich wird man dort keine Verwendung haben«, sagt Seffi.

»Was für Möglichkeiten eröffnen sich –«

»Brechen wir das Gespräch für heute ab!« Hannah Pertes ist aufgestanden. Richteten sich denn nicht alle Pläne gegen ihr Projekt? Ein kleiner Aufruhr entsteht, einer versichert dem anderen, daß man nur eine weitere Möglichkeit gesehen habe, aber doch gar nicht fort will. Perspektiven! Keiner möchte treulos erscheinen!

»Drei Monate Namibia, so schlecht wäre das nun auch wieder nicht, Weberin, wir beide!«

»Mach Schluß, Jobst!«

»Ich komme gerade erst in Fahrt.«

Inzwischen stand man vorm Haus, man würde noch ein paar Schritte gehen müssen, um sich zu beruhigen; schon setzten sich die ersten in Bewegung, wurden aber von Seffi zurückgerufen: »Nicht doch! Geht doch nicht weg! Heute abend sollten wir doch Ullas Vortrag hören, sie hat alles vorbereitet, den Projektionsapparat aufgestellt und die Sitzreihen angeordnet, und Lilien hat sie auch besorgt.«

Jetzt? Heute abend? Erst Namibia und dann mittelalterliche Altarbilder? Das Wetter ist noch freundlich, man könnte draußen sein. Beginnt jetzt schon das Winterprogramm?

Der Prediger, der zu Namibia nichts zu sagen gehabt hatte, griff ein. »Wir brauchen jetzt alle Ruhe, wir werden Bilder sehen, die jahrhundertelang Bestand hatten, Symbole!« Jobst fand, daß den Bildern ein paar Tage mehr oder weniger an Alter nichts ausmachen würden, woraufhin Seffi sagte: »Wenn es Ihnen nichts ausmacht, Ulla zu kränken, dann könnten Sie auf den Vortrag verzichten.«

War das Musikzimmer überheizt? Hatte man lange nicht gelüftet? Der Geruch der Lilien konnte es doch nicht sein, der die Luft drückend machte, oder lag das Essen schwer im Magen? Waren es doch die Auseinandersetzungen? Am Vortrag lag es nicht, Ulla Schicht hatte ihn sorgfältig vorbereitet, sprach mit klarer und lebhafter Stimme, erfüllt von ihrem Thema. Einige einführende Sätze und Bilder: die Lilie in Ägypten, die Lilie als Symbol der Reinheit bei den Juden, die Übernahme als christliches Symbol, Byzanz, und dann kam und blieb sie in ihrem Forschungsgebiet, bei den mittelalterlichen Verkündigungsbildern. Maria, der Engel, die Taube des Heiligen Geistes, der Lilienstab in der Hand des Engels, Lilium candidium; die Lilie im Krug, ähnlich dem Lilienstengel, den sie in einem Zinnkrug neben der Leinwand aufgestellt hat.

Wie belebt sie wirkt, wenn sie über das spricht, was ihr am Herzen liegt! »Um dieser Lilie willen bin ich nach Paris gereist!« sagt sie. »Das Bild stammt aus Flandern, es hängt im Cluny-Museum, Mitte des 15. Jahrhunderts. Der Engel, der einen Chor weiterer kleinerer Engel im Gefolge hat, hält eine Lilie wie einen Stab zwischen die Finger geflochten, zwei Blüten sind weit geöffnet, fünf Knospen –«

Benediktus, der nicht gern in der Reihe sitzt, hat sich einen Stuhl beiseite gerückt, hat die Leinwand im Blick, auch Ulla Schicht, die ihren Vortrag frei hält, ohne Manuskript. Er fühlt sich ein wenig müde, spürt, daß seine Aufnahmefähigkeit nachläßt, sieht die Bilder nur verschwommen, hört Ullas Stimme undeutlich werden, nimmt aber den Lilienduft wahr. Sein Blick bleibt auf dem Lilienstab hängen; er spürt, daß etwas mit ihm passiert, eine leichte Betäubung, und dann hört er von weit her seinen Namen, mehrstimmig: »Benediktus!« – »Benediktus!«

Er ist sanft vom Stuhl geglitten, nichts ist gebrochen, nichts schmerzt, schon sagt jemand, daß von Ullas Stimme eine große Beruhigung ausgegangen sei, man könnte sie therapeutisch einsetzen. Nur Benediktus selbst spürt ein Bedauern: Man hat ihn zurückgeholt. Ein kleiner Schlaganfall, eine Warnung, eine Verkündigung?

Ulla Schicht setzt ihren Vortrag nicht fort; was er bewirken sollte, hat er bewirkt, was sie nicht wissen kann. Immer noch kommen Fragen: »Waren Sie übermüdet?« - »Sollten Sie Ihren Blutdruck kontrollieren?« - »Wer soll Sie begleiten?«

Benediktus blickt einen nach dem anderen an, er braucht eine festere Schulter als Jelenas, er bittet Ulla Schicht: »Begleiten Sie mich! Vielleicht kann ich Ihnen etwas erklären.«

Das Vorführgerät, die Kästen mit den Dias, die Lilien - alles kann stehenbleiben bis zum nächsten Morgen. Man verläßt das Haus ein zweites Mal, ist aufs neue beunruhigt. Sollte Benediktus krank sein, verschweigt er etwas? Man blickt hinter den beiden her. Er zieht das Bein nach! Das hat er doch immer getan; man hatte sich daran gewöhnt.

Wo sollte er mit seiner Erklärung einsetzen? Vorerst schwieg er. Mußte überhaupt etwas gesagt werden? Er führte sie zu dem Glasschrank, in dem er die restlichen Stücke seiner Sammlung aufbewahrte. »Sie wissen, daß ich mich einige Jahre mit dem Gebiet der Paläobotanik beschäftigt habe? Die Erdzeitalter haben mich mehr interessiert als die Zeitgeschichte. Was von uns übrigbleibt nach Jahrmillionen. Ich möchte Ihnen etwas zeigen!« Er nimmt einen Stein aus der Vitrine, klappt ihn auf und zeigt ihr die Seelilie, die er in jenem Stein entdeckt hat, in jenem Steinbruch, wo er abgestürzt ist, das Bein gebrochen hat -. Er spricht in Satzstümpfen, sie sieht ihn und die beiden Hälften des Steins aufmerksam an, sieht mehr, als sie aus seinen Sätzen erfahren kann.

»Zwei Lilien! Und jetzt bin ich wieder abgestürzt, weniger dramatisch; ich begreife heute rascher als früher. Ich war Jahrmillionen unterwegs, Ihr Lilienduft muß mich aufgeweckt haben. Ich erzähle Ihnen ein Märchen, ein Gleichnis. Was für Entdeckungen macht man an sich selbst! Die eine Hälfte des Steins gehört jetzt Ihnen, die andere bleibt bei mir. Den Rest der Sammlung gebe ich an mein Institut, dort haben die Stücke größeren Nutzen.«

Was hätte sie antworten sollen? Sie legt die Arme fest um ihn, hält ihn eine Weile und küßt ihn. Ein kostbarer Augenblick des liebevollen Beieinanders.

»Sobald wir die beiden Schnittflächen gegeneinanderlegen, ist die Seelilie wieder vollkommen, aber unsichtbar.«

Er begleitet sie zur Tür. Im Glasgang wird sie erwartet, man flüstert, man fragt. Sie sagt mit kräftiger Stimme: »Wir müßten alle ab und zu einmal abstürzen.«

23

›Wo Verstehen sich nicht einstellt, genügt allemal das Vergnügen.‹

Hans Blumenberg

Gute Tage, schlechte Tage, Tage ohne Prädikat.

Jelena, die so selten Wünsche äußert, hat einen Wunsch. »Er ist groß«, sagt sie, »er ist auch lang, er ist fast einen Kilometer lang.« Sie wartet die Wirkung dieser unverständlichen Mitteilung ab. Sie muß wieder einen Sabbatweg haben! Was ist ein Sabbatweg? Nie hat man dieses Wort gehört. »Vielleicht könnte unser Prediger ihn ausmessen, er hat die längsten Beine.« Wie er verlaufen soll, weiß sie schon: über den Hügel, durch den kleinen Kiefernwald bis ans Ende des Geländes, wo man den weiten Ausblick nach Osten hat. »Eine Strecke, die auch ein gläubiger Jude am Sabbat gehen darf; die Strecke, die er sich von seinem Wohnort entfernen darf.«

»Jelena!« – »Wir sind nicht in Israel!« – »Und schon gar nicht in Palästina!«

»Ich habe immer meinen Sabbatweg gehabt, der letzte führte ins Kidrontal. Am Ende des Weges könnte man die Hängematte zwischen zwei Baumstämme knüpfen, und dann würde ich mich dort ausruhen.«

Ein Trampelpfad zunächst, nach wenigen Wochen schon ein unbefestigter, vielbegangener Weg, der von allen ›der Sabbatweg‹ genannt wird. Manchmal ist die Hängematte bereits besetzt, wenn man eintrifft. »Ob man so in Abrahams Schoß ruhen wird?« erkundigt sich Jelena; glaubt sie an Abrahams Schoß und solche Sachen? Besser, man fragt nicht nach, versetzt statt dessen die Hängematte in sanfte Schwingungen.

Man sieht von diesem Platz aus nicht den Sonnenuntergang, aber man sieht die letzten Strahlen der Sonne, die auf den fernen Hügeln liegen, und den Widerschein des Abendrots am Morgenhimmel. »Ich sehe, was die Sonne sieht«, sagt Jelena, »mich muß sie doch nicht sehen.« Der Prediger blickt sie an und fragt: »Wie haben Sie wohl als Kind ausgesehen? Haben Sie Kinderfotos?«

Aus dieser Frage wird ein ganzes Abendprogramm. An einem der vielen Regentage im September sind alle damit beschäftigt, in ihren Familienfotos zu suchen. Kartons werden umgestülpt, Bilder aus Alben gelöst; und dann sitzt man, enger als sonst, um den großen Eßtisch. Jeder hat ein Foto in die Mitte des Tisches geworfen, das Gesicht nach unten, kein Name als Kennzeichen. Wird einer den anderen erkennen können? Jeder greift ein Foto, betrachtet es, reicht es weiter, bespricht sich mit dem Nachbarn, sollte das ein späterer Klinikchef sein? – Ein pommerscher Bauernjunge?

»Bei uns hat es kein Eisbärfell gegeben!« sagt Hilde Seitz. »Hat Hella Morten denn nicht immer noch ein Grübchen am Kinn?«

Kleine Kahlköpfe, runde Lockenköpfe. Der Prediger wird als erster erkannt, das zahnlose Mäulchen steht offen, als hätte er bereits Mitteilungen zu machen. »Und die Ohren, an den Ohren kann man ihn erkennen!«

Es werden an diesem Abend Babys vertauscht und Kleinkinder entführt. Man hat die Bilder so lange nicht betrachtet, sehen sich nicht alle ein wenig ähnlich? Das Bild der kleinen Annemarie Engel geht in den Besitz von Eva Pecher über. »Ist das die andere Hanna? Wie eine Kirsche!« – »Was aus einem Kind doch werden kann!«

Unter den Fotos befindet sich auch das Bild eines Leutnants, ebenfalls nicht zu identifizieren, ein früheres Foto war demnach nicht vorhanden. »Die Ohren geben keinen Aufschluß!« – »Die Ohren trug man damals am besten angelegt!« Der Prediger kam des Offiziersranges wegen nicht in Frage; Benediktus erklärt, daß er ein ähnliches Foto besitze, allerdings in der Uniform eines Feldunterarztes, in diesen Jahrgängen sähen alle sich ähnlich, das sei der Zeitgeist gewesen. »Der Ungeist!« Das Gespräch weitet sich aus, schweift ab. Das will man erreichen: miteinander ins Gespräch kommen, Breschen in die unbekannten Vergangenheiten schlagen. Und dann Hannah Pertes an der Hand ihres Opas. Allen kenntlich auf den ersten Blick, so hat man sich Meinopa vorgestellt, genau so, und das kleine Mädchen mit den durchgedrückten Knien, im Berchtesgadener Jäckchen, in das es hineinwachsen sollte. Das Haar glatt gescheitelt, die Zöpfe in Spangen, aber die Finger der rechten Hand bereits gespreizt. »Das tut sie heute noch! Unverkennbar, ganz die elegante Hannah Pertes!« Die andere Hanna moniert: »Die Kniestrümpfe sind runtergerutscht!« Alle lachen, man hat sich daran gewöhnt, von ihr kontrolliert zu werden. Sie wird aufpassen, daß man sein Äußeres nicht vernachlässigt, jetzt nicht und später nicht. »Hat man sich nicht ganz vorteilhaft herausgemacht?« – »Vor allem die Fototechnik!«

Und dann das Bild der kleinen Jelena, dreijährig mag sie sein, sie steht neben einem weißen Gartenstuhl und blickt in die Kamera. Hannah Pertes macht die anderen darauf aufmerksam: Dieses Kind blickt mit den Augen einer alten, klugen Frau in die Welt, als sähe es alles voraus. »Und nun seht euch die Jelena von heute an! Sie hat Kinderaugen, sie staunt noch, staunt wieder! Begreift das jemand?«

»Gibt es kein Bild von Seffi?«

»Nein«, sagt sie. »Man hat mich nicht mit zum Fotografen genommen, meine Mutter hat sich geschämt, ihr wißt doch alle, warum.« – Ach ja.

Die Küche ist noch nicht aufgeräumt! Tsetse muß die Spülmaschine noch bedienen. Die Körner müssen noch geschrotet werden! Alles hat man vergessen. Wer kauft morgen ein? Ob Seffi uns wohl noch einen Tee kochen könnte?

24

›Du pflegst deine Scherze ernster zu meinen als deinen Ernst.‹

Thomas Mann

Man hatte die Abreise zur Weinlese ins Markgräflerland um einen Tag verschoben; Britten nahm an einer Podiumsdiskussion teil, man wollte sich die Übertragung gemeinsam auf dem Bildschirm ansehen, das Thema betraf alle: ›Der atomare Irrweg oder Rettung durch Atom‹, pro und contra. Britten lieferte einige Stichworte. Welche Ansicht vertrat er selbst? Warum wurde er nicht deutlicher? Ludi hatte sich dazugesetzt. »Es ist wie beim Fußball«, sagte er, »genauso wie beim Fußball: Wer den Ball hat, hat recht.«

Man schaltete den Apparat ab, setzte die Diskussion nicht fort, man mußte noch packen, ein Vorwand war gegeben. Tsetse sagte: »Nun kehrt jeder zu seiner eigenen ungesicherten atomaren Meinung zurück.«

Warum fuhr Hannah Pertes nicht mit? Warum sonderte sie sich ab? Sie habe Geschäftliches zu regeln, das entsprach den Tatsachen; sie gedachte in Zukunft mit der Öko-Bank zusammenzuarbeiten, war sich in dieser fortschrittlichen Entscheidung nicht mit der Weberin einig, die zu Vorsicht riet. Hannah hielt es für konsequent, immer häufiger tauchte das Wort ›konsequent‹ in ihren Sätzen auf.

Die Öko-Bank lieferte den Vorwand; sie hatte das Bedürfnis, für sich zu sein, Abstand zu gewinnen, ein Jahr war vergangen seit dem Einzug, zwei Jahre seit der ersten Begegnung mit Britten.

Ludi hinderte sie dann am Alleinsein; was sollte er in einem Weinberg? Er trank sein Bier und war der Ansicht, daß er das Grundstück nicht unbeaufsichtigt lassen dürfe.

Winken und Rufen. Jetzt, wo es soweit war, fuhr man gar nicht gern weg. Um so lieber würde man wiederkommen.

Ludi schloß das Parktor, und Hannah Pertes fragte ihn: »Wissen Sie noch, Ludi –?«

»Das weiß ich noch, aber heute würden Sie das Tor nicht mehr aus den Angeln heben.«

»Es ist nicht mehr nötig.«

»Da haben Sie auch wieder recht.«

»Wie ist es denn nun, Ludi?«

»Was –?«

»Alles.«

»Ich meine, es geht, und wenn's geht, dann geht's doch.«

»Ach, Ludi!«

»Ich gehe angeln, ich meine, ich setze mich eine Weile an den Bach.« Was er dann doch nicht tat, er setzte sich statt dessen in das größere Übel, kam nach zweistündiger Autofahrt zurück und traf mit Hannah Pertes zusammen. Sie sagte nichts, also mußte er etwas sagen: »Ich dachte, vielleicht merkt sie es gar nicht, und wenn sie es merkt, kann sie auch nichts mehr ändern, und ich habe meinen Spaß gehabt. Habe ich gar nicht! Nun weiß ich, wie es ist.«

»Ich hatte dasselbe vor, Ludi, ich wollte mich auch ins Auto setzen. Vermutlich hätte ich die gleiche Erfahrung gemacht.«

Sie kehrte ins Haus zurück, ging ans Telefon, rief Britten an. »Komm! Komm und bring Mark Anton mit. Laß dich nicht zweimal bitten!«

»Was ist los?« fragte Britten eine halbe Stunde später. »Du willst ein Stück laufen? Es regnet! Soll ich mir die Pertesschen Stiefel anziehen?«

»Mein Anruf kam ungelegen?«

»Der Hund mußte sowieso noch einmal raus.«

»Du bist unwiderstehlich, Britten.«

»Würdest du –«

»Kann man ernst mit dir reden?«

»Darauf wird es hinauslaufen, ich hatte das auch vor.«

»Ich will in diesen Tagen ausprobieren, wie das ist, wenn keiner hier lebt, wenn die Häuser leerstehen, die Fenster dunkel sind und aus dem Badehaus kein Gelächter dringt, wenn keine Essensgerüche durchs Haus ziehen.«

»Steht das Haus noch leer, in dem damals diese Leukämiekranke gestorben ist?«

»Warum? Willst du einziehen?«

»Vielleicht.«

»Was ist los? Mit dir ist doch etwas los.«

»Wenn ein Mann nicht mehr mit der Frau zusammenleben möchte, die er einmal geheiratet hat, und es vorziehen würde, statt dessen mit fünfzehn anderen Personen in einer vergleichsweise engeren Gemeinschaft zu leben – ist mit so einem Mann noch etwas los?«

»Heißt das –«

»Felizitas kommt zurück, die Sache ist ausgestanden, sagt sie.«

»Behält sie Mark Anton?«

»Gilt deine erste Frage dem Hund –? Ich wollte eigentlich von dir wissen, ob das das Menschenmögliche ist, von dem einmal die Rede war.«

»Laß uns ins ›Bosco‹ gehen.«

Sie sitzen sich gegenüber, am gewohnten Platz. Mark Anton hat seinen schönen Kopf auf Hannahs Füße gelegt und verfolgt das Gespräch, das auch ihn betrifft, mit Aufmerksamkeit. Zunächst schweigen beide, weil zuviel zu sagen wäre; nicht wie am ersten Abend, als Hannah Pertes nichts zu sagen hatte. Sie spielen das Brillenspiel, verhaken die Bügel ineinander, bringen die Gläser in Brennweite.

Hannah fragt: »Was wird aus uns beiden?«

Britten fragt zurück: »Was könnte werden, was nicht bereits ist? Zwei Einzeller, die nahe aneinandergerückt sind.«

»Wir haben einmal über innere und über äußere Nähe gesprochen – ich brauche mehr äußere Nähe.«

»Meinst du, was alle –? Vorsicht! Vorsicht, Hannah, gieß das Wasser zu den Kunstbäumen und nicht in mein Gesicht! Obwohl ich deine raschen Reaktionen immer bewundert habe. Ich würde deinen Ansprüchen nicht genügen. Ich habe etwas anderes vor, mit dir vor, mit deinem Projekt. Vor einem halben Jahrhundert wurde die Kernspaltung entdeckt. Kein Jubiläum, das man feiert, aber gestern, diese Podiumsdiskussion fand bereits aus diesem Anlaß statt. Mein Aufsatz über ›Die folgenreiche Entdeckung der Kernspaltung‹ ist abgeschlossen. Das Projekt Pertes gehört zu den Folgen! Ich habe dieses Unternehmen ohne Beispiel vom ersten Augenblick an mit Aufmerksamkeit verfolgt. Das Bildmaterial reicht vermutlich nicht aus, könnte aber ergänzt werden. Wenn ihr alle einverstanden seid, werde ich darüber schreiben. Erinnerst du dich: ›In diesem Stück Erde die ganze Erde lieben! In diesen wenigen Menschen alle Menschen achten!‹ Mit Skepsis kommen wir heute nicht mehr weiter.«

»Mach keine Test-Mäuse aus uns. Wir sind nicht vorbildlich.«

»Das ist das Beste an euch. Ich brauche nur mit den Worten: ›Es war einmal –‹ anzufangen. Oder sollte man mit den Worten ›Es wird einmal sein –‹ beginnen?«